JN307795

菊と刀

日本文化の型

ルース・ベネディクト
長谷川松治 訳

講談社学術文庫

THE CHRYSANTHEMUM
AND
THE SWORD
by Ruth Benedict

感謝のことば

日本で生まれ、あるいは日本で教育を受けて、戦時中、アメリカに住んでいた日本の人たちは、非常に困難な立場に置かれていた。彼らは多くのアメリカ人から疑いの眼で見られた。そこで私は、この書物の資料を集めていた当時、彼らの助力と厚意を受けたことを証言することに、特別の喜びを感ずるのである。私はこれらの日本人に格別の謝意を表さねばならない。とりわけ感謝したいのは、戦争中私の同僚であったロバート・ハシマである。この人はこの国で生まれ、日本で育ったのであるが、一九四一年にアメリカへ戻ってきた。彼は戦時外国人隔離収容所に抑留された。その後、アメリカ軍機関に勤務するために彼がワシントンに出てきたおりに、私は彼に会ったのである。

私はまた、本書においてその報告をする課題を私に与えて下さった戦時情報局、とりわけ極東部次長ジョージ・E・テイラー教授と、当時、外国戦意調査課長をしておられた米国海軍予備軍軍医部のアレグザンダー・H・レイトン中佐に謝意を表さねばならない。

本書の全部、またはその一部を読んで下さった、レイトン中佐、クライド・クラックホーン教授、及びネイサン・リーツ博士――以上はいずれも私が日本のことを研究していた当時、戦時情報局におられたかたがたで、いろいろな点で援助していただいた――、それからコンラッド・エァレンズバーグ教授、マーガレット・ミード博士、グレゴリ・ベイトスン、E・H・ノーマンの諸氏にもお礼を申し上げたい。これらの人びとからかずかずの示唆や援助を受けたことを感謝する。

ルース・ベネディクト

目次

学術文庫版校訂／大石正幸

凡例

一、注は原注、訳注ともに、本文の当該の個所に＊印をつけて示し、その段落の終わりの所に組み入れることにした。特に訳注とことわったもの以外は、すべて原注である。

一、本文または注の中で〔　〕で包んだ個所は訳者の補足である。

一、原書において、日本語をそのままローマ字で表記して用いている所は、〝　〟で囲んだカタカナで示し、同じ語がくり返し出てくる場合には、初出のものだけかたかなで、他は日本語の普通の表記法にやはり〝　〟をつけて示した。もっとももときにはわずらわしすぎるので、〝　〟を省略した場合もなくはない。

一、傍点をうった個所は、原書でイタリックにしている所である。

菊と刀

日本文化の型

第一章　研究課題――日本

日本人はアメリカがこれまでに国をあげて戦った敵の中で、最も気心の知れない敵であった。大国を敵とする戦いで、これほどはなはだしく異なった行動と思想の習慣を考慮の中に置く必要に迫られたことは、今までにないことであった。われわれは、われわれより前に、一九〇五年に日本と戦った帝政ロシアと同じように、西洋の文化的伝統に属さない完全に武装され訓練された国民と、戦っていたのである。西洋諸国が人間の本性に属することがらとして承認するにいたった戦時慣例は、明らかに日本人の眼中には存在しなかった。このために太平洋における戦争は、島から島へ一連の上陸作戦を決行するだけ、軍隊輸送・設営・補給に関する容易ならぬ問題を解くだけでなく、敵の性情を知ることが主要な問題になった。われわれは、敵の行動に対処するために、敵の行動を理解せねばならなかった。

困難は大きかった。日本の閉ざされた門戸が開放されて以来七十五年の間に日本人について書かれた記述には、世界のどの国民についてもかつて用いられたことのないほど奇怪至極な「しかしまた」の連発が見られる。まじめな観察者が日本人以外の他の国民について書く時、そしてその国民が類例のないくらい礼儀正しい国民であるという時、「しかしまた彼らは不遜で尊大である」とつけ加えることはめったにない。ある国の人びとがこの上なく固陋《ころう》であるという時、「しかしまた彼らはどんな新奇な事柄にも容易に順応する」とつけ加えはしない。ある国民が従順であるという時、同時にまた彼らは上からの統制になかなか従わない、と説明したりはしない。彼らが忠実で寛容であるという時、「しかしまた彼らは不忠実で意地悪である」と言いはしない。彼らが真に勇敢であるという時、その臆病さ加減を述べたてることはない。彼らが他人の評判を気にかけて行動するという時、それにひき続いて、彼らは本当に恐ろしい良心をもっていると言いはしない。彼らの軍隊のロボットのような訓練ぶりを描写する時、それに続けて、その軍隊の兵士たちがなかなか命令に服さず、公然と反抗する場合さえあることを述べるようなことはない。西欧の学問に熱中する国民について述べる時、同時にまた彼らの熱烈な保守主義についてくわしく記することはない。美を愛好し、俳優や芸術家を尊敬し、菊作りに秘術を尽くす国民に関する本を書く時、同じ国民が刀を崇拝し武士に最高の栄誉を帰する事実を述べた、もう一冊の本によってそれを補わなければならないというようなことは、普通はないことである。

ところがこれらすべての矛盾が、日本に関する書物の縦糸と横糸になるのである。それらはいずれも真実である。刀も菊もともに一つの絵の部分である。日本人は最高度に、喧嘩好きであるとともにおとなしく、軍国主義的であるとともに耽美的であり、不遜であるとともに礼儀正しく、頑固であるとともに順応性に富み、従順であるとともにうるさくこづき回されることを憤り、忠実であるとともに不忠実であり、勇敢であるとともに臆病であり、保守的であるとともに新しいものを喜んで迎え入れる。彼らは自分の行動を他人がどう思うだろうか、ということを恐ろしく気にかけると同時に、他人に自分の不行跡が知られない時には罪の誘惑に負かされる。彼らの兵士は徹底的に訓練されるが、しかしまた反抗的である。

日本を理解することがアメリカにとって非常に重要な事柄となってきた時、これらの矛盾や、なおこのほかの同様にはなはだしい多くの矛盾を見て見ないふりをするわけにはゆかなかった。重大局面がぞくぞくと、くびすを接してわれわれの前に立ち現れつつあった。日本人はどうするだろうか。日本本土に進攻することなしに降服させることができるであろうか。われわれは皇居の爆撃を行なうべきであろうか。日本人俘虜から何を期待することができるだろうか。日本の軍隊ならびに日本本土に対する宣伝においてどんなことを言えば、アメリカ人の生命を救い、最後の一人まで抗戦するという日本人の決意を弱めることができるだろうか。日本人を最もよく知っている人びとの間でも、はなはだしい意見の相違があった。平和になった時に、日本人は秩序を維持させるためには永続的に戒厳令を布かなければならないような国民だろうか。わが軍は日本の山中にあるあらゆる要塞で、死にもの狂いになって最後まで頑強に抵抗する日本人と戦う覚悟をせねばならないのだろうか。国際平和が可能となる前に、フランス革命やロシア革命程度の革命が、日本に起こる必要があるのだろうか。だれをその革命の指導者にしたらよいのか。それとも、日本国民は絶滅させなければならないのだろうか。われわれの判断いかんによって非常な相違が生ずるのであった。

私は一九四四年六月に日本研究の仕事を委嘱された。私は、日本人がどんな国民であるかということを解明するために、文化人類学者として私の利用しうるあらゆる研究技術を利用するよう依頼を受けた。ちょうどその初夏のころは、わが国の日本に対する大攻勢が、ようやくその真の大きさを見せ始めたばかりの時であった。アメリカでは、あいかわらず人びとは、対日戦争は三年続くだろう、もしかすると十年、いやそれ以上になるかもしれない、などと言っていた。日本では百年戦争だなどということを口にしていた。なるほどアメリカ軍は局部的な勝利を得た、しかしニューギニアやソロモン群島は日本本土から何千マイルも離れている、と言っていた。日本の公報は海軍の敗北をなかなか認めようとせず、日本国民は依然として自分たちの方が勝っているのだと思い込んでいた。

ところが六月になると、形勢が変化し始めた。ヨーロッパでは第二戦線が開始され、最高司令部が二年半にわたってヨーロッパ戦域に対して与えていた軍事的優先権は、もうその必要がなくなった。対独戦争の終わりは目に見えていた。そして太平洋ではわが軍はサイパン島に上陸した。これは日本の終局的敗北を予告する大作戦であった。これから後は米軍将兵はますます近接して日本軍と顔を合わせることになる。しかもわれわれは、ニューギニアにおける、ガダルカナルにおける、ビルマ〔現在のミャンマー〕における、またアッツやタラワやビアクにおける戦いの経験で、いかに恐るべき敵と取り組んでいるか、ということを十分知り抜いていた。

したがって一九四四年六月には、われわれの敵日本に関する、数多くの疑問に答えることが肝要であった。問題が軍事上の問題であろうと外交上の問題であろうと、最高政策に関する諸問題から起きたものであろうと日本軍の前線に落とす宣伝冊子のことから起きたものであろうと、あらゆる洞察が必要であった。日本が戦っている総力において、われわれの知らなければならないことは、たんに東京にいる支配者たちの目的や動機だけ、長い日本の歴史だけ、経済や政治の統計だけではない。われわれは彼らの政府が国民から何を当てにすることができるか、ということを知らねばならなかった。われわれは日本人の思想・感情の習慣と、それらの習慣がその中に流し込まれる型（パターン）を理解するように努めねばならない。われわれはこれらの行動や意見の背後にある強制力を知らねばならない。われわれはわれわれがアメリカ人として行動するさいの前提をしばらく脇に置き、できるだけ、ある与えられた状況のもとで日本人がすることは、われわれのすることとたいした違いはあるまい、というような安易な結論に飛びつかないようにする必要があった。

私に与えられた課題は困難であった。アメリカと日本とは交戦中であった。そして戦争中には敵を徹頭徹尾こきおろすことはたやすいが、敵が人生をどんなふうに見ているかということを、敵自身の眼を通して見ることははるかにむずかしい仕事である。しかもそうせねばならなかったのである。問題は日本人がどんな行動をするかであって、もし彼らと同じ立場に置かれたならば、われわれはどんな行動をするか、ということではなかった。私は日本人の戦争中の行動を、彼らを理解するに当たって、マイナスの要素としてではなく、プラスの要素として利用するように努めねばならなかった。私は彼らが戦争そのものを遂行するやり方を眺め、それをしばらくの間、軍事的問題としてではなく、文化問題として見なければならなかった。平時と同じように、戦時においてもまた日本人は、いかにも日本人らしくふるまった。彼らが戦争を処理してゆく方法の中に、彼らの生き方や考え方を示す、どのような特殊な徴候が見られるか。彼らの指導者が戦意を煽り立て、うろたえる国民を安心させ、戦場でその兵士を用いるやり方、これらはいずれも、彼ら自身が何を、利用しうる長所とみなしているかを示していた。私は日本人が戦争においていかに一歩一歩、自己の姿を現してゆくかを見るために、戦争の細部の点を調べなければならなかった。

しかしながらわれわれ両国民が交戦中であるという事実は、必然的に非常な不利を意味した。それは文化人類学者の研究技術として最も重要な、現地調査を断念せねばならぬことを意味していた。私は日本に出かけてゆき、日本人の家庭の中で生活し、日常生活のさまざまな活動を観察し、自分の眼でどれが重要なもので、どれがそうでないかを見分けることができなかった。私は彼らがある決定に到達するという複雑な仕事をなしつつあるところを観察することができなかった。私は彼らの子供が育てられてゆく過程を見ることができなかった。日本の村落に関する唯一の人類学者の実地研究である、ジョン・エンブリーの『須恵村』(Embree, John F., *Suye Mura*) は非常に貴重な文献であったが、この研究が書かれた当時は、一九四四年にわれわれが直面していた日本に関する問題の多くは、まだ問題になっていなかった。

以上のような大きな困難があったけれども、それでも私は文化人類学者として、利用することのできるある種の研究術と必要条件をそなえているという自信があった。少なくとも私は、人類学者が大いに頼りにする、研究対象である民族との直接面接をすっかり断念しなくてもよかった。この国には日本で育った日本人が大勢いた。そこで私は彼らに彼ら自身が経験した具体的事実を尋ね、彼らがそれらをどんなふうに判断しているかを見いだし、彼らの説明によって、人類学者としての私にとって、いかなる文化の理解にも必要欠くべからざるものと考えられる、われわれの知識の多くのギャップを埋めることができた。当時、日本を研究していた他の社会科学者たちは、図書館を利用し、過去の事件や統計を解剖し、文字で書かれ、あるいは口頭で述べられた日本側の宣伝文句の上に現れる変化を追跡していた。私はこれらの人たちが追求している答えの多くは、日本文化の規則と価値の中に埋もれている、だからその文化を、実際にその文化を生きてきた人びとについて、探究した方が、いっそう満足に発見することができる、という確信をもっていた。

　だからといって私は、全然書物を読まず、日本で生活したことのある西欧人のお陰をたえず蒙るようなことはなかった、と言うのではない。日本に関するおびただしい数にのぼる文献と日本に住んだことのある、多数のすぐれた西欧の観察者とが、アマゾン河の水源地帯や、ニューギニアの高地へ、文字をもたない部族を研究しにゆく人類学者が全然もたない便益を私に与えてくれた。このような部族は文字言語をもたないからして、自らの姿を文筆によって書き表わしていない。西欧人の解説も寥々《りょうりょう》たるもので、かつ皮相的である。誰にもその過去の歴史はわからない。実地調査者は、先人研究者の助けを全く受けずに、彼らの経済生活の営み方や、彼らの社会がどんなふうな層に分かれているか、彼らの宗教生活において最高至上のものとされているものは何か、というようなことを発見せねばならない。日本を研究する場合には、私は多くの学者の遺産を受け継ぐことができた。生活の細部にわたる描写が、好事家の記録の中にしまい込まれていた。ヨーロッパ人やアメリカ人がそのなまなましい経験を書き留めているし、また日本人自身が実に驚くべき自己暴露を書いている。多くの東洋人とは違い、日本人は自分のことを洗いざらい書き立てる強い衝動をもっている。彼らはその世界的拡張計画のみならず、彼らの生活の瑣事についても書く。彼らは驚くほどあけすけである。もちろん彼らは彼らの生活をことごとく、あますところなく書き写してはいない。どの民族だってそんなことはしない。日本のことについて書く日本人は、本当に重要な事柄を、それらが彼にとって、彼が呼吸する空気と同じように慣れきった事柄であり、眼につかない事柄であるために、見のがしてしまう。アメリカ人がアメリカについて書く場合も同じである。にもかかわらずやはり、日本人は自己をさらけ出すのが好きであった。

私はこれらの文献を、ダーウィンが種の起源に関する理論の仕上げに取りかかっていたさいにしたと言っているやり方と同じように、理解する手段のない事柄に注意しながら読んでいった。議会における演説の中の観念の羅列を理解するためには、私はどういうことを知らなければならないのか。彼らは別に大したことではないと思われる行為を猛烈に非難し、無法と思われる行為を平気で是認するが、こういう態度の背後には一体何が潜んでいるのか。「この絵はどこが変なのか」、それを理解するためには、私は何を知る必要があるのか、という問いを絶えずくり返しながら読んでいった。

私はまた、日本で書かれ製作された映画、——宣伝映画だの、歴史映画だの、東京や農村の現代生活を描いた映画だのを見にいった。その後でもう一度、それらの映画を、同じ映画の中のあるものを日本で見てきた、そしていずれにしても、主役や女主人公や悪役を、私がそれらを見る見方ではなくて、日本人が見る見方で見る日本人たちといっしょに、子細に検討してみた。私がわからなくて途方に暮れている時にも、彼らはそうでないことは明らかであった。筋や動機も私が理解したようなものではなくて、映画全体の構成の仕方から考えて、はじめて意味が通じるのであった。小説の場合と同じように、私の受け取った意味と、日本で育った人びとに受け取られる意味との間には、一見して目につく以上に、はるかに大きな違いがあった。これらの日本人の中のあるものは、すぐに日本人の慣習を弁護した。そしてあるものは、日本のことなら何もかも憎んだ。この二通りのグループのどちらから、私が最も多く学んだか、断定することはむずかしい。日本では生活をどんなふうに律しているか、ということに関して彼らが描き上げた、彼らの熟知している画像においては、それを喜んで受け容れようと、憎々しげに拒否しようと、彼らは一致していた。

その材料と解釈とを、研究している文化の担い手から直接得てくるというだけでは、人類学者のなすところは、日本に住んでいたすべての最も有能な西欧の観察者が行なったところと、少しも選ぶところがない。もし人類学者の提供しうるものがこれだけに留まるものとすれば、外国人居留者がこれまでに成し遂げた、かずかずの日本に関する貴重な研究に、なにひとつつけ加える望みはないわけである。しかしながら文化人類学者は、その修練の結果として、ほかの人には見られない二、三の特別な能力をもっているので、研究者や観察者の豊富な分野において、独自の貢献をつけ加える試みをすることも、あながち無益なことではないと思われた。

人類学者はアジアならびに太平洋の多くの文化を知っている。日本の社会制度や生活習慣の中には、太平洋諸島の未開部族の間においても、それに酷似した並行例が見受けられるものが多い。これらの並行例のあるものはマライ諸島に、あるものはニューギニアに、あるものはポリネシアにある。これらの類似は、かつて昔、移住もしくは接触のあったことを示すのではあるまいか、ということを考えることはむろん興味のあることではあるが、これらの文化的類似を知っていることが私にとって価値があったのは、その間にあるいは歴史的関係があるかもしれないという理由からではなかった。むしろそれは、私はこれらの単純な文化の中で、これらの習俗がどんなふうに作用しているかを知っていたので、私が見いだした類似もしくは差異から、日本人の生活を理解する手がかりを得ることができたからであった。私はまた、アジア大陸のシャム〔現在のタイ〕とビルマと中国についても多少の知識をもっていたので、日本と、ともに同じアジアの偉大な文化的相続財産の一部分である他の国ぐにとを比較することができた。人類学者たちは未開人の研究において、くり返しくり返し、そのような文化比較がいかに価値あるものでありうるか、ということを証明してきた。ある部族がその慣習の九〇パーセントまで、隣接部族と共有していながら、しかも周囲のどの民族とも共有していないある一種の生活様式、ある一組の道徳的価値に適合させるために、それらの慣習に手を加えているというようなことがある。その過程において、全体に対する比率がどんなに小さくとも、その部族の将来の発展のコースを独特の方向に向ける、ある種の根本的な組織をはねつけなければならなかったかもしれない。全体として見れば多くの特性を共有している、諸民族の間に認められる差異を研究することほど、人類学者にとって有益なことはない。

人類学者たちはまた、彼ら自身の文化と他の文化との最大の差異に慣れねばならなかった。そこで、その研究技術を特にこの問題のために鋭利にせねばならなかった。彼らは異なった文化をもつ人びとが遭遇せねばならない事態、および異なった部族や国民がこれらの事態の意味を規定する仕方に、はなはだしい差異のあることを、経験によって知っている。北極地方のある集落、熱帯地方のどこかの砂漠で、彼らはどんなに想像をたくましくしても、とうてい思いもつかないような親族間の責任や経済的交換の部族的組織に遭遇した。彼らは親族関係や交換の詳細を調べるだけではなく、これらの組織はその部族の行動の上にどういう結果を及ぼしているか、またおのおのの世代はいかに子供の時から、以前に彼らの祖先たちがしてきたと同じようにふるまうように条件づけられるか、ということを調べなければならなかった。

差異とその条件づけならびにその結果に対するこのような専門的関心は、日本研究においても十分利用することができた。誰一人としてアメリカと日本との間の根深い文化的差異に気づかぬ者はいない。われわれの間には、日本人に関して、日本人のすることとわれわれのすることとは、なにもかも皆あべこべだ、という俗説が行なわれているくらいである。このような差異の確信が特に危険になるのは、研究者がただたんに、これらの差異はまことに奇怪至極なものであって、そのような民族を理解することはとうてい不可能であると言うだけでことたれりとする場合である。人類学者は経験上、どんな異様な行動でもけっこう理解することができる、という確実な証拠を握っている。他のいかなる社会科学者よりも多く、人類学者はその専門の上で差異をマイナスとしてではなく、むしろプラスの要素として利用してきた。制度や民族に対し、それがいちじるしく風変わりなものであればあるほど、いっそう油断なく注意を払ってきた。人類学者が取り扱う生活様式の中には、はじめから当然のこととして予想してかかれるものはなにひとつなかった。そこで少数の選ばれた事実だけではなくて、一切合切の事実を見なければならなかった。西欧諸国民の研究において、比較文化学的研究の素養のない人間は、多くの行動領域を見のがしてしまう。そういう人はあまりにも多くの事柄を当然のこととしてきめてかかるので、日常生活の平凡な習慣のかずかずや、ありふれた事柄に関する一般に容認されている一切の判断を、調べないですましてしまう。しかもこれらの判断こそ、それが国民全体のスクリーンの上に大写しに映し出された時は、外交官が調印した条約よりも、その国民の将来に関係するところが大きいのである。

人類学者は平凡な事実を研究する特別の技術を開発せねばならなかった。研究している部族において日常普通のこととされている事実が、彼自身の本国におけるそれに対応する事実とははなはだしく異なっていたからである。ある部族の極端な意地悪さや、別な部族の極端な臆病さを理解しようとする時、彼らがある一定の状況のもとで、どのように行動し、どのように感じるかを突き止めようとする時に、文明国民についてはあまり注意されない観察や微細な事実を、おおいに頼りとせねばならないことに人類学者は気がついた。人類学者はこういう事柄こそ肝要であると信ずべき十分な理由をもっていた。そしてこれらの事柄を発掘する研究方法を心得ていた。

日本の場合にこの方法を試みることは意義のあることであった。ある国民の生活の、はなはだ人間的な日常茶飯事に注意してこそはじめて、いかなる未開部族においても、またいかなる文明の先頭に立つ国民においても、人間の行動というものは日常生活の中で学習されるものであるという、人類学者の前提の重要な意義を十分に理解することができるからである。その行為や意見がどんなに風変わりなものであっても、ある人間の感じ方、考え方はその人の経験となんらかの関係をもっている。そこで私は、なにかある行動に行き当たってはたと当惑すればするほどますます、日本人の生活のどこかに、そのような異様さを生みいだす、なにかあるごく当たりまえの条件が存在するに違いないと考えた。もしその条件の探求が、日常的交渉の瑣事に趨《おもむ》かしめるとするならば、それはなおさら結構なことであった。それこそ人びとが学習する場所であるからであった。

さらに私は文化人類学者として、どんな孤立した行動でも、お互いになんらかの体系的関係をもっている、という前提から出発した。私は何百もの個々の事象が、どんなふうに総合的な型（パターン）に分類されているか、という点を重視した。人間社会は自らのためになんらかの生活の設計を作らねばならない。社会はいろいろの状況に対処する一定の仕方、それらの状況を評価する一定の仕方を承認する。その社会の人びとはこれらの解決方法を全世界の基礎とみなしている。彼らはそれを、いかに困難であろうと、一つの全体的体系にまとめ上げる。生活の基準になる一定の価値体系を受け容れた人びとは、その生活の中に他の部分から隔離された部分を設けておいて、その中では右の体系とは反対の一連の価値に従って考え行動するとすれば、遠からずして必ず無能と混乱とを招来することになる。彼らはできるだけ多くの順応を実現しようとする。彼らは自分の行動になんらかの共通の根拠と共通の動機をつける。なんらかの程度の一貫性がなくてはならない。さもなければ、全体の体系がばらばらに瓦解してしまう。

それゆえに、経済的行動、家族組織、宗教的儀式、政治目的は、互いに歯車のように嚙み合わさったものになってくる。ある一つの領域において他の領域よりも急速に変化が起こり、そのために他の領域に大きな圧迫を加える場合がなくはない。しかしその圧迫そのものは一貫性を実現する必要から発生するのである。他人を支配する権力を追求することに専念する、まだ文字をもたない社会では、権力意志が彼らの経済的行為や他の部族との関係の中だけではなく、宗教的慣習の中にも同様に表現される。文字に書かれた古い聖典を有する文明諸国では、文字言語をもたない部族と違って、教会は必然的に昔の章句をそのまま保留しているが、しかし教会は、ますます多く一般から経済的ならびに政治的権力が是認されてゆく事実と抵触するような領域では、権威を放棄する。語句は残っていても、意味が変わってしまっている。宗教的教理と、経済的慣習と、政治とは、けっして明瞭に隔離された小さな池の中にせきとめられていないで、そのあると想像されている境を越えて溢れ出し、その水は互いにどれがどれと見分けのつかないようにまざり合うのである。このことは常に真理であるからして、研究者は、その研究をあるいは経済、あるいは性生活、あるいは宗教、あるいは嬰児の世話というふうに、一見、雑然とさまざまの事実に分散させているように見えれば見えるほど、いっそうよく、研究する社会において実際に起こりつつある事柄を探ることができるのである。生活のいかなる領域においても、その仮説を作り上げ、資料を採集して、利益を収めることができる。研究者は一国民のさまざまな要求を、それが政治、経済、道徳のいずれの言い表わし方によって言い表わされているにしても、その国民の社会的経験の中で学習される習慣や考え方の表現として見ることを学ぶことができる。それゆえにこの本は、日本人の宗教とか、経済生活とか、政治とか、家族とか、ある特定の一面を取り扱う書物ではない。本書は生活の営み方に関する日本人の仮定を検討するものである。本書は当面の活動がいかなるものであろうと、その中にこれらの仮定がどう現れているかを記述する。本書は日本をして日本人の国たらしめているところのものを取り扱った書物である。

二十世紀のハンディキャップの一つは、日本をして日本人の国たらしめているもののみならず、アメリカをしてアメリカ人の、フランスをしてフランス人の、ロシアをしてロシア人の国たらしめているところのものについても、われわれが依然として最も漠とした、また最もかたよった観念を抱いているということである。この知識を欠いているために、世界の国ぐにが互いに誤解し合っている。われわれは、悶着がたんに似たりよったりの二つのことがらの間に起こったものにすぎない場合に、とうてい和解することのできない大きな差異があるように思い込み、逆にある国民が、その経験と価値体系の全体によって、われわれの意図したところのものとまるで異なった行動方針を心の中に抱いているさいに、共通の目的をもっているなどということを口にする。われわれは彼らの習慣や価値がどんなものか、ということを発見する機会をもとうとしない。もしそうしたならば、ある行動方針は、それがわれわれの知っているものと違うからといって、かならずしも悪いとは限らない、ということが発見されるのであるが。

おのおのの国民が自らの思想・感情の習慣について言っていることにことごとく依存するということは、できないことである。どの国の文筆家も、彼ら自身のことを説明しようと努めてきた。しかしそれは容易なことでない。ある国民がそれを通して生活を眺めるレンズは、他の国民が用いるレンズと異なっている。われわれがものを見る時に必ずそれを通して見る眼球を意識することは困難である。どの国もことあたらしくそんなことを問題にしない。そしてある国民にその国民に共通の人生観を与える、焦点の合わせ方、遠近（パースペクティヴ）の取り方のこつが、その国民には、神様から与えられたままの風景の配置というふうに思い込まれている。眼鏡の場合に、眼鏡をかけている当人がレンズの処方を知っているなどとは、最初からわれわれが期待しないように、われわれは国民が自らの世界観を分析することに期待をかけるわけにはゆかない。もし眼鏡のことについて知りたければ、われわれは眼医者を養成し、眼医者の所へ持ってゆきさえすれば、どんなレンズでもちゃんと処方を書いてくれると考える。きっとそのうちにわれわれは、社会科学者の仕事こそ、現代世界の諸国民について、この眼医者と同じ仕事を行なうものである、ということを認めるようになるであろう。

この仕事はある程度の精神の強靭さと、ある程度の寛容さとを共に必要とする。この仕事は国際親善を唱える人びとが時には非難したであろうと思われるような、精神の強靭さを必要とする。これらの「一つの世界」の主唱者たちは、世界のすみずみの人びとに、「東」と「西」、黒人と白人、キリスト教徒とマホメット教徒との差別はすべて皮相のものであって、全人類は本当は同じ心をもっているのだという信念を植えつけることに、その希望を賭けてきた。この見解は時には四海同胞主義と呼ばれることもある。私にはどうして、四海同胞を信じるからといって、生活の営み方について日本人は日本人特有の、アメリカ人はアメリカ人特有の、考えをもっていると言ってはならないのか、合点がゆかない。時にはこういう心の柔和な人びとは、みんな同一の陰画から焼き付けたプリントのように一様な諸民族から成り立っている世界にならなければ、国際親善の教義は成り立たないと考えているかのように思われることがある。が他国民を尊敬する条件としてそのような劃一性を要求するのは、自分の妻や子供にそれを要求するのと同じように、あまりにも神経質すぎる。心の強靭な人びとは差別が存することに安んじる。彼らは差別を尊敬する。彼らの目標は差別があっても安全の確保されている世界、世界平和を脅かすことなくしてアメリカが徹底的にアメリカ的でありえ、同じ条件でフランスはフランス、日本は日本でありうる世界である。外からの干渉によって、人生に対するこれらの態度のどれかが成熟するのを禁止することは、自分では、差異がかならずしも世界の頭上に吊るされたダモクレースの剣とは信じられない研究者には全くいわれのないことと思われる。彼はまた、そのような立場を取ることによって、世界を現状のままに凍りつかせる手伝いをするのではないかと恐れる必要はない。文化的差異を助長することは、固定した世界を意味しない。エリザベス時代の後にアン女王時代が来、ヴィクトリア時代が来たからといって、英国はけっしてその英国らしさを失わなかった。それは、英国人が自己を失わず、異なった時代に異なった標準と異なった国民的ムードを造り出したからにほかならない。

国民的差異の組織立った研究を行なうためには、精神の強靭さとともに、ある程度の寛容さが必要である。宗教の比較研究が盛んに行なわれたのは、人びとが自分自身、確固不動の信念をもっていたために、他人に対していちじるしく寛容でありえた時に限られている。彼らはあるいはエスイタ派、あるいはアラビア人学者、あるいは不信仰者であったかもしれないが、けっして狂熱的信者ではなかった。文化の比較研究もまた、人びとが自分自身の生活様式を防衛することに汲々《きゅうきゅう》としていて、生活様式といえば、これが世界で唯一の解決法である、と信じている時には、とうてい栄えることはできない。そのような人びとは、他の生活様式を知ることによって、自分自身の文化をいっそう深く愛するようになるということを、けっして悟らないであろう。彼らはせっかくの楽しい、そして自分を豊かにしてくれる経験を、わざわざ拒否しているのである。彼らはあまりにも守勢的であって、他の国民に彼ら自身の特殊な解決法を採用することを要求する以外に取るべき方策をもたない。もし彼らがアメリカ人ならば、われわれにお気に入りの信条を、世界中の国民が採用することを強要する。しかも他の諸国民がわれわれの生活様式を採用できるものでないことは、わかりきったことであって、それはわれわれが十進法の代わりに十二進法で計算したり、東アフリカのある原住民のように、片足で立って休息したりすることをとうてい覚えることができないのと同じである。

さてこの本は、日本において予期されており、当然のこととみなされている習慣について述べたものである。日本人はどういう場合にひとからお辞儀されるものと期待し、どういう場合に期待できないか、どういう時に恥を感じるか、どういう時に当惑を感じるか、自分自身に対して何を要求するか、ということに関して述べた書物である。本書の中に述べられている事柄の理想的な典拠を求めるとすれば、それはいわゆる「市井の人」であろう。それは平凡人であろう。もっともこのことは、この平凡人が、自ら親しくいちいちの特殊な場合に身を置いたということを意味しない。それは誰でも、そういう場合にはその通りのことが行なわれる、ということを認めるであろうという意味である。このような研究の目標は、深く根をおろしている思想と行動の態度を記述するところにある。たとえ本書がそこまで達していないとしても、ともかくこれが理想であった。

このような研究ではじきに、もうそれ以上いくら大勢の報告者を追加しても、少しも確実さを増さないような点に到達する。たとえば、誰が誰に、いつお辞儀をするか、というようなことは、日本人全体の統計的研究を少しも必要としない。日本人がお辞儀をする一般に承認された慣習的な情況は、ほとんど誰でも報告することができる。そしてそれを他の二、三の報告によって確認すれば、もうその後は、百万人もの日本人から同じ報告を受ける必要はない。

日本がその生活様式をその上に築き上げているさまざまな仮定をあばき出そうとする研究者は、統計的に確認するよりもはるかに困難な仕事を課せられている。彼に要求されている大きな仕事は、これらの公認の慣習や判断が、いかにして日本人がそれを通して生活を見るレンズになるか、を報告することである。彼は彼らの仮定が、彼らが人生を眺めるさいの焦点と遠近法とに、どんなふうに影響するか、を述べなければならない。彼はこのことを、人生をまるで異なった焦点で見ているアメリカ人にわからせるようにせねばならない。この分析の仕事において、権威のある法廷は、必ずしも「田中さん」、すなわち平凡普通の日本人であるとは限らない。なんとなれば、「田中さん」は彼の仮定をことばに出して説明しないし、アメリカ人のために書かれた解釈は、たしかに彼には、必要のないことまでくどくどと書きたてていると思われるだろうからである。

アメリカの社会研究は従来、文明国の文化が立脚している諸前提の研究を志さないものが多かった。たいていの研究は、これらの前提を自明なことだと仮定している。社会学者や心理学者は、世論や行動の「分布」にばかり気をとられている。そしてその常套《じょうとう》の研究技術は統計的方法である。彼らは膨大な調査資料、質問書や面接調査者の質問に対するおびただしい数の回答、心理学的測定などを統計的分析にかけ、そこからある要因の独立性や相互依存関係を引き出してこようとする。世論調査の領域においては、科学的に選択された標本人口を利用することによって全国的調査を行なう有効な技術が、アメリカでは非常に完全な域に達している。これによって、ある公職の候補者もしくはある政策を支持する人と反対する人と、それぞれ何名ずつあるか、ということを発見することができる。支持者と反対者とは、田舎の人か都会人か、低額所得者か高額所得者か、共和党か民主党か、というふうに分類することもできる。普通選挙が行なわれ、実際に国民の代表者によって法律が起案され実施されている国においては、このような調査結果は実際的な重要性をもっている。

アメリカ人はアメリカ人の意見を投票によって調査し、かつその結果を理解することができる。しかしそれはその前に、あまりにもわかりきったことだから、誰も口に出す人はいないが、もう一つの段階があればこそできることなのである。すなわち、アメリカ人はアメリカにおける生活の営み方を知っており、それを当然のこととして仮定しているのである。世論調査の結果は、すでにわれわれが知っている事柄について、さらに、それ以上の知識を与えるにすぎない。他国を理解しようとするに当たっては、その国の人たちの習慣や仮定に関する質的研究を組織的に行なった後にはじめて、数量的調査を有効に利用することができるのである。慎重に標本を取ることによって、世論調査は、政府を支持する人と反対する人とが何名ずついるか、ということを発見することができる。がしかし、彼らが国家に関してどういう観念を抱いているか、ということがあらかじめわれわれにわかっていなければ、そういう調査によってわれわれはいったい何を学ぶことができるだろうか。彼らの国家観念についての知識をもっている場合に限って、われわれは、街頭において、もしくは議会において、諸党派がいったい何を言い争っているのか、を知ることができるのである。一国民の政府に関して抱いている仮定は、政党の勢力を表示する数字よりも、はるかに一般的な、また恒久的な重要性をもっている。アメリカでは、共和党も民主党も、政府というものはやむをえない害悪ともいうべきものであり、個人の自由を制限するものと考えている。政府の官職に就くということも、戦時中は別だったかもしれないが、アメリカ人に対して、彼が民間事業においてそれに相当する職に就く場合に得られるような社会的地位を与えない。国家に関するこのような見解は、日本人の見解とは雲泥の差であるし、多くのヨーロッパ諸国民の見解からも遠いものである。われわれがなによりもまず知らなければならないのは、まさにこの彼らの見解はどうかということである。彼らの見解はその風習、成功した人びとに対する彼らの批評、自国の歴史に関する神話、祝祭日の演説などの中に具体的に表現されている。そしてこれらの間接的表現にもとづいて研究することができる。ただしかし、それには組織的な研究が必要である。

ある国民が生活に関して作り上げる仮定や、その国民が是認している解決法は、選挙にさいして人口の何割が賛成投票をし、何割が反対投票をするか、ということを発見する場合と同様に注意深く、かつ詳細に研究することができる。日本はその根本的な仮定を探求する価値の十分ある国であった。たしかに私は、ひとたびどこが西欧人の仮定と日本人の人生観とが合致しない点であるかということがわかり、彼らが用いている範疇と象徴とについて多少の理解が得られれば、よく西欧人の眼に映る日本人の行動の多くの矛盾は、もはや矛盾でなくなる、ということを発見した。ある種の急激な行動の転換を、どうして日本人自身は首尾一貫した一つの体系の、切り離すことのできない部分とみなしているかということが私にはわかりだした。私はその理由を示してみせることができる。私が日本人といっしょに仕事をしていた時に、彼らの使用する語句や観念の多くは最初は不可解に思われたが、やがてそれらは重要な含蓄をもっており、何百年もの歳月を経た感情のこもったものであることがわかってきた。徳と不徳とは西欧人の考えているものとはまるで違ったものであった。その体系は全く独特のものであった。それは仏教的でもなく、また儒教的でもなかった。それは日本的であった——日本の長所も短所も含めて。

第二章　戦争中の日本人

どの文化的伝統の中にも戦争の定法がある。そして西欧諸国はすべて、むろん多少の特殊的な差異がありはするが、一定の戦時慣例を共有している。戦争遂行のために国民がその全力を傾けるように鼓舞する一定の方法、局所的敗北を喫した場合に国民に安心を与える一定の形式、戦死者と投降者との比率のある程度の不動性、俘虜が守るべき一定の行動の規則があり、これらは西欧諸国の間の戦争においてははじめから予測することができる。それはこれらの諸国が共通の偉大な文化的伝統をもっており、その伝統は戦争をもその中に包括しているからである。

日本人が西欧の戦時慣例に違反して行なったあらゆる行為が、彼らの人生観を知り、人間の義務全般に関する彼らの信念を知る資料になった。目的は日本人の文化ならびに行動を組織的に研究することにあるのであるから、彼らのわれわれの定法からの逸脱行為が、軍事的意味において重要か否かということは問題にならなかった。いずれの行為も、われわれがその回答を必要とした、日本人の性格に関する問題を提起するものであるから、ひとしく重要であった。

日本がその戦争を正当化するために用いた前提そのものが、アメリカのそれとは正反対であった。日本は国際情勢を異なった仕方で規定した。アメリカは枢軸国の侵略行為が戦争の原因であるとした。日本、イタリア、ドイツの三国はその征服行為によって、不法にも国際平和を侵害した。枢軸国が権力を握った所が満州国にせよ、エチオピアにせよ、ポーランドにせよ、それは彼らが弱小民族を抑圧する邪悪な進路に乗り出したことを証明する。彼らは「共存共栄」、あるいは少なくとも自由企業に対する「門戸開放」の国際間の掟に対して罪を犯したのである。日本は戦争原因について別な見方をしていた。各国が絶対的主権をもっている間は、世界に無政府状態がなくなるためしはない。日本は階層的秩序（ハイアラキー）を樹立するために闘わねばならない。この秩序の指導者は——それはむろん日本である。なんとなれば、日本は上から下まで真に階層的に組織されている唯一の国であり、したがっておのおのがその「所」を得ることの必要を最もよく理解しているからである。日本は国内の統一と平和とを達成し、暴徒を鎮圧し、道路や電力・鉄鋼産業を建設し、公表数字によれば、その公立学校において青少年の九九・五パーセントに教育を授けた。だからそのおくれた弟である中国を引き上げてやらなければならない。日本は「大東亜」諸国と同一人種であるからして、世界のこの地域からまずアメリカ、次いで英国とロシアを駆逐して、「自らの所を得」なければならない。万邦は国際的階層組織の中にそれぞれ一定の位置を与えられて、一つの世界に統一さるべきである。われわれは次章において、かように階層制度に高い価値が置かれたことが、日本文化においていかなる意味をもったか、という問題を検討してみるつもりである。これはいかにも日本が創作するのにうってつけの幻想であった。日本にとって不幸なことには、日本の占領下にあった国ぐにはこの理想を日本と同じ目で見なかった。にもかかわらず、敗戦後でさえもまだ日本は「大東亜」の理想が道徳的に拒否すべきものとは考えていない。また日本人俘虜の中で、主戦論者的色彩の最も稀薄な者たちでさえ、大陸ならびに西南太平洋における日本の目的を糾弾するようなことはめったになかった。今後も非常に長い間、日本は必ずその生来の態度の中のあるものを保ってゆくことであろう。そしてこれらの態度のうち、最も重要なものの一つは、その階層制度に対する信仰と信頼である。それは平等を愛するわれわれアメリカ人とは相容れないものであるが、しかしそれにもかかわらず、われわれは、階層制度ということによって日本は何を意味していたのか、またこの制度にどういう長所があると考えてきたのかということを理解する必要がある。

日本はまたその勝利の望みを、アメリカで一般に考えられていたものとは異なった根底の上に置いていた。日本は必ず精神力で物質力に勝つ、と叫んでいた。なるほどアメリカは大国である、軍備もまさっている、しかしそれがどうしたというのだ、そんなことは皆はじめから予想されていたことであり、われわれははじめから問題にしていないのだ、と彼らは言っていた。そのころ日本人は、日本の大新聞『毎日新聞』で、次のような記事を読んだ。「もしわれわれが数字を恐れていたならば、戦争は始まらなかったであろう。敵の豊富な資源はこのたびの戦争によってはじめて作り出されたのではない」。

まだ日本が勝っていた時でさえ、日本の政治家も、大本営も、軍人たちも、くり返しくり返し、この戦争は軍備と軍備との間の戦いではない、アメリカ人の物に対する信仰と、日本人の精神に対する信仰との戦いだ、と言っていた。われわれの方が勝っていた時にも、彼らは幾度も幾度も、このような戦いにおいては、必ず物質力が負けるにきまっている、と言っていた。この信条はサイパンや硫黄島の敗北のころには、たしかに都合のよい言い逃れになった。しかしそれは敗北の言い逃れとして捏造されたものではない。それは日本軍が連戦連勝を誇っていた何ヵ月間かを通じて進軍ラッパの役割を演じたものであるし、真珠湾奇襲のずっと以前から公認されていたスローガンであった。一九三〇年代に、狂信的軍国主義者であり、かつて陸軍大臣であった荒木〔貞夫〕大将は、『全日本民族に訴う』というパンフレットの中で、日本の「真の使命は皇道を四海に遍《あまね》く弘布し宣揚することである。力の不足はわれわれの意に介するところではない。何故に物質的な事柄に気を使う必要があろうか」と書いている。

むろん実際は彼らも、戦争準備を行ないつつある国の例に洩れず、おおいに気を使ったのである。一九三〇年代を通じて、歳入のうち、軍備に充当する割合は、天文学的にふえていった。真珠湾攻撃当時には、国民総所得のなかば近くが陸海軍のために費やされ、軍事以外の一般行政に関係のある事柄をまかなう経費は、政府総支出額のわずか一七パーセントを占めるにすぎないありさまであった。日本と西欧諸国との相違は、日本は物質的軍備に無関心であった、ということではなかった。しかしながら軍艦や大砲は不滅の「日本精神」のたんなる外面的あらわれにすぎなかった。それらは象徴であった、あたかも武士の刀がその勇気の象徴であったように。

アメリカが終始一貫して物量の増大に専念したように、日本は非物質的手段を利用する点において完全に首尾一貫していた。日本もアメリカと同じように、生産増強運動を起こさねばならなかったが、その運動は日本独特の前提の上にもとづいていた。彼らの言によれば、精神が一切であり、永久不滅のものであった。物質的な事物もむろん必要ではあるが、それらは二の次のもので永続きはしない。「物的資源には限度がある。物質的な事物が千年も永持ちしないことは明瞭なことである」。日本のラジオはよくこんなふうに叫んでいた。そしてこの精神への信頼は戦陣の行動の中では文字通りに解釈された。彼らの軍隊用問答書は、「数には訓練をもって当たり、鋼鉄には肉弾でぶつかれ」という標語を用いていた。この標語は今度の戦争のために特に作られたのではなくて、伝統的なものであった。彼らの軍隊用教科書の冒頭には、「必読必勝」という文句が、太字で印刷されていた。あのちっぽけな飛行機を駆りわれわれの軍艦目がけて体当たり自爆をする操縦士たちは、精神の物質に対する優越をものがたる無尽蔵の教訓とされた。これらの操縦士たちは「カミカゼ特攻隊」と名づけられた。「カミカゼ」というのはあの、十三世紀のジンギス・カーン〔フビライ・ハーンの誤り――訳者〕の来寇の時に、その輸送船を蹴散らし転覆させて日本を救った神風の意味である。

一般人の生活においても、日本の当局者は物質的環境に対する精神の優位を文字通りに解していた。たとえば、国民は工場での二十四時間労働と終夜の爆撃とで疲労その極に達していた。だが、「われわれのからだがつらければつらいほど、ますますわれわれの意志、われわれの精神は肉体を凌駕《りょうが》する」、「へとへとになればなるほど、よい訓練になる」のであった。国民はまた、冬、火の気のない防空壕の中でぶるぶるふるえていた。するとラジオで大日本体育会は、防寒体操をやるように命令した。この体操は暖房設備やふとんの代わりになるばかりでなく、さらに結構なことには、もはや国民の普通の体力を維持してゆくことのできなくなった食糧の代わりにもなる。「現在のような食糧不足な時に、体操をやれなんてとんでもない話だ、と言う人がむろん必ずあるだろう。だがけっしてそうではない。食糧が不足すればするほど、ますますわれわれはわれわれの体力を他の方法で向上させねばならない」。つまり、われわれはわれわれの体力を余計に消費することによって、それを増大せねばならない、と言うのである。アメリカ人の体力についての考え方はいつでも、前の日に八時間眠ったか、五時間眠ったか、平常通り食事をしたかどうか、寒かったかどうかによって、どれだけ体力を使ってさしつかえないかを計算するのであるが、この日本人の計算の仕方はそれとは正反対で、体力を蓄えることなんかは全然眼中においていない。それは物質主義的なやり方だ、と考えていたのである。

戦争中、日本の放送はさらに極端なことまで言っていた。戦いにおいては精神は死という自然的事実にすら打ち勝つと言うのである。ある放送は英雄的な飛行機搭乗員とその死の征服を述べて次のように言った。

空中戦が終わってから、日本の飛行機は三機または四機の小編隊に分かれて基地に帰ってきた。最初に帰着した数機の中の一機に一人の大尉が搭乗していた。愛機から降りたこの大尉は、地上につっ立って双眼鏡で空を見つめていた。部下が帰ってくるのを数えていたのである。少し顔色が青ざめてはいたが、全くしっかりしていた。彼は最後の飛行機が帰着したのを見届けてから、報告書を作成し、司令部に向かった。司令部に着いて司令官に報告した。ところが報告を終えるやいなや、突然彼は崩れるように地上に倒れた。その場にいあわせた士官たちは急いで駈け寄り、助け起こそうとしたが、その時はもう彼はこときれていた。死体を調べてみるとすでに冷たくなっていた。そして胸に一発敵弾を受けており、それが致命傷となったことがわかった。今息をひきとったばかりの身体が冷たくなるわけはない。にもかかわらず大尉の身体は氷のように冷たくなっていた。大尉はずっと前に死んでいたのに相違ない。報告をしたのはその魂だったのだ。戦死した大尉のもっていた厳格な責任感によって、このような奇跡的な事実が成し遂げられたのに相違ない。

むろんアメリカ人から見れば、これはとんでもない作り話である。ところが教育ある日本人たちはこの放送を一笑に付さなかった。彼らは、日本の聴取者たちはけっしてこの放送を、荒唐無稽《こうとうむけい》の物語とは考えないだろう、というふうに感じていた。第一に彼らが指摘した点は、放送者の言った通り、この大尉の英雄的な行為は全く「奇跡的な事実」である、ということであった。どうして奇跡の起こらないことがあるものか。霊魂は鍛錬することができる。この大尉は明らかに修養の大家であった。もしも、日本人がみんな知っているように、

「泰然自若《たいぜんじじやく》とした精神は死後千年も持続することができる」ものとすれば、「責任」ということをその生活全体の中心の掟としてきたこの大尉の肉体の中に、わずか数時間、留まることはやさしいことではないか。日本人は、人は特別な修行によってその精神を至高のものにすることができる、と信じている。この大尉はその道を学びその効果を収めたのである。

アメリカ人の立場からすれば、われわれはこういう日本人の行き過ぎを、貧乏国の言い逃れ、または欺かれた国民の子供じみた妄想として完全に無視することができる。しかしながらもしそうしたならば、戦争において、もしくは平和において日本人を処理する能力を、それだけ失うことになる。彼らの信条は一定の禁制と拒斥、一定の訓育と鍛錬の方法によって、日本人の心の中にうえつけられ、育てられてきたのであって、たんなる孤立した奇習ではない。これらの信条を認めた時にはじめて、アメリカ人は、日本人が敗戦にさいして、精神力だけでは駄目だった、「竹槍」で陣地を守ろうなどというのは全くの妄想であったと自認している、その言葉の真の意味が納得できるのである。さらにそれよりも重要なことは、彼らが、日本人の精神力が足りなかったために、戦場でも工場でもアメリカ人の精神力に負けたのだ、と自認していることを理解することである。敗戦後彼らが言ったように、戦争中、彼らは「全く主観的な態度で戦ってきた」のである。

階層制度や精神力の優越に関してだけでなく、日本人が戦争中にあらゆる種類の事柄に関して述べた言葉が、比較文化研究者には日本人を知る好個の材料となった。彼らはたえず、安心や士気は要するに覚悟の問題にすぎないと言っていた。どんな破局に臨んでも、それが都市爆撃であろうと、サイパンの敗北であろうと、フィリッピン防衛の失敗であろうと、日本人の国民に対するおきまりのせりふは、これは前からわかっていたことなんだから、少しも心配することはない、というのであった。明らかに、お前たちは依然としてなにもかもすっかりわかっている世界の中に住んでいるのだと告げることによって、日本国民に安心を与えることができると信じたからであろう、ラジオは極端な放送を行なった。「キスカ島がアメリカ軍に占領されたことによって、日本はアメリカ爆撃機の行動半径内にはいることになった。しかしこうなることは前から百も承知していたことであって、必要なてはずはすっかりととのっている」。「敵は必ずわれわれに対して陸・海・空三軍の連合作戦をもって攻勢に出てくるであろうが、これはすでにわれわれの計画中に予定されていたことである」。俘虜たちも、日本が見込みのない戦争をいつまでもやらないで早くかぶとを脱ぐことを望んでいた者たちでさえ、爆撃によって国内戦線の日本人の士気を沮喪《そそう》させることは不可能である、「なぜなら彼らはすでに覚悟しているから」、と確信していた。アメリカ軍が日本の都市の爆撃を開始したころ、航空機製造業者協会の副会長は次のような放送を行なった。「ついに敵機はわれわれの頭上に飛来して参りました。しかしながらわれわれ航空機生産の事に当たっております者は、かかる事態の到来することは常に予期してきたところでありまして、これに対処する万全の準備をすでに完了致しております。したがってなんら憂慮すべき点はないのであります」。すべてが予知され、計画され、十分計画された事柄であるという仮定に立つことによってのみ日本人は、一切はこちらから積極的に欲したのであって、けっして受動的に他から押しつけられたのではないという、彼らにとって欠くことのできない主張を持続することができたのである。「われわれは受動的に攻撃されたと考えてはいけない、積極的に敵をわれわれの手もとへ引き寄せたのだと考えなければならない」。「敵よ、来るなら来い。われわれは『ついに来たるべきものが来た』と言う代わりに、むしろ『待ちに待った好機が到来した。われわれはこの好機の到来したことを喜ぶ』と言うであろう」。海軍大臣は議会の演説の中で、一八七〇年代の偉大な武士、西郷隆盛の遺訓を引いて、次のように述べた。「機会には二通りある。一は偶然に遭遇するもの、他はわれわれが作り出すものである。非常艱難《かんなん》の時にさいして、必ず自ら機会を作り出すようにせねばならない」。またラジオの報道によれば、アメリカ軍がマニラ市中に突入した時、山下将軍は「ニッコリ笑って、敵は今や我が腹中にあり、と言った……」。「敵がリンガエン湾に上陸した後まもなく、たちまちのうちにマニラをおとすことができたのは、これひとえに山下将軍の戦術の結果であり、将軍の計画通りに事が運ばれたのである。山下〔奉文《ともゆき》〕将軍の作戦は目下引き続き進行中である」。言いかえれば、負ければ負けるほど事はうまく運んでゆく、というのである。

アメリカ人も日本人に劣らず極端に走りはしたが、ただしその方向は正反対であった。アメリカ人は、なによりもこの戦争がしかけられた戦争であったから、という理由で、戦争努力に身を投じた。われわれは攻撃された、だから敵に思い知らせてやらなければならない、というのである。どうすれば一般のアメリカ人に安心を与えることができるかということを画策するスポークスマンは、真珠湾やバタアン半島の敗北のことを、「これはわれわれの計画の中に十分考慮されていたことである」とはけっして言わなかった。われわれの官辺はその代わりに、「敵は向こうの方から勝手に難を求めてきたのだ。ひとつ奴らにわれわれの力のほどを見せてやろうではないか」と言った。アメリカ人はその全生活を、たえず先方から挑みかかってくる世界に嚙み合わせている——そしていつでもその挑戦を受けて立てるように準備している。ところが日本人はあらかじめ計画され進路の定まった生活様式の中でしか安心を得ることができず、予見されなかった事柄に最大の脅威を感じる。

日本人がその戦争遂行中、たえずくり返していたもう一つの主題も、いかにもよく日本人の生活を語っていた。彼らが始終口にした文句の一つは、「世界中の眼がわれわれの一挙一動の上に注がれている」ということであった。だから日本人は十分にその日本精神を発揮しなければならない。アメリカ軍がガダルカナルに上陸したおりに、日本人が部隊に下した命令は、今やわれわれは直接「世界」環視の的となった、だから遺憾なくその本領を発揮せねばならない、というのであった。日本の海軍将兵は、雷撃を蒙り離艦命令が出た場合には、できるだけ立派な態度で救命艇に乗り移るように戒《いまし》められていた。さもなければ「世界中の人びとに笑われる。アメリカ人はお前たちの醜態を映画に撮って、ニューヨークで見せるぞ」というのであった。その行動が世界の人びとにどう思われるかということが、大切なことであった。そして彼らのこの点に関する懸念がまた、日本文化の中に深くうえつけられた関心の一つであったのである。

日本人の態度に関する問題の中で最も有名なものは、彼らの天皇陛下に対する態度であった。天皇はその臣下に対してどの程度の支配力をもっているか。二、三のアメリカの権威者たちの指摘したところによれば、日本の封建時代七百年の全期間を通じて天皇は影のごとき存在、たんに名目だけの元首であったにすぎない。各人が忠節を尽くすべき相手は、直接には彼の君主、〝ダイミョー〟〔大名〕であり、その上は軍事上の大元帥たる将軍であった。天皇に対する忠誠はほとんど問題にならなかった。天皇は孤立した宮廷に幽閉され、その宮廷の儀式や行事は将軍の定めた取締規程によって、厳重な制限を受けていた。身分の高い封建君主でさえ、天皇に敬意を表することは叛逆とみなされた。そして日本の一般民衆にとっては、天皇は存在しないのも同然であった。日本はその歴史によってはじめて理解することができる、と日本を解剖したこれらのアメリカ人学者たちは主張した。現にまだ生きている人びとの記憶に残っているくらい新しい時代に、やっと陰から担ぎ出された天皇が、どうして日本のような保守的な国民の真の結集点になりえようか、日本の政治評論家たちはしょっちゅう天皇のその臣下に対する不朽の支配力を説いているが、あれは誇張した言であって、彼らがあれほど力を入れて主張せねばならないことそれ自体が、その根拠の薄弱さを証明している、だからアメリカの戦時政策が、天皇を処理するに当たってキッド革の手袋をはめなければならない理由は毛頭ない、むしろこの、日本が最近になってからでっち上げた邪悪な指導者（フューラー）観念に対して、われわれの最も猛烈な攻撃の鋒先を向けるべきあらゆる理由が存在する、天皇こそは日本の現代の国家神道の心臓であって、もしわれわれが天皇の神聖性の根底を掘り崩し、これに挑戦するならば、敵国日本の全機構は大黒柱を引き抜かれた家同様、瓦解するであろう、以上がこれら二、三のアメリカ人たちの意見であった。

ところが日本を知り、前線からの、また日本側の出所から出た報道を見ている多くの聡明なアメリカ人たちは反対の意見を抱いていた。日本で生活した経験のある人たちは、天皇に対する侮蔑的言辞やあからさまな攻撃ほど、日本人の憎悪を刺激し、その戦意を煽り立てるものはない、ということをよく知っていた。これらの人びとは、われわれが天皇を攻撃する時、日本人はけっして軍国主義が攻撃されているのだとは考えないであろうと信じていた。彼らはあの第一次世界戦争の後、猫も杓子も〝デモクラシー〟*を口にした時代、軍人が東京の市中へ出かける時には平服に着換えて行った方が賢明だったくらいに、軍国主義が不人気だった時代でも、天皇に対する崇敬の念は同じように熱烈であったことを見て知っていた。日本人の天皇に対する尊崇は、ナチス党の盛衰を卜するバロメーターであり、ファシズム的計画のあらゆる悪事と結びついていたハイル・ヒトラー崇拝とは、とうてい同日に談ずるわけにはゆかない、というのがかつて日本に居住していたこれらの人びとの主張であった。

＊訳注　著者はわざと日本人の口まねをして 'de-mok-ra-sie' と書いている。

たしかに日本人俘虜の証言はこれらの人びとの説を裏書きした。西欧の兵士たちと異なり、日本の俘虜たちは、捕らえられた場合に、どういうことを言うべきか、またどういうことについては沈黙をまもるべきか、ということを教えられていなかった。それでいろいろな問題に関する彼らの返答は、いちじるしく統制を欠いたものであった。このように捕虜になった時の訓練ができていないのは、いうまでもなく日本の無降伏主義に基因するものであった。それは戦争の最後の数ヵ月にいたるまで改められなかった。しかもそのおりでさえも、若干の軍団ないしは局地的部隊に限られていた。俘虜たちの証言が注目に値《あたい》したのは、彼らが日本軍全体の意見の横断面を代表していたからである。彼らはけっして戦意が低調なために降伏した兵士——したがって代表的な典型と考えられないような兵士ではなかった。ごく少数を除いたほかは全部が、捕虜になる時に抵抗することのできないほど、負傷したり、気を失ったりしていた兵士たちであった。

最後まであくまでも頑強に抗戦した日本の俘虜たちは、その極端な軍国主義の源を天皇においていた。彼らは「聖志を奉行」していたのであり、「聖慮を安んじ奉り」、「天皇の命のままに身命を捨て」つつあったのである。「天皇が国民を戦争にお導きになったのである。そしてそれに従うことが私の義務であった」というのがこれらの連中の言いぶんであった。ところが今度の戦争および今後の日本の征服計画を否認していた者たちもやはりきまったように、その平和主義的信念の出所は天皇であるとしていた。天皇はすべての人にとってすべてのものであったのである。戦に倦み疲れた人たちは天皇を「平和を愛好し給う陛下」と言い、「陛下は終始自由主義者であって、戦争に反対しておられた」と主張した。「陛下は東条にだまされたのだ」。「満州事変中に、陛下は軍部に反対の意向を表明された」。「戦争は天皇の知らない間に、また天皇の許可なくして始められた。天皇は戦争を好まれない、したがって国民が戦争に引きずり込まれることをお許しになるはずはなかった。天皇はその兵士たちがいかにひどい虐待を受けているかをご存じにならない」。こういう陳述はドイツの俘虜たちの陳述とは趣きを異にするものであった。ドイツの俘虜たちはヒトラーをその麾下の将軍たちや最高司令部が裏切ったことに対してはおおいに不満の意を表していたが、それにもかかわらず、戦争ならびに戦争準備の責任は、戦争の最高の使嗾者《しそう》としてヒトラーが負わなければならないとした。日本の俘虜たちははっきりと、皇室に捧げられる崇敬と軍国主義ならびに侵略的戦争政策とは切り離しうるものであると断言した。

しかしながら、天皇は、彼らにとっては、日本から切り離すことのできないものであった。「天皇のない日本なんて考えられない」。「日本の天皇は日本国民の象徴であり、国民の宗教生活の中心である。天皇は超宗教的な対象である」。たとえ日本が戦いに敗れたところで、敗戦の責任は天皇にはない。「国民は、天皇が戦争の責任を負うべきものとは考えていなかった」。「万一、敗戦となっても、責任は内閣ならびに軍の指導者がとるのであって、天皇には責任はない」。「たとえ日本が負けたとしても、日本人は十人が十人まで天皇を崇拝しつづけるであろう」。

かようにすべての人が一致して天皇を批判を超越したものとしていることは、人間ならば、どんな人に対しても懐疑的な穿鑿《せんさく》と批判の除外例を認めないアメリカ人にはいかさまらしく思われた。しかしながら敗戦の時においてもそれが日本の声となることには少しも疑問の余地がなかった。俘虜訊問に最も経験を積んだ人びとは、訊問書にいちいち「天皇を誹謗することを拒む」と記入する必要がないというのが、彼らの見解であると言っていた。俘虜は一人残らず天皇を誹謗することを拒んだ。連合軍に協力し、われわれのために日本向けの放送を引き受けてくれた者でさえそうであった。集められたおびただしい俘虜口述書全体の中で、穏やかな非難をも含めて、とにかく反天皇的と目されるものはわずか三通だけであった。しかもその三通の中で、「天皇制をあのまま残しておくことは間違いだ」と極論したのは一通きりであった。第二の口述書は、天皇は「意志薄弱な方で、あやつり人形にすぎなかった」と述べていた。第三の口述書は、天皇は皇太子に位を譲られるかもしれない、そして仮にもし君主制が廃止されたとすれば、日本の若い婦人たちは彼らの羨望の的であるアメリカの婦人たちと同じような自由を獲得しうるであろう、と臆測するにとどまっていた。

それゆえに日本軍の指揮官たちは、この日本人のほとんど全部が一致して支持している天皇崇拝を利用する目的で、部下将兵に「恩賜」の煙草を分け与えたり、天長節の日に部下を指揮して東方に向かい三度頭を下げ「万歳」を唱えさせたりしたのである。また「部隊が昼夜を問わず間断なく爆撃を受けていた時にも」、天皇が自ら親しく「軍人に賜りたる勅諭」の中で軍隊に授け給うた「神聖なお言葉」を、朝夕麾下部隊全員とともに朗唱し、「その奉唱の声は森のすみずみにこだましました」のである。軍国主義者たちはあらゆる方法で、天皇への忠誠心に訴え、これを利用した。彼らは部下将兵に「陛下の御旨に副うように、宸慮《しんりょ》を安んじ奉るように」、「陛下のご仁慈に対するお前たちの尊敬の念を示すように」、「天皇のために死ぬように」と呼びかけた。しかしこの天皇の意志の遵奉はどちらにも切れる両刃の剣であった。多くの俘虜たちが言っていたように、日本人は「天皇の命令とあれば、たとえ竹槍一本のほかになんの武器がなくとも、躊躇せずに戦うであろう。がそれと同じように、もしそれが天皇の命令ならば、速やかに戦いを止めるであろう」。「もし天皇がそうお命じになれば、日本は明日にでも早速武器を捨てるであろう」。「満州の関東軍——あの最も好戦的で強硬派の——でさえその武器を置くであろう」。「天皇のお言葉のみが、日本国民をして敗戦を承認せしめ、再建のために生きることを納得せしめることができる」。

この天皇に対する無条件、無制限の忠誠は、天皇以外の他のすべての人物および集団に対してはさまざまな批判が加えられる事実と、いちじるしい対照を示していた。日本の新聞や雑誌にも、俘虜の証言の中にも、政府や軍指導者に対する批評が見受けられた。俘虜たちは彼らの現地指揮官、特に部下の兵士たちと危険と苦難とをともにしなかった連中を、口を極めて罵った。彼らは特に、最後まで戦っている隷下部隊を置き去りにして、飛行機で引き上げていった指揮官たちを非難した。通常、彼らはある士官たちは賞め、ある士官たちははげしく非難した。彼らが日本に関する事柄における善と悪とを識別する意志を欠いているという証跡は全くなかった。日本国内においても新聞や雑誌が「政府」を非難した。彼らはもっと強力な指導力と、もっと緊密な戦争努力の調整とを要求し、政府がそれを必要な程度に行なっていないことを指摘した。彼らは言論の自由に対する制限を非難することさえ敢えてした。一九四四年七月、東京の某新聞紙上に掲載された、新聞記者、元議員、日本の全体主義的政党であった大政翼賛会の指導者たちからなる座談会の記事はそのよい例である。ある発言者はこう言っている。「日本国民を奮起せしめるにはいろいろな方法があると思いますが、その中で最も重要な方法は言論の自由であります。ここ数年来、国民は自分の考えていることを正直に言うことができませんでした。彼らは何か言えば咎められはしまいかと恐れていたのであります。彼らはおどおどし、なんとか表面だけを繕うように努めて参りました。そのために民心はまことに臆病になっております。こんなことではとうてい国民の総力を発揮せしめることはできません」。もう一人の発言者は同一趣旨を敷衍《ふえん》してこう述べている。「私は選挙区の人たちとはほとんど毎晩のように会談を重ね、いろいろな事柄についてあの人たちの意見を訊ねて参りましたが、どうも皆恐れていて口を開かないのです。言論の自由が否認されて参りました。これはたしかに戦意を旺盛にする正しい方法ではありません。国民はいわゆる戦時特別刑法と治安維持法とによってはなはだしい制限を受けておりまして、まるで封建時代の人民のように臆病になってしまいました。したがって今までに当然発揮しえたはずの戦力が、現在もなお発揮されていないありさまであります」。

こういうふうに、戦争中でも日本人は政府や大本営や、めいめいの直接の上長に対して批判を加えた。彼らは階層制度全体の徳を無条件には承認しなかった。ところが天皇だけは批判を免れた。天皇の最高至上の地位はごく近年のものであるにかかわらず、どうしてこんなことがありうるのであろうか。日本人の性格の中の、どういう奇矯さが天皇をしてあのように神聖不可侵の地位を確保せしめているのであろうか。天皇が命令する限り、日本人は「竹槍を揮って」死ぬまで戦うであろうが、それと同じように、もしそれが勅命であるならば、彼らはおとなしく敗戦と占領とを甘受するであろう、という日本の俘虜たちの主張は本当だろうか。われわれを欺くつもりでこういうたわごとを言っているのではあるまいか。それとも、もしかして、真実であろうか。

その反物質主義的偏向から天皇に対する態度にいたる、戦争中の日本人の行動に関するこれらすべての重要な問題は、前線のみならず本国の日本人たちにもかかわる問題であった。このほか特に日本軍に関係のある幾つかの態度があった。その一つは日本軍の兵員損耗に対する態度であった。日本のラジオは、アメリカ海軍が台湾沖で機動部隊を指揮したジョージ・S・マッケイン提督に勲章を授けた時、そのことをいかにも意外な信ぜられないこととして次のように放送したが、それはアメリカ人の態度とのいちじるしい違いをよく表わしている。

司令部のジョン・S・マッケイン[*]が叙勲された公の理由は、彼が日本軍を撃退したからというのではなかった。ニミッツ公報の主張するところによれば、日本軍は撃退されたのだそうだから、これを理由にするのが当然なのに、合点のゆかぬことである。(中略)さてマッケイン提督の叙勲の理由としてあげられた事実は、彼が二隻の損傷したアメリカ軍艦を首尾よく救助し、護衛して無事に基地まで連れ戻ることができたということである。この一片の報道の重要さは、それが作り話ではなくて、事実であるという点にある。(中略)だからわれわれはマッケイン提督が二隻の軍艦を救助したことの真実を疑っているのではない。われわれが国民諸君に知っていただきたい点は、アメリカでは壊れた船を救助すれば勲章が貰えるという事実である。

＊訳注　名前が前出のものと違っているのは、多分、日本側の誤伝をそのままに写しているのであろう。

アメリカ人はすべての救助に、窮地に追いつめられた人びとに対するすべての援助に感動する。勇敢な行為は、もしそれが「損なわれた」人間を救えば、いっそう英雄的な行為となる。日本人の勇気はそのような救助を斥ける。われわれのB-29や戦闘機に備えつけてあった救命具でさえ日本人から「卑怯」のそしりを招いた。新聞もラジオもくり返しこの点を話題に上せた。生きるか死ぬかの危険を従容として甘受することこそあっぱれな態度であって、危険予防策を取るのはいやしむべきことである。こういう態度は負傷者やマラリヤ患者の場合にも現れた。このような兵隊はいわば破損した廃物であった。そして医療施設は、どうにかまがりなりにでも役に立つ程度の戦闘力の維持にさえ、全く不十分なものであった。時がたつにつれて、あらゆる種類の補給難のために、この医療設備の欠乏は、なおいっそうはなはだしくなっていった。だがそれだけではなかった。さらに日本人の物質主義に対する軽蔑が一役買って出た。日本の兵士たちは、死そのものが精神の勝利であり、われわれアメリカ人のように手厚く病人を看護するのは、爆撃機の救命具と同じように、英雄的行為の妨げであると教えられていた。第一、普段の生活においても、日本人はアメリカ人のようにそう頻繁に医者の世話になることに慣れていない。アメリカでは他の福利手段よりもむしろ、傷病者を憐むということに特に多大の関心が払われており、平時にヨーロッパの国ぐにから訪れてくる人びとでさえ、しばしばその点を取り上げて論じているほどである。これはたしかに日本人には見られないことである。いずれにせよ、戦争中、日本軍には負傷者を砲火の中から救い出し、応急手当てを施す訓練された救護班がなかった。また前線の仮収容所、後方の野戦病院、それから戦線から遠く離れた、完全に健康が回復するまでゆっくり療養のできる大規模な病院というふうに、組織立った医療システムがなかった。医療品の補給に対する配慮は慨嘆に堪えないものであった。危急の場合には入院患者は、全く見殺しにされた。特にニューギニアやフィリピンでは、日本軍はしばしば病院のある地点から退却せねばならないはめに陥った。まだ時機を逸しない間に、あらかじめ傷病兵を後送するという慣例がなかった。部隊のいわゆる「計画的撤退」が現に行なわれつつある時とか、敵がもうどんどん占領してきている時になって、やっとはじめてなんらかの処置が講ぜられた。しかもその処置というのはしばしば、主任軍医が退去に先立って入院患者を射殺するか、あるいは患者自ら手榴弾で自分の生命を絶つことであった。

このような日本人の傷病者に対する態度が、その同胞の取り扱い方の基調をなすものであったとすれば、それはまた彼らのアメリカ人俘虜の取り扱い方においても同様に重要な役割を演じた。われわれの標準から見れば、日本人は俘虜に対してだけでなく、彼らの同胞に対しても虐待の罪を犯した。先のフィリピン軍医監ハロルド・W・グラトリー大佐は、俘虜として三年間、台湾に抑留された後にこう述べている。「アメリカ人俘虜の方が、日本の兵士たちよりもましな手当てを受けた。われわれは俘虜収容所にいた連合国側の軍医将校に手当てを受けることができたが、日本人の方には医者は一人もいなかった。しばらくの間、日本兵の手当てをしていた唯一人の医務部員は伍長であり、それが後に軍曹になった」。大佐が日本の軍医将校を見かけたのは年に一、二回であった。*

＊一九四五年十月十五日付『ワシントン・ポスト』の報道。

この日本人の兵員消耗の理論を、最も極端なところまで推し進めたものが、彼らの無降伏主義であった。西欧の軍隊ならば、最善の努力を尽くした後に、衆寡敵《しゅうかてき》せずとわかれば、敵軍に降伏する。彼らは降伏した後もやはり自分を名誉ある軍人と考えており、その名前は、彼らの生きていることを家族に知らせるために、本国に通知される。彼らは軍人としても、国民としても、また彼ら自身の家庭においても辱めを受けない。ところが、日本人は事態を異なったふうに規定していた。名誉とはすなわち死にいたるまで戦うことであった。とても望みのない状況に追い込まれた場合には、日本兵は最後の一発の手榴弾で自殺するか、武器を持たずに敵中に突撃を敢行して集団的自殺を遂げるかすべきであって、けっして降伏してはならなかった。万一、傷つき、気を失っていて捕虜になった場合にでも、彼は「日本へ帰ったら顔をあげて歩けない」のであった。彼は名誉を失った。それ以前の生活から見れば彼は「死せる者」であった。

もちろん、降伏を禁ずる軍律がありはしたのであるが、明らかに前線で特に正式の教育をする必要はなかったらしい。日本軍はこの軍律を忠実に実践した。その結果、たとえばビルマ会戦のさいの捕虜と戦死者との割合は百四十二名対一万七千百六十六名、すなわち一対一二〇の比率であった。そして俘虜収容所に収容された百四十二名の中、少数を除いて他はすべて、俘虜になった時は負傷していたか、あるいは気を失っていた者であった。単独で、もしくは二、三人連れ立って「降伏」した者は極めて少数にすぎなかった。西欧諸国の軍隊では、戦死者がその全兵力の四分の一ないし三分の一に達した時は、その部隊は抵抗を断念して手をあげるのがほとんど自明の理とされている。投降者と戦死者との比はほぼ四対一である。ところがホランディアで、はじめて日本軍がかなり大量に降伏したおりでさえも、その割合は一対五であった。しかもこれでも北ビルマの一対一二〇に比べれば、非常な進歩であった。

だから日本人にとっては、俘虜になったアメリカ人は、たんに降伏したという事実だけで面目を失墜した者であった。彼らは負傷や、マラリアや、赤痢などのために「完全な人間」の部類から除外されていない場合も、「廃物」であった。多くのアメリカ人は、俘虜収容所でアメリカ人が笑うことがいかに危険なことであったか、またそれがいかに看守を刺激したかを述べている。日本人の眼から見れば、俘虜は恥辱を蒙ったのであって、アメリカ人がそのことを知らないということは、彼らには堪えがたいことであった。アメリカ人俘虜が服さねばならなかった命令の多くは、日本人看守もまた、彼らを監督する日本人将校から、その遵守を要求されていた命令であった。強行軍や輸送船にぎゅうぎゅう詰めにされて運ばれることは、日本兵にとっては少しもめずらしいことではなかった。アメリカ人はまた、どんなにやかましく歩哨から俘虜に脱法行為を隠すように言われたかということを語っている。公然と規則に違反するのでなければたいした罪にはならなかった。俘虜が昼間は外へ出て道路や事業場で働いていた収容所では、外部から食物を持ち込んではならないという規則は、ときおり空文になった。果物や野菜を隠して持ち込めばなんともなかったからである。ところが、もしそれが外から見えると、それはゆゆしき罪過であって、アメリカ人が歩哨の権威を侮辱したことになった。公然と権威に挑戦すれば、たとえそれがたんなる「口答え」にすぎない時にも、ひどく罰せられた。日本人は普通人の生活においても口答えをすることは非常に厳格に戒められている。そしてそれに厳罰を科することが、日本人自身の軍隊の慣わしであったのである。さりながら俘虜収容所においてかずかずの暴行とほしいままな残虐行為が行なわれたことは事実であって、そういう非道な行為と、文化的習性の必然的結果であった行為とを区別するのは、けっして悪逆行為を看過するのではない。

特に戦争の初期の段階において降伏するものが少なかったのは、虜囚の辱めということのほかにさらに日本人が、敵は俘虜をことごとく責めさいなみ、殺してしまう、と大まじめに信じていたからである。ガダルカナルで捕虜になった連中を、タンクでひき殺したという噂が、ほとんどすべての地域に拡まった。降伏しようとした幾人かの日本兵はまた、わが軍から猜疑の眼で見られ、用心のために殺された。そしてこの猜疑は往々にして正当であることがわかった。もはや死ぬことのほかには何も残されていない日本人はしばしば、敵を死出の道づれにすることができるということを誇りにしていた。これは捕虜になった後でもやりかねないことであった。日本人俘虜の一人が言ったように、「いったん勝利のいけにえになる決心をした以上は、何の手柄も立てずに死ぬことは恥」だったのである。こういう恐れがあったのでわが軍は警戒した。そのため投降者の数がなおさら少なくなったのである。

降伏の恥辱は日本人の意識の中に深く烙きつけられていた。彼らはわれわれの戦争慣例とは相容れない行動を当然のこととして認めていた。そしてわれわれの行動はまた彼らにとって、ちょうど同じように不可解であった。彼らがアメリカ人俘虜がその名前を本国政府に報告して、自分たちの生きていることを家族に知らせてほしいと依頼したことを、さもさも呆れはてたこと、見下げはてたこととして噂していた。バターン半島でアメリカ軍が降伏したことも、少なくとも一般兵卒には意外であった。彼らはアメリカ軍が日本流に最後まで戦い抜くと思い込んでいたからである。また彼らはアメリカ人が俘虜であることに少しも恥を感じないという事実を納得することができなかった。

西欧の兵士たちと日本の兵士たちとの間の最も顕著な違いは、たしかに、後者が俘虜として連合軍に協力した点であった。彼らはこの新しい境遇に適合する生活の規則を知らなかった。彼らは名誉を失ったものであり、彼らの日本人としての生命は終わったのである。いくらかでもまとまった数の日本人が、戦争の結果いかんにかかわらず本国に帰ることを考えるようになったのは、終戦前数ヵ月のころになってからのことにすぎなかった。あるものは殺してくれと頼んだ。「けれども、もしあなたがたの習慣がそれを許さないというのならば、私は模範的な俘虜になりましょう」と言うのであった。これらの連中は模範的な俘虜以上のものであった。永年、軍隊のめしを食い、長い間、極端な国家主義者であった彼らは、弾薬集積所の位置を教え、日本軍の兵力配備を綿密に説明し、わが軍の宣伝文を書き、わが軍の爆撃機に同乗して軍事目標に誘導した。それはあたかも、新しい頁をめくるかのようであった。新しい頁に書いてあることと、古い頁に書いてあることとは正反対であったが、彼らはここに書いてあることを、同じ忠実さで実践した。

むろん俘虜のみんながみんなそうであったわけではない。なかにはどこまでも盾をつくものも少数あった。それに、いずれにしても俘虜が右に述べたような行動をするためには、あらかじめ好都合な条件が備わっていなければならなかった。アメリカ軍の指揮官たちは、もっともなことながら、日本人の助力を額面通りに受け容れることに二の足を踏んだ。また俘虜がなしうる奉仕を利用する試みの全然行なわれなかった部隊もあった。しかしながらその試みの行なわれた部隊では、最初の疑いは撤回せねばならなくなり、日本人俘虜の誠意にしだいに信用がおかれるようになった。

アメリカ人はまさか俘虜がこのような回れ右をしようとは思わなかった。それはわれわれの掟に合致しないことであった。ところが日本人の行動は、ある一つの行動方針にすべてを打ち込んで、しかもそれに失敗した時には、別な方針を取ることは当然なことと考えているかのようであった。これはわれわれが戦後においても当てにしてよい行動様式であるのか、それとも個々べつべつに捕虜になった兵士たちに特有の行動なのであろうか。戦争中、われわれの目についた他の日本人の行動の特異性と同じように。これもまた、彼らがそれに従うように条件づけられている生活様式全体、彼らのさまざまな制度の機能、および彼らが習得した思考と行動との慣習などに関するかずかずの問題を提起した。

第三章　「各々其ノ所ヲ得」

いやしくも日本人を理解しようとするに当たって、まず取り上げねばならないのは、「各人が自分にふさわしい位置を占める」ということの意味について、日本人はどう考えているかということである。彼らの秩序と階層制度に対する信頼と、われわれの自由平等に対する信仰とは、極端に異なった態度であって、われわれには階層制度を一つの可能な社会機構として正しく理解することは困難である。日本の階層制度に対する信頼こそ、人間相互間の関係、ならびに人間と国家との関係に関して日本人の抱いている観念全体の基礎をなすものであって、家族、国家、宗教生活および経済生活などのごとき、彼らの国民的制度を記述することによってはじめて、われわれは彼らの人生観を理解することができる。

日本人は国内問題を階層制度の見地から眺めてきたのであるが、国際関係をもまたすべて同じ見地から眺めてきた。最近十年ほどのあいだ彼らは、日本は国際的階層制のピラミッドの頂点にしだいに近づきつつあるのだと考えてきた。そしてその位置がもはや西欧諸国の占有するところとなった今もなお、依然として確実に、彼らが現在の状態を甘受している態度の根底に、同じ階層制度の見解がひそんでいる。日本の外交文書はたえず、彼らがいかに階層制度を重視しているかということを述べてきた。一九四〇年に日本がドイツおよびイタリアと締結した三国同盟の前文には、「大日本帝国政府独逸国政府及伊太利国政府ハ万邦《ばんぽう》ヲシテ各其ノ所ヲ得シムルヲ以テ恒久平和ノ先決要件ナリト認メタルニ依リ云々」と書かれており、同条約調印に当たって発せられた詔書も、同じことを次のように述べている。

大義ヲ八紘《はっこう》ニ宣揚シ坤輿《こんよ》ヲ一宇《いちう》タラシムルハ実ニ皇祖皇宗ノ大訓ニシテ朕《ちん》カ夙夜眷々《しゅくやけんけん》措《お》カサル所ナリ而シテ今ヤ世局ハ其ノ騒乱底止スル所ヲ知ラス人類ノ蒙《こうむ》ルヘキ禍患亦将《またまさ》ニ測ルヘカラサルモノアラントス朕ハ禍乱ノ戡定平和ノ克復ノ一日モ速ナランコトニ軫念《しんねん》極メテ切《せつ》ナリ（中略）茲《ここ》ニ三国間ニ於ケル条約ノ成立ヲ見タルハ朕ノ深ク懌《よろこ》フ所ナリ

惟《おも》フニ万邦ヲシテ各々其ノ所ヲ得シメ兆民ヲシテ悉《ことごと》ク其ノ堵《と》ニ安ンセシムルハ曠古《こうこ》ノ大業ニシテ前途甚タ遼遠ナリ（以下略）

真珠湾攻撃のまさにその当日にも日本の使節は国務長官コーデル・ハルに、この点を次のごとく非常に明確に述べた声明書を手交した。

（前略）万邦ヲシテ各其ノ所ヲ得シメントスルハ帝国不動ノ国是《こくぜ》ナリ（中略）右ハ万邦ヲシテ各其ノ所ヲ得シメントスル帝国ノ根本国策ト全然背馳スルモノニシテ帝国政府ノ断ジテ容認スル能《あた》ハザル所ナリ

この日本の覚書はその数日前のハル覚書、あの、日本で階層制度が重んじられているのとちょうど同じように、アメリカで基本的なものとみなされ尊重されているアメリカ人の原則を述べた覚書に対する回答であった。ハル長官は、各国の主権および領土の不可侵、他国の内政に対する不干渉、国際間の協力と和解への依存、ならびに平等の原則、の四原則をあげた。これらはいずれもアメリカ人の平等と不可侵の権利の信仰の眼目をなすものであって、われわれが国際関係のみならず、日常生活そのものがそれにもとづくべきであると信じている原則である。平等はアメリカ人の、よりよき世界の希望の、最高にして最も道徳的な基礎である。それはわれわれには、圧制と、干渉と、欲せざる重荷からの自由を意味する。それは法律の前の平等と、各人が自らの境遇を改善する権利とを意味する。それは今日の世界において組織的な形で実現されている基本的人権の根底である。われわれはわれわれがそれを侵害する時でさえもなお、平等の徳を支持する。そして正しい憤りをもって階層制度と戦う。

これはアメリカ建国以来、終始変わらぬアメリカ人の態度であった。ジェファーソンはそれを独立宣言の中に書き入れた。また憲法の中におり込まれた人権条令（Bill of Rights）もそれにもとづいている。新しく建てられた国の公文書の、これらの形式的辞句が重要であったのは、それらがこの大陸の人びとの日常生活の中で形づくられつつあった生活様式、ヨーロッパ人には未知の生活様式を反映するものであったからにほかならない。アメリカ事情を国際的に報道した主要な文献の一つは、若きフランス人アレクシス・ド・トクヴィルが、一八三〇年代初期にアメリカを訪れた後に、この平等の問題について書いた書物である。[*] 彼は聡明な、感受性に富む観察者であって、このまるで別の世界であるアメリカの中に、多くのすぐれた点を看取することができた。まことにそれは別世界であった。若きド・トクヴィルは、当時なお活躍中で勢力のあった人びとの記憶に残る近い過去に、最初はフランス革命によって、ついでナポレオンの新しい徹底的な法律によってはげしくゆさぶられ、衝撃を与えられた、フランスの貴族社会の中で成人したのである。ド・トクヴィルはアメリカの見なれない新しい生活秩序を評価するに当たって寛容であったが、彼はそれをフランス貴族の眼を通して眺めた。そして彼の書物は来たらんとする事柄に関する旧世界への報道であった。彼の信ずるところによれば、アメリカは、もちろん差異はあろうけれども、やがてヨーロッパにも起こるはずの発展の前哨地点であったのである。

＊訳注　Alexis de Tocqueville, *De la démocratie en Amérique*（アメリカの民主制について), 1835.

そこで彼はこの新しい世界について詳細に報告した。ここでは人びとは本当に互いに平等な人間だと考えている。彼らの社会的交際は新しい気やすな足場の上に置かれている。彼らは互いに対等の人間として口をきく。アメリカ人はくだらぬ階層的儀礼の枝葉末節に拘泥しない。彼らはそういう儀礼を他人に要求しないし、また他人に与えることもない。彼らはだれの恩義をも受けていないということを好む。ここには古い貴族制的な、あるいはローマ的な意味での家というものはなく、旧世界を支配してきた社会的階層制は姿を消している。これらのアメリカ人はほかのなによりも平等ということを固く信じている。自由でさえ、と彼は述べている、彼らはしばしば、うっかりそっぽを向いているうちに、実際上、逃がしてしまうことがある。しかし、平等の方は、身をもって実践している。

一世紀以上も前のわれわれの生活様式について書いているこの外国人の眼を通して、われわれの祖先の姿を見ることは、われわれアメリカ人の意をおおいに強くするものである。それ以来、わが国には数多くの変化が起こったけれども、主要な輪郭は少しも変わっていない。われわれはこの書物を読みながら、一八三〇年、アメリカがすでに今日われわれの知っている通りのアメリカになっていたことを認める。この国にも、ジェファーソン時代のアレグザンダー・ハミルトンのように、もっと貴族主義的な社会秩序を支持する人びとがいたし、現在もまだいる。しかしこういうハミルトン流の人びとでさえ、この国におけるわれわれの生活様式がけっして貴族主義的でないことを認めている。

したがってわれわれが真珠湾の直前に日本に対して、アメリカの太平洋政策の基礎をなす高遠な道徳的根底を声明したのは、とりもなおさずわれわれの最も信頼する原則を言葉に表わしたのである。われわれはわれわれの指示した方向を辿りさえすれば必ず、今なお不完全な状態にある世界を、一歩一歩改善してゆくことができると確信していた。日本人もまた、「所を得ること」に対する彼らの信念を表明したのは、自らの社会的体験によって彼らの中に深くしみ込んだ生活原理を根拠にしていたのである。不平等ということが何世紀もの間を通じて、まさに最も容易に予言しうる、また最も広く一般に是認されている点における、彼らの組織された生活の規則となってきたのである。階層制度を認める行動は、呼吸することと同じくらいに彼らにとって自然なことである。しかしながらそれはたんなる西欧流の強権主義（authoritarianism）ではない。支配権を行使するものも、他人の支配を受けるものもともに、われわれ自身の伝統とは異なった伝統に従って行動する。そして日本人が日本におけるアメリカの権威に高い階層的位置を承認するにいたった今日、われわれが彼らの慣習に関してできるだけ明瞭な観念を得ることは、さらにいっそうその必要の度を増してきた。かくてはじめて、われわれはわれわれの頭の中に、現在の状況の下において彼らがなすと思われる行動の様式を、はっきりと描き出すことができるのである。

日本は近年いちじるしく西欧化されたにもかかわらず、依然として貴族主義的な社会である。人と挨拶をし、人と接触する時には必ず、お互いの間の社会的間隔の性質と度合いとを指示せねばならない。日本人は他人に向かって 'Eat'〔「食え」〕とか 'Sit down'〔「坐れ」〕とか言うたびごとに、相手が親しい人間であるか、目下の者であるか、あるいはまた目上の者であるかによって別な言葉を使う。同じ 'you' でもそれぞれの場合に別な形を用いねばならないし、同じ意味の動詞が幾種類かの異なった語幹をもっている。言いかえれば、日本人は他の多くの太平洋諸民族と同様に、「敬語」というものをもっている。そしてそれとともに適当なおじぎや坐礼を行なう。このような動作はいずれも実に細密な規則と慣例とによって支配される。誰におじぎをするかを知るだけでは不十分であって、さらにそのうえにどの程度におじぎをするかを知ることが必要である。ある主人に対しては正しくふさわしい礼であっても、礼をする人との関係が少し違う別の主人には無礼として憤慨されることがある。そして礼には、坐って上に平に突いた両手のところまで額を下げる最も丁寧なおじぎから、ちょっと頭と肩とを傾けるだけの簡単な会釈にいたるまで、いろいろな種類がある。人はどういう礼がそれぞれの場合にふさわしい礼であるかということを学ばねばならない、しかも子供の間に学ばねばならない。

適当なふるまいによって始終認め合わねばならないのは、階級の違い——それが重要なことはいうまでもないが——だけではない。性別や年齢、二人の人間の間の家族関係や従来の交際関係などがすべて、やはり必ず考慮せねばならないことがらになる。同じ二人の人間の間でさえも、場合の異なるに応じて異なった度合いの尊敬が要求される。たとえば、民間にいた時には互いに心安い間柄で別におじぎなどしなかったのに、一方が軍服を着ると、平服を着ている友人の方がおじぎをする。階層制度を守ってゆくには無数の因子の間に均衡を保たねばならない。そしてそれぞれの場合において、それらの因子の中のあるものは互いにマイナスに働いて力を消し合い、あるものは互いにプラスに働いて力を増加する。

むろん、お互いにあまり形式ばる必要のない人びともある。アメリカではそれは自分の家族圏内の人びとである。われわれはわれわれの家族のふところに戻ってきた時には、形式的な礼儀は一切脱ぎ捨ててしまう。ところが日本では礼儀作法が学ばれ、細心の注意をもって履行されるのは、まさに家庭においてである。母親は嬰児を背中に縛りつけて歩いているうちから、自分の手で嬰児の頭を下げさせておじぎをすることを教える。そして、子供がよちよち歩きするころに、まず最初に教えられることは、父親や兄に対する礼儀を守ることである。妻は夫に頭を下げ、子供は父親に頭を下げ、弟は兄に頭を下げ、女の子は年齢を問わずその男兄弟のすべてに頭を下げる。それはけっして無内容な身ぶりではない。それは頭を下げる人間が、本当は自分で勝手に処理したいと考える事柄において、相手が意のままにふるまう権利を承認し、受礼者の方は受礼者の方でまた、その地位に当然ふりかかってくるなんらかの責任を承認することを意味する。性別と世代の区別と長子相続権とに立脚した階層制度が家庭生活の根幹になっている。

孝行はいうまでもなく日本が中国と共有している崇高な道徳律であって、孝行に関する中国人の教説は早くから日本に、紀元六世紀ならびに七世紀ころの中国仏教や、儒教の道徳説や、世俗的中国文化とともに採り入れられた。しかしながら孝行の性格は不可避的に、中国とは異なる日本の家族構造に適合するように改められた。中国では今日でもなお、人は自分の属する広大な宗族に対して忠誠を捧げねばならない。この宗族はある場合には何万もの人びとから成り立っていて、それらの人びとの全体に対して支配力をもち、またそれらの人びとから支持を受ける。なにしろあの通り広い国のことであるから、地方によって事情が異なるが、中国の大部分のところでは、ある集落の住民はすべて同じ宗族の成員である。中国の住民は全部で四億五千万人に上るが、その中にわずか四百七十の姓しかない。しかも同じ姓をもつ人間は全部、自分たちはなんらかの程度において宗族的同胞であると考えているのである。ある地域一帯の住民がことごとく例外なく同一宗族に属している場合もあるし、なおその上に遠く離れた都会に住んでいる家族が彼らと同じ宗族であることもある。広東州のように人口濃密な地域では、宗族のすべての成員が結束して堂々たる宗族会館を維持経営し、一定の日にそこに集まって、共通の祖先から出た物故した宗族成員の、千に上る多数の位牌を拝む。おのおのの宗族は財産と土地と寺院とを所有し、また有望な宗族の子弟の奨学基金をもっている。それは分散した成員の消息にたえず注意を払い、ほぼ十年ごとに更新される念入りな系譜を発行し、宗族の恩典にあずかる権利をもつ人びとの名前を明らかにする。宗族には先祖伝来の家憲があり、その家憲に従って、宗族が当局者に同意しない場合には、家族の中で犯罪を犯したものを国家に引き渡すことを拒むことさえある。帝政時代にはこれらの半自律的宗族の大共同社会が、その地域では他国者にすぎない、頻々《ひんぴん》と更迭する、国家から任命された長官を頭にいただく、だらしない官吏機構によって、国家全体の名において統治されるのは、ほんのときたまのことであったにすぎない。

日本ではこの点はまるで事情が異なっていた。十九世紀の中ごろまで、苗字を名のることを許されていたのは、貴族と武士（サムライ）の家柄に限られていた。姓は中国の宗族制度の根本である。そして一般に姓、もしくはなにか姓に相当するものがなければ氏族組織は発達することができない。ある部族においては系図をつけることがこの姓に相当するものの役割を果たしている。しかしながら日本では系図をつけたのは上層階級だけであったし、しかもその系図は、「米国愛国婦人会」(Daughters of American Revolution)* が行なっているように、現在生きている人間から逆に時代を遡って記録するのであって、昔から順に時代を下ってきて始祖から分かれて出た同時代の人びとを洩れなく網羅するものではなかった。この二つのやり方はまるで違ったものである。そのうえ日本は封建的な国であった。忠誠を捧げるべき相手は、親類縁者の一大集団ではなくて、封建領主であった。彼はその土地に在住する主権者であった。これと、常にその任地においては外来者であった一時的な官僚的な中国の官吏との間には、雲泥の差があった。日本で重要なことは、人が薩摩藩に属するか、肥前藩に属するかということであった。ある人間の絆《きずな》は彼を自分の藩に結びつけるものであった。

＊訳注　一八九〇年、ワシントンにて創立、会員は独立戦争に戦った父祖の後裔に限る。

氏族を制度化するもう一つの方法は、遠い先祖や氏族の神がみを、神社や聖所で崇拝することである。これならば苗字や系図をもたない日本の「庶民」にもなしえたはずである。ところが日本では遠い先祖をあがめる崇拝は行なわれていない。「庶民」が祭りをする神社には村民が全部集まってくるが、彼らはその先祖が共通であることを証明する必要はない。彼らは神社の祭神の「子供」〔氏子〕と呼ばれるが、彼らが「子供」であるのは、彼らがその祭神の領域内に住んでいるからである。このように同じ氏神を祭る村民はむろん、世界中いたるところの村民と同じように、何代も同じ土地に定住した結果としてお互いに縁つづきにはなっているけれども、彼らは共通の先祖の血を受けた緊密な氏族集団ではない。

祖先に対する崇拝は神社とはまるで別な、家族の居間に設けられた仏壇で行なわれ、しかもそこにはわずか六、七人の最近の死者のみがまつられている。日本のすべての階級を通じて毎日この仏壇の前で、仏壇の中に安置してある小さな墓碑を模した位牌によって代表されている、そして今なおまざまざと記憶の中に残っている父母や祖父母や近い親族のために礼拝が行なわれ、食物が供えられる。墓地においてさえ、曾祖父母の墓標になるともう薄れた文字の書き替えも行なわれず、三代前の先祖でさえ、それが誰の墓であるかということは急速に忘れられていく。日本の家族的つながりは西欧と大差のないところまで狭められている。おそらくフランスの家族がこれに最も近似したものであろう。

したがって日本の「孝行」は、限られた、直接顔を合わせる家族間の問題である。それはせいぜい自分の父親と父親の父親、それに父や祖父の兄弟とその直系卑属ぐらいを包含するに留まる集団の中で、世代や性別や年齢に応じて自分にふさわしい位置を占めることを意味する。もっと広い範囲の集団が含まれる大きな家においてさえも、家族はいくつかの別の系統に分かれ、次男以下の男子は分家を創設する。こういう狭い、直接顔を向き合わせる集団の内部において、「ふさわしい位置」を規定する規則はまことに詳密を極めたものである。年寄りが正式に隠退（インキョ）するまでは、年寄りの命令が厳重に守られる。今日でもなお、もう一人前になった息子を幾人ももった父親が、彼自身の父親がまだ隠居していない時には、なにをするにつけてもいちいち年をとった祖父の承認を経たうえでなければ行なわない。子供が三十や四十の年齢に達している場合でも、親が子供の縁談をまとめたりこわしたりする。父親は一家の男の家長として、食事の時にはまっさきに膳を出されるし、風呂にも一番先にはいり、家族の丁寧なおじぎを軽い会釈で受ける。日本で広く一般に行なわれている一つの謎があるが、もしそれをわが国の判じものの形に移せばだいたいこんなことになある。

わけは？」（仏教の僧侶は剃髪している）。答えは「いくらしたくともできない」というのである、——「親に意見をしたいと思う息子は、頭に毛をはやしたいと思う坊主と同じだ。その

ふさわしい位置ということはただ世代の相違だけではなくて、また同時に年齢の相違をも意味する。日本人は全くの無秩序混乱の状態を表現したい時には、ある事柄が「兄《けい》たり難く弟《てい》たり難し」*という。これはわれわれの、ある事柄が「魚ともつかず鳥ともつかない」neither fish nor fowl（「えたいが知れない」という意味で用いられる）という言い方に似ている。実際、日本人の考えでは、ちょうど魚が水中に留まっているべきであるのと同じように、人はその長兄としての性格をあくまでも保つべきである。長男は跡取りである。日本を訪れた旅行者たちは、「日本の長男がひじょうに早く身につける、いかにももったいぶった態度」について述べている。長男は父親と大差のない特権にあずかる。昔は弟はやがては必ず長男の厄介者になったものである。現在では、特に田舎の町や村では、家に留まって古いしきたりに縛られるのは長男で、次男三男の方は広く世の中に進出していって、教育も余計に受け、収入も長男にまさるというような例もあるいはあるであろう。しかしながら旧来の階層制度の習慣は今なお依然として強力である。

＊訳注　原文は 'Neither elder brother nor younger brother' である。「兄たり難く弟たり難し」の訳に相違ないと思われるが、そうだとすれば明らかにその意味を誤解しているのである。

今日の政治評論においてさえ、大東亜政策の論議の中に、伝統的な兄の特権がはっきりと

述べられている。一九四二年の春、一中佐が陸軍省の代弁者として、共栄圏に関して次のように言った。「日本は彼らの兄であり、彼らは日本の弟である。この事実は占領地域の住民に十分徹底させなければならない。住民にあまり思いやりを示しすぎると、彼らの心に日本の親切につけこむ傾向を生ぜしめ、日本の支配に有害な影響を及ぼすことになる」。言いかえると、兄は何が弟のためになることであるかを決定し、それを強要するに当たって「あまり思いやりを見せすぎ」てはならないのである。

年齢のいかんを問わず、ある人の階層制度の中における位置は、その人が男か女かによって変わってくる。日本の婦人はその夫の後に従って歩き、社会的地位も夫より低い。ときおり洋服を着ている時には夫と並んで歩き、戸口を出入りする時に夫の先に立つような婦人でさえ、和服に着替えた途端にまたもと通り後にさがる。日本の家庭では女の子は、贈物も、人びとの顧慮も、教育費もすべて男の子の方にいってしまうのを、おとなしく傍観していなければならない。若い婦人のための高等程度の学校が設立された時でさえ、そこで課せられる科目は、礼式や行儀作法の教授が重きをなしていた。本格的な知的教育の方はとうてい男子の足もとにも及ばなかった。現にこのような学校の一つの校長が、彼の学校の、上層中流階級出の生徒たちに、ある程度、ヨーロッパ語の知識を授けた方がよいと主張したが、彼の勧告の根拠はなんと、生徒たちが結婚してから、夫の蔵書を、塵を払った後で、上下反対にならないように正しく本箱の中に立てられるようになることが望ましいというのであった。

とはいうものの、日本の婦人は他の大部分のアジア諸国に比べれば大きな自由をもっている。しかもこれはただたんに日本の西欧化の一つの現れとだけ言い切るわけにはゆかない。中国の上流階級のように婦人の纏足《てんそく》が行なわれたことはいまだかつてなかったし、また今日インドの婦人は、日本の婦人が店屋に出入りし、街頭を往き来し、けっして深窓にその身を隠さないのを見て、驚きの声をあげる。日本では妻が一家の買物をし、一家の財布を預っている。金が足りなくなった場合に、家の中からなにか手ごろなものを選んで、それを質屋に持ってゆくのは妻のつとめである。婦人は召使いを指揮し、子供たちの結婚に当たって大きな発言権をもっている。そして息子に嫁を取って姑になると、その前半生を通じて、なにを言われてもはいはいとうなずく可憐な菫《すみれ》であったとはとうてい思われないくらいに、断乎たる態度で家庭内の一切の事務をきりまわす。

日本では世代と性別と年齢の特権はこのように大きい。しかしながらこれらの特権を行使する人びとは、専横な独裁者としてでなく、重大な責務を委託された人間として行動する。父または兄は、現在生きている者、すでに世を去った者、やがて生まれてくるものを含めて、その家族全体の責任を取る。彼は重大な決定を行ない、必ずその決定が実行されるように取り計らわねばならない。しかしながら彼は無制限の権力をもっているのではない。彼は一家の名誉を維持するように責任をもって行動するものと期待されている。彼は息子や弟に、その家の物心両面の遺産を想い起こさせる。そしてそれにふさわしい人間になることを要求する。たとえ百姓の身分であっても、彼は家の先祖に対してノブレス・オブリージュ(noblesse oblige)〔自重ある態度〕を要求する。そして彼の属する階級が上の階級であればあるだけ、家に対する責任の重さはますます重くなってくる。家の要求が個人の要求に先行する。

なにか重大な事件が起こった場合には、家柄の上下を問わず、家長は親族会議を召集し、そこでその事件を討議する。たとえば婚約に関する相談のために家族の成員が、日本の遠隔の地方からはるばる出てくることもある。結論に到達する過程においては、どんなにとるにたりない人間の意見でも採り上げられる。弟や妻の意見が決定を左右することもある。戸主はみんなの意見を無視して行動すれば、非常な困難を背負い込む結果におちいる。もちろん決定が、現にその運命が定められつつある当の本人にとって、とても承服しかねるようなものである場合もある。しかし、自分が今までに親族会議の決定に服した経験をもつ年長者たちは、彼らがかつて屈服した決定に従うことを、彼らの年下の者に対してあくまでも頑強に要求する。彼らの要求の背後に潜む強制力は、プロシアの父親にその妻子に対するほしいままな権利を、法律の上でも、また慣習の上でも与えているところのものとはまるで違う。だからといって要求の内容が日本の方が手ぬるいというわけではないが、効果が違う。日本人はその家庭生活において専制的な権力を尊重することを学ばない。また容易にそれに屈する習性が養われもしない。家族の意志への服従は、たとえその要求がどんなに面倒なものであろうと、家族全員の休戚《きゆうせき》に関係をもつ最高価値の名において要求される。すなわち共同の忠誠の名において要求されるのである。

日本人は誰でもまず家庭の内部で階層制度の習慣を学び、そこで学んだことを経済生活や政治などのもっと広い領域に適用する。彼は、それが実際にその集団の中で支配力をふるっている人物であろうとなかろうと、とにかく自分よりも上の「ふさわしい位置」を振り当てられている人びとに対しては、あらん限りの敬意を表することを学ぶ。妻に支配されている夫、弟に支配されている兄でさえも、表向きはあいかわらず尊敬を受けている。特権と特権との間の形式的な境界線は、誰かほかの人間が陰で牛耳っていても、そのために破棄されはしない。表に面した部分は実際の支配関係に合致せしめるために変更されることはない。それは依然として侵すべからざるものである。形式的な身分の拘束を受けないで実権をふるった方が、むしろ策略上有利でさえある。その方が攻撃されるおそれが少ないからである。日本人はまた、その家庭生活の体験を通じて、ある決定に対して与えることのできる最大の重みは、その決定が家門の名誉を維持するものであるという家族全員の確信に由来することを学ぶ。その決定は、たまたま家長の位置にある暴君が勝手きままに、腕ずくで強要する命令ではない。日本の家長はむしろはるかに物質的ならびに精神的財産の管理人にちかい。この財産は家族全員にとって重要であり、家族全員に彼らの個人的意志をその要求に従属せしめることを求める。日本人は腕力の使用を斥けるが、だからといって彼らが家の要求に従い、それ相当の身分を割り当てられた人びとに対して極度の敬意を表することにはいささかの変化もない。家庭における階層制度は、家族の中の年長者が腕節の強い独裁者となる機会のほとんどない場合にも、立派に維持される。

以上のような、日本の家庭における階層制度をただありのままに述べた記述では、それを読む、対人的行動の基準を異にするアメリカ人に、日本の家庭において強力な、かつ公認された感情的紐帯が容認されていることを十分に理解せしめることはできない。日本の家庭には非常に顕著な連帯性がある。そして日本人がどうしてこの連帯性を確立するかということが、この書物の取り扱う問題の一つである。がそれに先立って、政治や経済生活などのより広大な領域における彼らの階層制度の要求を理解しようとするに当たって、階層制の習慣が家庭の中でいかに完全に習得されるかということを認識することが肝要である。

日本人の生活の階層的組織は、階級間の間柄においても、家庭の場合と同じように徹底的であった。日本は日本の歴史の全期間を通じて、いちじるしく階級的、カースト〔世襲的階級身分制度〕的な社会であった。そして、このように何世紀にもわたるカースト制度の習慣をもつ国民は、非常に重大な意義を有する若干の長所と若干の短所とをもっている。日本ではカーストがその有史時代を一貫する生活原理であった。そして日本は紀元七世紀当時においてすでに、カースト制度のない中国から借用した生活様式を、日本固有の階層的文化に適応させつつあった。あの七世紀から八世紀にかけての時代に、日本の天皇ならびにその宮廷は、偉大なる中国の王国において彼らの使節たちの眼を驚かせた高度な文明の慣習によって、日本を豊かにする事業に着手した。彼らはこの仕事を比類のない精力を傾注して遂行した。それまで日本には文字さえなかった。七世紀に日本は中国の表意文字を採用し、それを用いて全く性質の違う言語を書き表わすようになった。それまで日本にあった宗教は、山や村に鎮座し、人びとに幸運をもたらす四万*の神がみの名を挙げていた宗教であった。この民間宗教が、その後幾多の変遷を経ながらも、今日まで存続して現代の神道になっているのである。七世紀に日本は中国から仏教を、「国家を護るために勝れた」** 宗教として大々的に採り入れた。またそれまで日本には公私を問わず、恒久的な建物がなかった。ところが今や天皇は中国の首都を模して新しい奈良の都を建設した。また国内の所々方々に中国の模範にならって、壮麗な仏教の大伽藍や巨大な僧院が建立された。天皇はその使節たちが中国から伝えた官職位階の制度や律令を採用した。世界の歴史の上で、主権国家による計画的文明輸入がこれほどうまくいった例を他に見いだすことは困難である。

＊訳注　「八《や》百万《およろず》」の意味を、著者はこのように理解しているのであろう。

＊＊ Sir George Sansom, *Japan: A Short Cultural History*, p. 131 に引用されている奈良時代の一年代記中の言葉。〔聖武天皇が陸奥国に黄金が出た時に下した宣命に「仏の大御《おおみ》言《こと》し国家護るがた〔め〕には勝れたりと聞し召して」云々とある。——訳者〕

しかしながら日本は最初から、中国のカースト制をもたない社会組織をそのまま再現することはできなかった。日本が採用した官職は、中国では国家試験に及第した行政官に与えられるものであったが、日本では世襲貴族や封建領主に与えられた。それらは日本のカースト制度の構成要素となった。日本はたえずお互いの勢力を嫉視し合う領主が支配する、数多くの、半ば独立した藩に分かれていた。そして重要な社会的規定は、領主と家来の特権にかかわるものであった。日本は、どんなに倦まずたゆまず中国文明の輸入を行なったにしたところで、その階層制度の代わりに、中国の官僚的行政制度や、いろいろな身分、職業の人びとを同じ一つの大宗族の下に統合する、中国の巨大な宗族制度のごときものを設けるような、生活様式を採用することはできなかった。日本はまた中国の世俗的皇帝の思想を採用しなかった。皇室を意味する日本語の名称は「雲の上に住む人びと」であり、この一族の人びとだけが皇位につきうるのである。中国では頻々と王朝の交替が行なわれたが、日本では一度もそのようなことはなかった。天皇は不可侵であり、天皇の身体は神聖であった。中国文化を日本に導入した日本の天皇たちならびにその宮廷は、これらの点に関して中国の組織は一体どうなっているのか想像さえつかず、また自分たちがどういう変更を加えつつあるのか気がつかなかったに相違ない。

したがって日本は中国からいろいろな文物を輸入したのであるが、それにもかかわらずこの新しい文明は、これらの世襲領主の家臣の間の、何世紀にもわたる覇権争奪戦の道を拓いたのみであった。八世紀の終わりごろまでには貴族の藤原氏が支配権を掌握し、天皇を背景に押しやっていた。やがて時のたつにつれて、藤原氏の支配は封建領主たちの拒否するところとなり、国中が内乱におちいった。が、これらの封建領主の中の一人、あの有名な源頼朝が競争者をことごとく征服して、将軍という古くからあった軍事的称号の下に、日本の事実上の支配者となった。この官名は略称であってその完全な形は字義通りには「未開野蛮のやからを平定する大元帥」〔征夷大将軍〕の意味である。この官職を、日本では通例のことであったが、頼朝は、彼の子孫が他の封建領主を抑える実力を有するあいだ、源氏の世襲とした。天皇は無力な存在となった。天皇の主たる重要さは、将軍が依然として儀礼的に天皇から任命を受けるという点にあるにすぎなかった。天皇はいかなる政治的権力をももたなかった。実際の権力は、威令に服さぬ藩に対しては武力によって支配を確保しようとした幕府──この名称は元来大将の軍営の意味であったが、転じて将軍の政府をそう呼んだ──が握っていた。封建領主、すなわち〝ダイミョー〟〔大名〕はそれぞれ武装した家来、すなわち〝サムライ〟〔武士〕を抱えていた。これらの武士たちは主君の命のままにその剣をふるった。そして彼らは不安動乱の時代には常に何どきでも、競争相手の藩、もしくは支配者たる将軍の「ふさわしい位置」に異をとなえる準備をととのえていた。

十六世紀には内乱はまるで風土病のように猖獗《しょうけつ》を極めた。数十年間の動乱の末、かの偉大なる武将家康がすべての競争相手に打ち勝って、一六〇三年に徳川氏の初代将軍となった。将軍の地位はその後二世紀半にわたって家康の血統の中に留まり、一八六八年に天皇と将軍との「二重統治」が廃止され、近代の幕が開かれた時に、はじめて終わりを告げた。かずかずの点においてこの長い徳川時代は史上最も注目すべき時代の一つである。それはその終末の最後の時期にいたるまで、日本に武装平和を維持してきた。そして徳川氏の目的に申し分なく役立った中央集権制を実施した。

家康は非常に困難な問題に直面したが、彼は安易な解決の道を選ばなかった。二、三の雄藩の領主は内乱において彼に敵対した。そして最後の決戦において大敗を喫した末にやっと彼に帰服したにすぎなかった。これがいわゆる外様大名であった。家康はこれらの大名が従前通りその藩ならびにその武士を支配するままに放任しておいた。事実、日本のすべての封建領主の中で、これらの大名はその領地において最大の自治権をもち続けた。しかし家康は彼らを、彼の家臣となる栄誉から、また一切の重要な職務から閉め出してしまった。これらの重要な地位は譜代大名、すなわち内乱において家康に味方した大名にふり向けられた。このような困難な政治体制を維持するために、徳川氏は、封建領主、すなわち大名が力を蓄積することを防ぎ、大名の間における、およそ将軍の支配を脅かすおそれがあると思われる一切の連合を妨げる政策を取った。徳川氏はたんに封建的体制を廃止しなかったばかりではない。日本の平和と徳川家の支配を維持するために、それを強化し、いっそう堅固なものにしたのである。

日本の封建社会は複雑な層に分かたれ、各人の身分は世襲的に定まっていた。徳川氏はこの制度を固定させ、おのおののカーストの日常の行動を細かに規制した。各戸の家長はその門口に、彼の階級的地位と彼の世襲的身分に関する所定の事実とを掲示しておかねばならなかった。彼の着ることのできる着物、彼の買うことのできる食物、彼が住んでさしつかえない家の種類が、彼の世襲的身分に応じて規定されていた。皇室と宮廷貴族〔公卿〕の下に、その身分の順に武士（サムライ）、農民、工人、商人の四つの日本のカーストがあった。さらにこの下に社会の埒外に置かれていた賤民階級があった。これらの賤民階級の中で最も数が多く、著名なのは〝エタ〟、すなわちタブー視された職業に従事していた人びとであった。彼らはくず拾い、死刑囚の埋葬人、斃死した獣類の皮剝ぎ、皮革製造などを業としていた。彼らは日本の不可触賤民（untouchables）であった、いな、さらに正確に言えば、人間の数に入らぬもの（uncountables）であった。現に街道の彼らの集落を通過する部分は、まるでその地域の土地も住民も全然存在しないかのように、里程の中に数えられなかった。彼らははなはだしく貧困であった。そしてその職業を営む認可は与えられていたが、正式の社会組織の外側に置かれていた。

商人は賤民階級のすぐ上に位していた。このことはアメリカ人にはまことに奇異に感じられるのであるが、封建社会においてはおおいに実情に即していたのである。商人階級は常に封建制度の破壊者である。実業家が尊敬され栄えるようになると、封建制度は衰える。徳川氏が十七世紀に、いかなる国もいまだ強行したことのない思いきった法律によって、日本の鎖国を布告したのは、商人の立脚地を奪い取るためであった。それまで日本は中国および朝鮮の沿岸一帯にわたって盛んに海外貿易を営んでいたので、どうしても商人階級が発達してゆく趨勢にあった。徳川氏は一定の限度以上の船を建造しまたは操縦することを極刑に値する大罪と定めることによって、この趨勢を阻止した。許可された小さな船では大陸へ渡航したり、商品を積んで運んだりするわけにはゆかなかった。国内取引もまた、おのおのの藩の境に打ち建てられ、商品の出入りを厳重に取り締まる関所のために、きびしく制限されていた。ほかにも商人の低い社会的地位を強調する目的で、いろいろな法律が定められた。奢侈取締令は商人が着ることのできる着物や、持ち歩くことのできる傘や、婚礼または葬式のおりに費やすことのできる金額を規定していた。彼らは武士と同じ地域に住んではならなかった。彼らは特権的な武士階級である〝サムライ〟の刀に対して、法律上の保護を与えられていなかった。商人を低い地位に留めておこうとする徳川氏の政策は、むろん貨幣経済においてはうまくゆかなかった。しかも当時の日本は貨幣経済にもとづいて運営されていたのである。がしかしとにかくその試みだけは行なわれた。

安定した封建制度にふさわしい、武士と農民の二階級は、徳川幕府はそれを固定した形式に凍結させてしまった。家康の手によってついに結末を与えられたあの内乱の間にすでに、かの偉大なる武将秀吉が、有名な「刀狩り」を行ない、これら二つの階級の分離を完成した。秀吉は農民から武器を取り上げ、武士だけに帯刀の権利を与えたのである。武士はもはや農民や、職人や、商人を兼ねることができなくなった。最も身分の低い武士でさえももはや生産者となることは法律上禁止された。彼は、その俸禄を農民から取り立てた年貢米に仰ぐ、寄生的階級の一員となったのである。大名はこの米を操作して、彼の家臣である武士の一人一人に知行として分配した。武士はもはやどこから生活の資を得たらよいか頭を悩ます必要がなくなった。彼は完全にその領主に依存していた。日本歴史の初期の時代においては、封建的首領とその配下の武士との間の強固な紐帯《ちゆうたい》は、藩と藩との間のほとんど絶え間ない戦いのうちに形づくられていったが、泰平の徳川時代においては、この紐帯は経済的なものになった。日本の武士は、中世のヨーロッパの騎士たちのように、自らの領地と農奴とを所有する小領主でも、また主人を選り好みしない遊歴武人でもなかった。彼は徳川時代の初めに彼の家柄の取高として定められた一定の俸禄に依存する年金生活者であった。その俸禄は決して多額ではなかった。日本の学者たちは、武士階級全体の平均俸禄は農民の所得とほぼ同じであったと見積もっているが、これではたしかにかつかつ食ってゆける程度にすぎなかった。* 武士の家にとってこの俸禄を幾人かの相続人に分割するほど大なる不利益はなかった。そこで武士はその家族数を制限した。また彼らにとって富と虚飾にもとづく権勢ほど呪わしいものはなかった。そこで彼らはその掟の中で節倹の高い徳に非常な力点を置いた。

* Herbert Norman, *Japan's Emergence as a Modern State*, p. 17, n. 12.〔邦訳『日本における近代国家の成立』、六九頁、注一二〕の引用による。

武士と他の三階級、すなわち農・工・商との間はとうてい越えられない懸隔《けんかく》によって隔てられていた。これらの三階級は「庶民」であったが、武士はそうではなかった。武士が彼らの特権として、またそのカーストのしるしとして腰に帯びていた刀は、たんなる飾りではなかった。彼らは庶民に対してそれを使用する権利をもっていた。彼らは徳川時代以前から伝統的にそうしてきた。そして家康の法令が、「武士に対して無礼な振舞いに及んだり、目上の者に対して敬意を示さぬ庶民は立ちどころに斬り捨ててさしつかえない」* と規定しているのは、昔からの習慣に法的効力をもたせたにすぎない。家康の意図の中には、庶民と武士階級との間に相互的依存関係を打ち建てようなどという考えは少しもなかった。彼の政策は厳重な階層的規制に立脚していた。庶民階級も武士階級もともに大名に統率され、それぞれ大名と直接に交渉をもった。両階級は、いわばべつべつの階段の上に置かれていたのである。おのおのの階段においては上から下まで一貫して、法令と規則、支配と相互義務とが行なわれていた。ところが異なった二つの階段に属する人びとの間にはただ隔りがあっただけである。この二階級の間の隔りはときおり、その場合の事情に迫られてやむをえず架橋されることがあったが、しかしそれはどこまでもこの体制の埒外のことであった。

＊訳注　『家康遺訓百箇条』に「士は四民之司、農工商之輩、対㆑士不㆑可㆑致㆓無礼㆒、働㆓無礼㆒は今日㆓慮外者㆒也、対㆑士慮外いたす者は、士於㆑討㆑之不㆑妨」とあり、また寛保三年の『御定書百ケ条』にも「足軽体に候共、不届之仕形、不㆑得㆑止事、切殺候もの吟味之上無㆑紛においては無㆑構」とある。

徳川時代の武士はたんに剣を操る武人ではなかった。彼らはしだいに彼らの主君の財産を管理する執事、能楽や茶道のごとき平和な芸能の専門家となっていった。すべての議定書は彼らの所管であり、大名の策謀は彼らの巧妙な術策によって遂行された。泰平の二百年は長い歳月である。また個人的に剣をふるう機会もおのずと限られていた。あたかも商人が、厳重なカースト的制約にもかかわらず、都市生活と芸事と娯楽とに高い位置を与える生活様式を発達せしめたように、武士もまた、いつでもその刀を抜く用意はしながらも、平和の技術を発達せしめた。

農民は武士に対する法律上の保護をもたず、重い年貢を取り立てられ、さまざまな制限を課せられていたが、それでもなお二、三の保証を与えられていた。彼らは農地の所有権を保証されていた。しかも日本では土地を所有することは人に威信を添えるゆえんなのである。徳川の治世の下においては、土地の永代譲渡は禁止されていたが、この法律は、ヨーロッパの封建制度の場合のように封建領主のための保証ではなくして、個々の耕作者のための保証であったのである。農民は彼が他のなによりも貴重としているもの、すなわち土地の永代権をもっていた。そこで彼は、今日、彼の後裔がその水田を耕作しているのと同じ勤勉さと骨身惜しまぬ配慮とをもって、その土地を耕作していたように思われる。とはいうものの彼は所詮、将軍の政治機構、藩諸機関、武士の俸禄を含む、ほぼ二百万に上る、寄生的上層階級全体をその双肩に支えるアトラス*であった。彼は現物税を課せられていた、すなわち、その収穫量の一定の割合を大名に差し出した。同じ水稲農作国であるシャムでは伝統的な年貢は一〇パーセントであるのに、徳川時代の日本では四〇パーセントということになっていた。ところが実際はそれよりもさらに高率であった。藩によっては八〇パーセントにも達したところがあった。しかもそのうえにたえず、農民の労力と時間とに重圧を加える賦役 corvée すなわち強制労働が課せられた。武士と同じように、農民もやはりその家族数を制限した。そこで日本全国の人口は徳川二百五十年を通じてほとんど同じ数字に停滞していた。泰平のながくうち続いた時代において、しかも多産をもって聞こえるアジアの一国として、このような人口の統計的数字を示していることは、その統治の性格がおよそいかなるものであったかを、遺憾なく物語っている。それは租税によって支えられている武士に対しても、生産者階級に対してもともに、スパルタ的制限を加えていた。しかし個々の隷属者とその長上との間柄においては、それは比較的信頼できるものであった。人は自分の義務や特権や地位を承知していた。そしてもしこれらが侵害された場合には、どんな貧しい人間でも抗議することができた。

*訳注　地球をその肩に担っていると想像されたギリシアの神。

農民は、その最も悲惨な貧窮のさなかにおいてさえ、封建領主だけではなく、幕府当局に対しても抗議を行なった。徳川二百五十年を通じてこのような百姓一揆が少なくとも一千件はあった。これらの一揆は伝統的な「四割は領主へ、六割は耕作者へ」〔四公六民〕の重課によってひき起こされたのではない。それはことごとくそれ以上の苛斂誅求《かれんちゅうきゅう》に対する抗議であった。もはや事態が堪えがたくなった場合には、農民は大挙して領主の城下に押し寄せたが、訴願と裁判の手続きは合法的に行なわれた。農民は正式の秕政匡政《ひせいきょうせい》嘆願書を書いて大名の側近者の手許に差し出した。この嘆願書が握り潰されたり、大名が愁訴に耳をかさない時には、彼らは代表者を江戸に派遣して訴状を幕府に提出した。有名な一揆の場合においては、幕府の高官が江戸市中を通行する途中を待ち受け、その乗輿の中に訴状を差し入れることによってやっと確実に手交することができた。しかしながら農民が嘆願書を手渡すに当たってどういう危険を冒したにしても、願書はその後で幕府当局の詮議《せんぎ》を受けた。そして判決の半数ぐらいが農民に有利なものであった。*

* Borton, Hugh, *Peasant Uprisings in Japan of the Tokugawa Period*, Transactions of the Asiatic Society of Japan, 2nd Series, 16 (1938).

しかしながら農民の主張に対して幕府が判決を下すだけでは、日本の法と秩序の要求は満たされなかった。彼らの苦情は正当であるかもしれない。また国家がその苦情を尊重することは当を得た措置であるかもしれない。が、しかし百姓一揆の指導者は厳格な階層制度の法を破ったのである。たとえ決定は彼らに有利であったにしても、彼らは主君に従うという最も大切な法を破ったのであって、これはどうしても見のがすわけにはゆかない。そこで彼らは死罪を申し渡された。彼らの動機の正しさはこのこととはなんの関係もなかったのである。農民たちもこれは避けがたい運命とあきらめていた。死刑を宣告された人びとは彼らの英雄であった。そして、一揆の指導者が油の中で煮られたり、首をはねられたり、磔になったりする処刑の現場には民衆が大挙して押しかけた。しかし処刑に当たって群衆はけっして暴動を起こさなかった。それが法であり、秩序であったのである。彼らは後に死者のために祠《ほこら》を建て、殉教者として崇めることもあったが、しかし処刑そのものは彼らがそれによって生きる階層的法律の本質的要素として是認した。

要するに、代々の徳川将軍は、おのおのの藩の中のカースト組織を固定し、どの階級もみな封建領主に依存するようにしようとしたのである。大名はおのおのの藩の階層制度の頂点に立っていた。そしてその隷属者に対して特権を行使することを許された。将軍の主たる行政上の問題は大名を統御してゆくことであった。将軍はあらゆる手段を用いて、大名が同盟を結んだり、侵略計画を遂行したりすることを妨げた。藩と藩との境界には旅行免状を調べ、関税を取り立てる役人を置いて、大名がその妻妾を他国へやって銃器を密輸入しようとするのを防ぐために、「入鉄砲出女《いりでっぽうでおんな》」*を厳重に監視させた。大名は将軍の許可なくして婚約を結ぶことはできなかった。さもなくば、それによって危険な政治的同盟が結ばれるおそれがあったからである。藩と藩との交易は、橋を通れなくしてまで、妨害された。また将軍の密偵が常に大名たちの出費に関してくわしい情報をもたらした。そして藩の金庫が充満してくると、将軍はふたたびもとの水準に引き戻すために、莫大な費用を要する土木事業を申しつけた。なかんずく最も有名な規則は、大名を毎年半年間は首府に在住させ、藩に帰国する時にも、妻を将軍の手中にある人質として江戸（東京）に残しておかねばならないことであった。このようにあらゆる手段を尽くして幕府はその権力の維持と、階層制度の中における支配的地位の確保に努めた。

＊訳注　ノーマン前掲書邦訳六七頁、注三によれば、「入鉄砲出女」の禁は大名が妻妾を江戸府外へ密行させたり、銃器を府内へ持ち込むことの禁であった。

もちろん、将軍はこの階層制度というアーチの最後の要石《かなめいし》ではなかった。彼は天皇の任命を受けたものとして支配権を掌握していたのである。天皇はその廷臣である世襲貴族（クゲ〔公卿〕）と共に京都に隠栖せしめられ、実権を奪われていた。天皇の財力は小大名のそれにも劣っていた。そして宮中の儀式までいちいち厳重に幕府の法度によって制約されていた。けれども最も権勢のあった徳川の将軍でさえ、あえてこの天皇と実際の統治者との二重統治を廃止する挙には出なかった。二重統治は日本ではけっして目新しいことではなかった。十二世紀以来、大元帥（将軍）が、実権を剝奪された天皇の名において、この国を統治してきた。ある時代には職能の分割がさらに極端に行なわれ、有名無実の主権者である天皇が世襲の世俗的首領に委託した実権が、さらに今度はその首領の世襲の政治顧問〔執権〕によって行使されたことさえあった。常にもとの権力の二重三重の委託が行なわれてきた。徳川幕府の命脈が今まさに尽きようとする最後の時期においてさえ、ペリー提督は背後に天皇の存在することに気づかなかった。そしてわが国初代の公使であり、一八五八年に日本と最初の通商条約の交渉を行なったタウンゼンド・ハリスは、自身で天皇のいることを発見せねばならなかった。

　実は日本人が天皇について抱いている観念は、太平洋諸島においてときどき見いだされる観念と同じものである。彼はあるいは政治に関与し、あるいは関与しない神聖首長（Sacred Chief）である。ある太平洋の島じまでは彼は自らその権力を行使し、ある島じまではそれを他人に委託していた。しかし常にその身体は神聖であった。ニュージーランドの諸部族の間では、神聖首長は神聖不可侵であって、自分で食物を摂ってはならず、給仕人が食物を口に運ぶのであるが、そのさいスプーンが彼の神聖な歯に触れることさえ禁じられていた。外出する時には人に運んでいってもらわなければならなかった。それは彼がその神聖な足を下した土地は、ことごとく自動的に聖地となり、神聖首長の所有とならねばならなかったからである。特に神聖不可侵なのは彼の頭部であって、何びともそれに触れることができなかった。彼の言葉は部族の神がみの耳に達した。二、三の太平洋の島じま、たとえばサモア島やトンガ島などでは、神聖首長は、世俗生活には全く関与しなかった。世俗的首長（Secular Chief）が政務一切を執り行なった。十八世紀末に東太平洋のトンガ島を訪れたジェイムズ・ウィルソンは、その政治体制は「神聖な皇帝がいわば総大将（Captain-general）の国事犯人のような立場に置かれている日本の政治体制に最もよく似ている」*と書いている。トンガ島の神聖首長たちは公務からは遠ざけられていたが、宗教的任務は行なっていた。彼は果樹園の最初の果実を受け取り、彼の指揮で祭を執り行なわなければならなかった。その後でなければ何びともその果実を口にすることはできなかった。神聖首長が死ぬと、その死は「天が空虚になった」という辞句で発表された。彼はいとも荘厳な儀式とともに巨大な王墓の中に葬られた。しかしながら彼は政治には全然関与しなかった。

＊ Wilson, James, *A missionary voyage to the Southern Pacific Ocean performed in the years 1796, 1797 and 1798 in the ship Duff*. London, 1799, p. 384. Edward Winslow Gifford, Tongan Society. Bernice P. Bishop Museum, Bulletin 61. Hawaii, 1929. の引用による。

天皇は、政治的に無力であって、「いわば総大将の国事犯人のようなもの」であった時においてさえも、日本人の定義に従えば、立派に階層制度における「ふさわしい位置」を満していたのである。天皇が俗務に積極的に関与することは、日本人にとっては全然天皇の身分をはかる尺度にはならなかった。京都にある彼の宮廷は、日本人が何世紀もの長きにわたるあの征夷大将軍の支配の時期を一貫して大切に守り続けてきた価値であった。彼の職能は西欧の見地から眺めた場合にのみ無用なものであったにすぎない。あらゆる点において階層的役割の厳密な定義に慣れていた日本人は、事柄を異なった見地から眺めていた。

下は賤民から上は天皇にいたるまで、まことに明確に規定された形で実現された封建時代の日本の階層制度が、近代日本の中にも深い痕跡を残している。封建制度が法的に終わりを告げたのは要するにわずか七十五年前のことにすぎない。そして根強い国民的習性はわずか人間一生にすぎない短い期間内に消えてなくなるものではない。近代の日本の政治家たちもまた、やがて次章において見るように、国家の目的の根本的変更にもかかわらず、この制度の多くの部分を保存するために、周到な計画をめぐらした。日本人は他のいかなる主権国にもまして、行動が末の末まで、あたかも地図のように精密にあらかじめ規定されており、めいめいの社会的地位が定まっている世界の中で生活するように条件づけられてきた。法と秩序とがそのような世界の中で武力によって維持されていた二百年の間に、日本人はこの綿密に企画された階層制度をただちに安全ならびに保証と同一視することを学んだ。彼らは既知の領域に留まっている限り、既知の義務を履行している限り、彼らの世界を信頼することができた。匪賊は制圧されていた。大名間の内戦も防止されていた。人民はもし他人が自分の権利を侵したことを立証することができれば、農民たちが搾取された時にしたように、訴え出ることができた。それは個人的には危険をともなったが、公認された手段であった。徳川将軍の中でも最もすぐれた将軍は「訴願箱」〔目安箱〕を設けたほどであった。市民は誰でもその不服の廉《かど》をこの箱の中に投書して訴えることができた。そして将軍だけが箱をあける鍵を持っていた。日本には、侵略行為は、もしそれが現行の行動の「地図」の上で許されていない行為であるならば、必ず矯正されるという保証が実際に与えられていた。人はこの「地図」を信頼した。そしてその「地図」に示されている道をたどる時にのみ安全であった。人はそれを改め、あるいはそれに反抗することにおいてではなくして、それに従うことにおいて勇気を示し、高潔さを示した。そこに明記されている範囲内は、既知の世界であり、したがって、日本人の眼から見れば、信頼しうる世界であった。その規則はモーセの十戒のような抽象的な道徳原理ではなくて、この場合にはどうすべきか、またあの場合にはどうすべきか、武士ならばどうすべきか、また庶民ならばどうすべきか、兄にはどういう行為がふさわしい行為か、また弟にはどういう行為がふさわしい行為か、というようなことをいちいち細かに規定したものであった。

日本人はこのような制度の下にありながら、同じく武断的階層制度の支配下に置かれていた二、三の国民のように、温和な従順な国民にはならなかった。それぞれの階級にある種の保証が与えられていたことを認めることが肝要である。賤民階級でさえその特殊な職業を独占する権利を保証され、またその自治団体は当局者の承認を受けていた。おのおのの階級に加えられる制限は大きかったが、その代わりにはまた秩序と保証とがあった。

このカースト的制限にはまた、たとえばインドにおいては全然認められないある程度の柔軟性があった。日本の習慣は、一般に承認されたしきたりに抵触することなく、この制度を巧妙に操縦する幾つかの明確な技術を提供した。人は幾通りかの方法によってそのカースト的身分を変更することができた。日本のように貨幣制度の行なわれている国では必然のなりゆきであるが、金貸しや商人たちが富裕になってきた時、これらの富豪はさまざまな伝統的術策をめぐらして、上流階級の中に潜りこもうとした。彼らは抵当権と地代とを利用することによって「地主」になった。なるほど農民の土地は譲渡を禁止されていたけれども、日本では小作料が法外に高かったので、農民たちをそのままその土地に留まらせておいた方がかえって有利であった。金貸したちはその土地に居を構えて小作料を取りたてた。そして日本ではそのような土地「所有」は利潤とともに権勢をもたらした。彼らの子供たちは武士と結婚した。彼らは旦那衆になった。

もう一つの、カースト制度をうまく操縦する伝統的なやり方は養子縁組であった。この方法によって武士の身分を「買う」道が開かれた。商人たちは徳川氏のいろいろな掣肘《せいちゅう》にもかかわらずしだいに富んでゆくにつれて、彼らの息子を武士の家に養子にやる工夫をした。日本では息子を養子にとることはめったにない。娘の夫を養子にするのである。これが「婿養子」という名で呼ばれているものである。婿養子はその養父の相続人になる。彼は非常な犠牲を払う。彼の名は生家の戸籍から抹消され、妻の家の戸籍に記入される。彼は妻の姓を名のり、妻の家に行って養母と共に生活する。しかし犠牲は大きいが、利益もまた大きい。富裕な商人の子孫は武士となり、貧窮した武士の家族は富豪の縁者となる。カースト制度は少しもそこなわれず、全くもとのままである。ところがその制度を巧妙に操ることによって、富者は上流階級の身分を獲得することができた。

したがって日本では、おのおののカーストは絶対に同一カーストの内部でしか結婚してはならないというわけではなかった。異なったカーストの間の通婚を可能ならしめる公認の手続きがあった。その結果、しだいに富裕な商人が下層武士階級の中に侵入していったが、このことは西ヨーロッパと日本との間のいちじるしい相違の一つを、ますますいちじるしくする上に大きな役割を果たした。ヨーロッパにおいて封建制度が崩壊したのは、しだいに発達し、ますます優勢になってきた中産階級の圧力がその原因であった。そしてこの階級が近代の産業時代を支配したのである。日本にはそのような強大な中産階級は発生しなかった。商人や金貸したちは公認の方法によって、上流階級の身分を「買った」。商人と下層武士とは同盟者となった。ヨーロッパと日本の双方において封建制度が断末魔の苦しみをしていた時期に、日本がヨーロッパ大陸の諸国よりも余計に階級間の移動を承認していたというのは、奇妙な、また意外なことであるが、この主張を裏書きするなによりも有力な証拠は、貴族と市民階級との間に階級闘争が行なわれた形跡が全然認められない事実である。

この二つの階級が提携したのは、日本ではその方がお互いに利益があったからだ、と言うのはたやすいことである。がしかし、もしそれだけのことならば、フランスでもやっぱりお互いに利益がありえたはずである。西ヨーロッパでそのような提携が行なわれた一、二の特殊な事例においては、それは事実有利であった。しかしながらヨーロッパでは総じて階級の固定性がいちじるしく、フランスでは階級闘争がついに貴族の財産を没収するという結果を招来した。日本では階級間の間柄はもっと密接であった。衰えた幕府を転覆させた同盟は、商人・金貸し階級と武士階級との同盟であった。日本では近代になってもまだ貴族制度が保存されたが、これはもし日本に階級間の移動を可能にする公認の手段がなかったとしたならば、とうてい起こりえなかったことであろう。

日本人が詳密な行動の「地図」を好みかつ信頼したのには、一つのもっともな理由があった。その「地図」は人が規則に従う限り必ず保証を与えてくれた。それは不当な侵略に対する抗議を認めた。またそれを巧妙に操って自分の利益をはかることもできた。それは相互義務の履行を要求した。十九世紀後半に徳川幕府が崩壊した時にも、国民の中でこの「地図」を引き裂いてしまえという意見のグループは一つも存在しなかった。「フランス大革命」は起こらなかった。「一八四八年」〔二月革命〕すら起こらなかった。しかもそれでいて情勢は絶望的であった。庶民から幕府にいたるまで、どの階級もみな金貸しや商人たちに負債を負っていた。多数の非生産階級と巨額の経常財政支出とは、もはや支えきれなくなっていた。財政逼迫に四苦八苦の大名たちは、その家臣に規定通りの俸禄を支払うことができなくなっていた。かくて封建的紐帯の網状組織全体が、全く名ばかりのものとなってしまった。彼らはなんとかして借金をせずにすませようと焦って、そうでなくともすでに重すぎる農民に対する課税をさらに増大した。租税は何年も先の分まで取りたてられ、農民は極度の窮乏におちいった。幕府もまた破産状態にあり、現状を維持する能力はほとんど皆無であった。ペリー提督がその艦隊をひきいて姿を現した一八五三年ごろの日本の国内は悲惨な窮地に追い込まれていた。ペリーの強行入国に続いて一八五八年にはアメリカとの通商条約が結ばれたが、日本はそれを拒むことのできない状態に置かれていたのである。

ところが日本の津々浦々から湧き起こった叫び声は〝イッシン〟〔一新〕——過去にさかのぼること、いにしえに復帰することであった。それはおよそ革命とは正反対のものであった。それは進歩的ですらなかった。「尊王」の叫びとあわせて唱えられた、それと同様に人心をとらえた叫びは「攘夷」であった。国民は鎖国の黄金時代に復帰するという政綱を支持した。そしてそのような方針のとうてい行なわれがたいことを見抜いた少数の指導者は、その努力のゆえに暗殺された。この革命を好まぬ日本の国が、方針を一変して西欧諸国の模範に従おうとは、さらにいわんやわずか五十年の後に、西欧諸国の本領とする分野において西欧諸国と競争するようになろうとは、全く思いもよらぬことであった。にもかかわらず実際その通りのことが起こったのである。日本はその固有の長所を利用して——それは西欧諸国の長所とするところとは全く異なるものであった——日本の一群の有力な、高い地位にあった人びとも、また一般民衆の世論もけっして要求しなかったところの目標を達成した。一八六〇年代の西欧人は、もし彼が水晶の球の中に未来を予見したとするならば、とうていそれを信じなかったであろう。その後数十年間、日本全国を吹きまくった、暴風のような激しい活動を予言する、掌大の黒雲すら地平線上に姿を現しているとは思われなかった。それにもかかわらず、その不可能なことが起こったのである。日本のおくれた、そして階層制度に押しひしがれた民衆は急転回して新しい進路に切り換え、かつその進路を保ったのである。

第四章　明治維新

日本の近代の先導役を承ったときの声は〝ソンノー・ジョーイ〟〔尊王攘夷〕、すなわち「天皇を復辟《ふくへき》せしめ、夷狄を追い払え」の声であった。それは日本を外国に汚させぬようにするとともに、まだ天皇と将軍との「二重統治」のなかった十四世紀の黄金時代に復帰しようとするスローガンであった。京都の天皇の宮廷は極端に反動的であった。天皇の支持者にとっては尊王派の勝利とはとりもなおさず外国人を屈服させ、追い払うことであった。日本の伝統的な生活様式を回復することであった。「改革派」の政治的発言権を封じることであった。有力な外様大名たち、すなわち、倒幕の急先鋒となった雄藩の領主たちは、王政復古を、徳川氏に代わって自分たちが日本を支配する道と考えていた。彼らが欲したのはただ人が変わることであった。農民たちは自分たちの作った米をもっと多く自分たちの所有にすることを望んだが、彼らは「改革」をはなはだしく毛嫌いした。武士階級は今まで通り俸禄の支給を受け、剣をとって功名手柄をたてる機会の与えられることを希望した。尊王派に軍資金を貢いだ商人たちは、重商主義の伸張を願いはしたが、けっして封建制度の罪を糾弾しはしなかった。

反徳川勢力が勝利を収め、一八六八年の王制復古によって「二重統治」が終末を告げた時、勝利者たちは、われわれ西欧人の標準から見て、おそろしく保守的な孤立主義政策がいよいよこれから実施されるのだと期待していた。ところが、新政府の取った方針は最初からその反対であった。新政府は成立後まだ一年もたたないうちに、すべての藩における大名の課税権を撤廃した。政府は土地台帳を回収し、いわゆる「四公六民」の年貢の「四公」の分は政府に納めさせることにした。この財産没収は無償ではなかった。政府はおのおのの大名にその正規の禄高の半ばに相当する額を割り当てた。同時にまた政府は大名の、武士を扶養し、土木事業費を負担する責任を免除した。武士もまた大名と同じように、政府から俸禄を支給された。次の五年間に、階級間の一切の法律上の不平等は一挙に撤廃され、カーストや階級を示す徴標や差別的服装は廃止され——丁髷《ちょんまげ》も切らねばならなくなった——、賤民階級は解放され、土地の譲渡を禁ずる法律は撤廃され、藩と藩とを隔離していた障壁は取り除かれ、仏教は国教の地位から放逐された。一八七六年には大名ならびに武士の俸禄は、五年ないし十五年を償還期限とする秩禄公債《ちつろくこうさい》による一時賜金に切り換えられた。この賜金はこれらの人びとが徳川時代に得ていた禄高によって額に高下があった。そしてこの金を資金として彼らは新しい非封建的経済の下で事業を始めることができた。「それは徳川時代にすでに明らかになっていた商業・金融貴族と封建・土地貴族とのかの特殊な連合をいよいよ正式に締結する最終の段階であった*」。

＊ ノーマン前掲書、九六頁〔邦訳　一四九頁〕

成立後、日なお浅い明治政府の行なったこれらのめざましい改革は不評を買った。これらの施策のいずれにもまして、はるかに多く一般の熱狂的な支持を得たのは、一八七一年から一八七三年にかけての征韓論であった。明治政府は徹底的な改革を断行する方針を曲げなかったばかりでなく、この侵略計画を葬り去った。政府の施政方針は明治政府樹立のために戦った大多数の人びとの願望と全く相反するものであった。そこで一八七七年には、これらの不平分子の最大の指導者西郷が政府反対を旗印とする大規模な反乱を組織した。彼の軍隊は尊王派の、王政復古の最初の年から明治政府によって裏切られ通しに裏切られてきた、封建制度の存続を望む一切の願望を代表するものであった。政府は武士以外の者からなる義勇軍を募って、西郷の士族軍を破った。しかしこの反乱は当時政府が国内にいかに大きな不満を捲き起こしつつあったかということの証左であった。

農民の不満も同様にいちじるしかった。一八六八年から一八七八年までの間、すなわち明治の最初の十年間に、少なくとも百九十件の農民一揆が起こっている。新政府は一八七七年になってやっとはじめて、農民の過重な税負担を軽減する措置を講じたにすぎなかった。だから農民が、新政府は少しも農民の役に立たないと感じるようになったのも無理はない。農民たちはさらにまた、学校の設立、徴兵制度、検地、断髪令、賤民の差別待遇撤廃、公認仏教に対する極端な制限、暦法改革、その他多くの、彼らの固定した生活様式を変革する施策に反対した。

それではこの、あれほど徹底的な、しかも不評判な改革を断行した「政府」はいったい誰であったのか。それは特殊な日本の諸制度がすでに封建時代から育成しつつあった、あの日本における下層武士階級と商人階級との「特殊な連合」であった。すなわち、大名の御側用人としてまた家老として政治的手腕を磨き、鉱山業、織物業、厚紙製造などの藩独占事業を経営してきた武士たちと、武士の身分を買い取り、武士階級の中に生産技術の知識を普及させた商人たちとであった。この武士・商人同盟が、明治政府の政策を作成し、その実行を計画した有能で自信に満ちた為政者を、急速に檜舞台へ送り出したのである。しかしながら、問題は実は、これらの政治家がどの階級の出身であったかではなくて、どうしてあのように有能で現実主義的でありえたかという点にある。十九世紀前半にやっと中世から脱け出たばかりの、今日のシャムのように弱小であった日本は、いかなる国においてもいまだかつて試みられたことのない、非凡な政治的手腕を必要とする、しかも見事に成功を収めた大事業を計画しかつ遂行する能力をもった幾多の指導者を生み出した。これらの指導者の長所は、そしてその短所もまた、伝統的な日本人の性格に深く根ざしたものであった。その性格はなんであったか、またなんであるかを論ずることがこの書物の主たる目的であるが、ここではたんに明治新政府の政治家たちがいかにしてその事業を遂行していったかを知るだけに留めておかねばならない。

彼らは彼らの任務を、けっしてイデオロギー上の革命とは考えなかった。彼らはそれを一つの事業として取り扱った。彼らが脳裡に描いていた目標は、日本を世界列強の間に伍して重きをなす国とすることであった。彼らは偶像破壊者ではなかった。彼らは封建階級をあしざまに罵り、無一文の状態に追い込みはしなかった。彼らはこの連中に多額の秩禄を与え、それを好餌として結局は明治政府を支持するようにしむけた。彼らはまた結局最後には農民の境遇を改善した。この措置が十年も遅延したのは、農民の政府に対する要求を階級的立場から拒絶したのではなくて、それよりもむしろ明治初年の国庫のあわれむべき状態のせいであったらしく思われる。

ところが明治政府を運営した精力的で機略縦横の政治家たちは、日本の階層制を絶滅せしめようとする一切の思想を斥けた。王政復古は天皇を階層制の頂点に据え、将軍を除去することによって、階層的秩序を単純化した。王政復古以後の政治家たちは、藩を廃止することによって、藩主に対する忠誠と国家に対する忠誠との間の矛盾を取り除いた。これらの変化は階層的慣習の足場を奪いはしなかった。それに新しい位置を与えたのである。新たに日本の指導者となった「閣下」たちは、階層制を弱めるどころか逆に、その手ぎわのよい政綱を国民に押しつけるために、中央集権的支配を一段と強化した。彼らは上からの要求と、上からの恩恵とをこもごも用いることによってうまく切り抜けていった。しかしながら彼らは、暦法の改革や、公立学校の設立や、賤民に対する差別待遇撤廃などを望まないような国民の世論に迎合する必要は少しもないと考えた。

こういう上からの恩恵の一つが、一八八九年に天皇から人民に与えられた、大日本帝国憲法であった。これによって人民が国政に参与する道が開かれ、帝国議会が設置された。この憲法は西欧諸国のさまざまな憲法を批判的に研究したのちに、「閣下」たちの手により細心の注意をもって作成された。ところが起草者たちは、「人民の干渉と世論の侵入とを防止するために、あらゆる予防手段*」を講じた。草案起草の任に当たった役所そのものが、宮内省の一局〔制度取調局〕であり、したがって神聖不可侵の場所であった。

*一日本人学者の著書からの引用。彼はこの説を、起草者の一人であった金子〔堅太郎〕男爵の言にもとづいて述べている。ノーマンの前掲書、一八八頁を見よ〔邦訳　二六二頁〕。

明治の政治家たちは彼らの目的を明瞭に意識していた。一八八〇年代に憲法の立案者伊藤公爵は木戸侯爵*をイギリスに派遣し、日本の前途に横たわる諸問題についてハーバート・スペンサーの意見を叩かせた。そして長い話し合いの後、スペンサーは彼の結論を伊藤に書き送った。**階層制についてスペンサーは、日本の伝統的組織こそ国民の福祉の比類のない基礎であるからして、ぜひこれを存続させ大切に守り育てなければならない、と書いている。長上に対する伝統的義務、なかんずく天皇に対する伝統的義務は、日本の一大長所である。日本はその「長上」の指導の下に、堅実に前進してゆくことができる。また個人主義的な国ぐににおいて避けがたいいろいろの困難を防止することができる、と述べた。明治の大政治家たちは自分たちの信念にこのような確認を与えられて、おおいに満足した。彼らは近代的世界において、「ふさわしい位置」を守ることの利得を保持しようと企てた。彼らは階層制の習慣を覆すつもりはなかった。

*訳注　伊藤博文一行がヨーロッパに行ったのは一八八二年であり、その五年前の一八七七年に木戸孝允は死んでいるのだから、木戸がそういう任に当たったはずはない。これは金子堅太郎子爵の誤りである。金子は伊藤の命を受けて、明治二十二年（一八八九年）に、随員中橋徳五郎、木内重四郎、水上浩躬、太田

峯三郎を随え、英文憲法を携えて、諸家の意見を叩くべく渡欧した。そしてこの時にスペンサーと会見したのである。金子堅太郎「帝国憲法制定の由来」（国家学会編『明治憲政経済史論』大正八年刊、所収）、四〇頁参照。

＊＊訳注　この書簡（一八九二年）は、Lafcadio Hearn, *Japan: An Attempt at Interpretation*, 1940 に引用されている。

それが政治であろうと、宗教であろうと、経済であろうと、あらゆる活動分野において、明治の政治家たちは国家と人民との間の「ふさわしい位置」の義務を細かに規定した。その全機構はアメリカやイギリスの組織とあまりにもはなはだしくかけ隔たっていたので、われわれは通常その機構の基本的な点を見落としてしまう。世論に従う必要のない、上からの強力な支配が行なわれたことはいうまでもない。この支配は階層制の首脳部を占める人びとによって管理されていた。そしてこの首脳部の中にはけっして国民から選挙された人びとは含まれなかった。このレベルでは、国民は全然発言権をもつことができなかった。一九四〇年に政治的階層制の首脳部を構成していた人びとは、いつでも天皇に「拝謁」できる重臣たち、天皇の直接の助言者の地位にある人びと、および天皇御璽《ぎょじ》を押した辞令によって任命される人びと〔親任官、勅任官〕であった。この最後の部類には、閣僚、府県知事、判事、各局長官、その他の高官が含まれていた。選挙によって選ばれた官吏は階層制度の中でそのような高い地位をもたなかった。たとえば選挙によって選ばれた議会の議員が、閣僚や、大蔵省もしくは運輸省の長官を選任したり認証したりするさいに発言権をもつなどということは、まるで問題にならなかった。公選議員によって構成された衆議院は、国民の意見を代表するものであって、政府の高官に質疑を行なったり、批判をしたりする点では、少なからぬ特権をもっていたが、任命や、決定や、予算に関する事柄などにおいては真の発言権をもたなかった。また自らの発議によって法律を制定することもなかった。衆議院はさらに公選によらずして選ばれた貴族院の掣肘を受けていた。貴族院議員の半数は貴族、四分の一は勅選であった。貴族院の法律に協賛する権限は衆議院のそれとほぼ同等であったからして、ここにもまたもう一つの階層制の関門が置かれていたのである。

日本はかようにして政府の枢要な地位をどこまでも「閣下」たちの手中に確保した。しかしながらこのことはけっして、その「ふさわしい位置」において自治制度がなかったということを意味するものではない。アジア諸国においてはどこでも、またいかなる政治体制の下でも、上からの権力は下に及んでゆく途中のどこかあるところで必ず、下から上ってくる地方自治の力と出合う。国によって違いがあるのはただ、民主的責任がどれくらい上まで及んでいるか、地方自治制度の責任がどれくらい多いか少ないか、また地方的指導力がどこまで地方共同体全体の要望に応えているか、それとも地方の勢力家たちに壟断《ろうだん》され、したがって住民の不利益を招いているか、という点にあるにすぎない。徳川時代の日本には、中国と同じように、近ごろでは〝トナリグミ〟〔隣組〕という名で呼ばれているが、五戸《ごこ》ないし十戸の家からなる小単位があって、それが住民の最小の責任単位であった。この隣保《りんぽ》の長は隣保自体の万般の事柄について指揮を取り、隣保に属する人びとが不埒な行ないをせぬよう責任を負い、疑わしい行ないがあったならば報告し、お尋ね者がいればそれを官憲の手に引き渡さねばならなかった。明治の政治家たちは最初はこの組織を廃止したが、のちに復活して〝トナリグミ〟と名づけるようになった。隣組は町や市では政府が積極的にそれを奨励して作らせた場合もあったが、今日の農村ではほとんど機能を果たしていない。それよりももっと重要なのは〝ブラク〟〔部落〕単位である。部落は廃止にもならなかったし、一つの単位として行政機構の中に繰り入れられもしなかった。それは国家の力の及ばない領域であった。これらの十五戸あまりの家からなる部落が、今日もなおあいかわらず、年々交替する部落長の下に、組織的にその機能を果たしている。部落長は「部落の財産を管理し、死者があったり、火事に焼け出されたりした家に与えられる部落の援助の監督をし、農作や、普請や、道路の修理などのさいの共同作業の適当な日取りを定め、半鐘や拍子木を一定の調子で打ち鳴らしてその土地の祝祭日や休息日を知らせる」*。これらの部落長は、二、三のアジアの国ぐにの場合のように、その部落において国税を徴収する責任はない。したがって彼はその重荷をになう必要はない。彼らの地位は少しも二重性格的なところがない。彼らは民主的責任の範囲内で職務を行なうのである。

* Embree, John F., *The Japanese Nation*, p. 88.

日本の近代政治組織では、市・町・村の地方自治制度が公に認められている。公選の「長老」たちが責任ある長を選ぶ。そしてこの長が、府県当局および中央政府によって代表される国家との折衝にさいして、市・町・村の代表者の役目を果たす。農村ではその長は古くからその土地に住んでいる、地主農民の家柄の人である。村長をつとめていると経済的には損がゆくが、なかなか幅がきく。この村長と長老たちが村の財政、公衆衛生、学校の維持、そして特に財産登記と個人の身上書類の責任をもつ。村役場はいそがしいところである。それは小学教育に対する国庫補助金の支出と、それよりもはるかに多額の、村自体が負担する教育費の支出、村有財産の管理ならびに賃貸、土地改良と植林、一切の財産取引の登記などの事務を取り扱う。財産取引はこの役場で正式に登録することによってはじめて法律的に効力を発生するのである。村役場はまた、まだその村に本籍をもっている一人一人の人間について、住居、婚姻状態、出産、養子縁組、法律に抵触した事実、その他の事実を記入した最新の記録、ならびに家族について同様の資料を示す家族の記録を保管せねばならない。以上の点に関して少しでも変化が起これば、日本のいかなる地方からでも当人の本籍地に報告が送られ、その人間の帳簿に記入される。就職を志望する時とか、裁判を受ける時とか、その他何によらず身元証明の必要な時には、本籍地の市・町・村役場に手紙を書くか、自分で出向いていって謄本を手に入れ相手方に手渡す。人は自分自身の帳簿やその家族の帳簿に、悪い記録が書き込まれるおそれのあるような危険をかるがるしくおかさない。

このように市・町・村はかなり大きな責任をもっている。その責任は共同体に対する責任である。一九二〇年代に日本に全国的な政党が生まれた時、それはどこの国においても「与党」と「野党」との間の政権の交替を意味するのであるが、地方行政はこの政党政治という新事実の影響を全然蒙らず、あいかわらず共同体全体のために働く長老たちによって指揮された。ただし三つの点だけに関しては、地方行政機関は自治権を与えられていない。すなわち、判事はすべて国から任命され、警察官および教員もすべて国家の使用人である。日本では今でもたいていの民事事件は調停裁判か仲裁人によって片づけられるために、裁判所が地方行政において演ずる役割はほとんど論ずるにたりない。警察官の方がもっと重要である。警察官は集会に臨席せねばならない。しかしこの任務はほんのときたま起こるだけであって、彼らの時間の大部分は、住民の身元ならびに財産に関する記録をつける事務に当てられている。国家は警察官を、その土地とのつながりのない局外者にしておくために、しばしば転任させることがある。学校教員もまた転任させられる。学校は隅から隅まで国家の統制を受けていて、フランスと同じように、日本の学校はどの学校も、同じ教科書の同じ課を同じ日に勉強する。どの学校も朝同じ時間に、同じラジオの伴奏で、同じ体操を行なう。市・町・村は学校と、警察と、裁判所に対しては地方自治権をもたない。

かように日本の政治機構はあらゆる点で、アメリカの機構といちじるしく異なっている。アメリカの政治機構では公選された人びとが最高の行政的・立法的責任をになっており、地方の取り締まりは、地方自治体の指揮の下にある警察と警察裁判所によって行なわれる。しかしながら日本の政治機構は、オランダやベルギーのように全く西欧的な国ぐにの政治体制と、形式上は少しも違いはない。たとえばオランダでは、日本と同じように、女王の内閣がすべての法律案を起草する。議会は事実上その発議によって法律を定めたことはない。町長や市長でさえも法律上は女王が任命することになっている。だから女王の形式的権利は、一九四〇年以前の日本よりもさらに下まで、地方自治体が処理すべき事柄の範囲の中まで及んでいる。このことは、たとえ実際には女王は地方自治体の指名を承認する慣わしになっているにしても、依然として真実である。警察や裁判所が直接君主に対して責任を負っている点もまたオランダ式である。ただしかしオランダでは、学校はどういう宗派の団体でも自由に設立することができるが、日本の学校制度とそっくりの制度がフランスにある。オランダでは運河や、干拓地〔海水面より低い沼地に堤防を作って開墾したところ〕や、地方開発事業などは、地方の責任になっているが、これもまた共同体全体の仕事であって、政党から選挙された市長や吏員の仕事ではない。

日本の政治形態とこのような西ヨーロッパ諸国の事例との間の真の差異は、形の上ではなくて機能の点にある。日本人は過去の体験によって作り上げられ、その倫理体系と礼式の中に形式化されている、古い恭順の慣習を頼りとしている。国家は、「閣下」たちがその「ふさわしい位置」において職分を果たせば、必ず彼の特権が尊重されるものと期待することができる。それは当該の政策が是認されるからではなくて、日本では特権の境界線を踏み越えることはけしからぬこととされているからである。国政の最上層においては「国民の世論」のための位置は与えられていない。政府はたんに「国民の支持」を求めるだけである。国家がその権限の領域を地方行政の範囲内に割り込ませる場合にもまた、その支配権はおそれかしこんで受け容れられる。さまざまの国内的機能を果たす国家は、アメリカであれほど一般に感じられているように、やむをえない害悪ではない。日本人の眼から見れば、国家は至高善に近いものである。

なおその上に、国家は細心の注意を払って、国民の意志の「ふさわしい位置」を承認するように努める。当然国民の世論が支配すべき領域においては、たとえそれが国民自身の利益になる事柄であっても、日本の政府は極力国民のご機嫌をとるようにして、それを行なわねばならなかった、といっても言いすぎではない。農業振興の任に当たる政府の役人が、旧式の農耕法を改良しようとする時には、アメリカのアイダホ州の同じ職務を行なう役人と同じように、できるだけ権柄《けんぺい》ずくにならぬよう、辞を低くする。政府保証の農民信用組合や、農民購買・販売組合を奨励する政府の役人は、土地の名士と膝を交えて幾度もながながしい小田原評定をしたあげく、結局、彼らの決定に従わねばならない。地方に関する事柄は地方で処理せねばならない。日本人の生活様式はそれぞれにふさわしい権威を割り当て、おのおのの権威にふさわしい領域を規定する。日本人の生活様式は「長上」に対して、西欧文化よりもはるかに大きな尊敬を与える、したがってまたはるかに大きな行動の自由を与えるが、しかし「長上」たちもまたその地位を守らなければならない。「すべてのものをあるべき場所に置く」というのが、日本のモットーである。

宗教の分野においては、明治の政治家たちは、政治にくらべて、はるかに風変わりな形式的制度を作り上げた。が、彼らはやはり同じ日本のモットーを実践していたのである。国家は特に国民的統一と優越との象徴をあがめる宗教を、国家の管轄に属すべきものと考え、他のすべての宗教は個人の信仰の自由にまかせた。この国家の統制を受ける領域が国家神道であった。国家神道は、アメリカで国旗に敬礼するのと同じように、国民的象徴に正当な敬意を表することを本旨とするものであるからして、これは「宗教ではない」、というのが彼らの言いぶんであった。だから日本は、西欧流の信教自由の原則に少しも抵触することなく、すべての国民に国家神道を要求することができた。それはちょうどアメリカが星条旗に対する敬礼を要求しても、少しも信教の自由を侵害しないのと同じであった。それはたんなる忠誠の象徴にすぎなかった。「宗教ではない」のだから、西欧人の非難を蒙るおそれもなく、日本はそれを学校で教えることができた。国家神道は学校では、神代以来の日本歴史と、「万世一系の統治者」たる天皇の崇拝になっている。国家神道は国家によって支持され、国家によって統制された。他のすべての宗教領域は、仏教・キリスト教各派は言うに及ばず、教派神道、すなわち祭祀神道をも含めて、アメリカと大差なく、個人の自由意志にまかされた。この二つの領域は行政上ならびに財政上もはっきり区別されていた。国家神道は内務省の国家神道を主管する一局によって監督され、その神官や、祭式や、神社は国費で支持された。祭祀神道および仏教・キリスト教各派は文部省宗教課の所管であって、おのおのの教派に属する信者の自発的献金によって支えられた。

この問題に関する日本の公的態度は以上の通りであったから、人は国家神道を、膨大な国教会（Established Church）というわけにはゆかないが、少なくとも、膨大な国立機関（Establishment）と呼ぶことはできる。天照大神を祭る伊勢の大神宮から、特別な儀式のたびごとに、祭を執行する神官が清掃するような地方の小社にいたるまで、十一万以上にのぼる各種の神社があった。神官の全国的階層制は政治的階層制に並行するものであって、権威の系統は最下位の神官から、郡市および府県の神官を経て、「閣下」の敬称をもって呼ばれる最高の神官に及んでいた。彼らは民衆が行なう礼拝の司会をするというよりはむしろ、民衆に代わって儀式をとり行なった。そこで国家神道には、われわれの間でごく普通に行なわれている教会通いに類するところは少しもなかった。国家神道の神官たちは——それは宗教でなかったからして——教義を教えることを法律で禁じられていたので、西欧人が考えているような意味での礼拝式はありえなかった。その代わりに、しばしばおとずれる祭の日に、町や村の公式代表者たちが神社に参詣して神官の前に立つ。すると神官は大麻と紙の垂れ〔四手《しで》〕をつけた幣束を振って彼らを浄める。神官は内陣の扉を開き、かん高い叫び声で、神がみがお供えの食物を食するために降りてくるように呼び降ろす。神官は祈りを捧げる。そして参列者はおのおの身分の順に従い、うやうやしく拝礼して、あの昔も今も日本のいたるところに見受けられる、細長い紙きれが幾筋も垂れ下がった、日本人にとって神聖な木の小枝〔玉串〕を奉る。それから神官はもう一度例の叫び声をあげて神がみを送り返し、内陣の扉をとざすのであった。国家神道の祭日には天皇もまた国民を代表して儀式をとり行なった。そして諸官庁は休業した。しかしながらこれらの祭日は、土地の神社の祭礼や、仏教の祭日のような民衆的祭日ではなかった。土地の神社や仏教の祭はともに、国家神道の埒外にある「自由」な領域の中に置かれている。

この領域において日本人は、彼らの気持ちにしっくり合う幾多の有力な宗派と祭を営んでいる。仏教は今もなお国民の大多数の宗教であって、それぞれ異なった教えと異なった開祖をもつさまざまな宗派が、全国のいたるところで盛んに活躍している。神道にも国家神道の外に立つ各種の有力な教派がある。そのあるものは一九三〇年代に政府が同じような立場を取る以前からすでに、純然たる国家主義の城砦であったし、あるものはよくクリスチャン・サイエンスに比較される信仰療法の宗派であり、あるものは儒教の教えを守り、あるものは神がかり状態や、神聖な山中にある神社に参拝することを専門にしてきた。民衆的祭日の大多数もまた、国家神道の埒外に放任されてきた。祭日にはおびただしい群衆が神社に集まってくる。参詣者はめいめい口をすすぎ身を浄める。そして紐を引いて鈴を鳴らしたり、柏手《かしわで》を打ったりして神を呼び降ろす。彼はうやうやしく拝礼し、もう一度紐を引いて鈴を鳴らし、柏手を打って神を送り返す。それから神前を離れてその日のおもな用事に取りかかる。その用事とは、境内に屋台店を張っている商人からおもちゃや、うまいものを買い、角力や、悪魔祓いや、道化が出てきてふんだんに滑稽をふりまく〝カグラ〟舞〔神楽〕を見物し、総じて賑やかなお祭り気分を楽しむことである。日本に住んでいたことのある一英国人は、日本の祭の日にはいつも思い出したと言って、次のウィリアム・ブレイクの詩の一節を引いている。*

　教会だつて少しは麦酒でも出し、
　ほかほか魂を暖めてくれる楽しい火でもあれば、

おいらだって日がな一日賛美歌を歌ったりお祈りをしたりし、
教会を逃げ出してさまよい歩こうなどという量見は起こさないんだがな。
＊訳注　*Songs of Experience* の中にある "The Little Vagabond" の一節。

専門的に宗教的苦行に身を捧げた少数の人びとの場合は別として、日本では宗教はけっしていかめしいものではない。いかめしいものではない。日本人はまたよく好んで、遠くの神社や寺へ参拝に出かけるが、これもまた非常に楽しい保養になっている。

かように明治の政治家たちは、政治においては国家の権能のおよぶ領域を、宗教においては国家神道の領域を慎重に区劃した。彼らは他の領域は国民の自由にまかせたのであるが、ただしかし彼らの見地から見て直接国家に関係する事柄については、新しい階層制度の最高官吏である自分たちの手に支配権を確保しておくようにした。陸海軍を創設するさいにも、彼らは同じ問題にぶつかった。彼らはほかの分野と同じようにここでも古いカースト制を捨て去ったが、それが軍隊では常人の生活よりも徹底して行なわれた。軍隊では日本流の敬語さえ廃止された（もっとも実際にはむろん古い習慣が残っているけれども）。また軍隊では家柄ではなくて、本人の実力しだいで誰でも一兵卒から士官の階級まで出世することができた。これほど徹底して実力主義が実現された分野はほかにはなかった。軍隊はこの点で日本人の間で非常な評判を得たが、明らかにそれだけのことはあったのである。それはたしかに、新しくできた軍隊のための一般民衆の支持を得る最良の手段であった。さらに中隊や小隊は、同じ地域から来ている近隣の人たちで編成され、平時の兵役は自分の家に近いところにある兵営で過ごされた。このことはかくして土地とのつながりが維持されたというだけでなく、軍隊教育を受ける人間は誰でも、将校と兵卒、二年兵と初年兵の関係が、武士と農民、あるいは金持ちと貧乏人の関係にとって代わる生活を二年間過ごすことを意味していた。軍隊は多くの点において民主的地ならしの役目を果たした。また多くの点において真の国民軍であった。他の大多数の国ぐににおいては、軍隊というものは、現状を守るための強い力として頼りにされるのであるが、日本では軍隊は小農階級に同情を寄せ、この同情が再三再四、軍隊をして大金融資本家や生産資本家たちに対する抗議に起たしめたのである。

日本の政治家たちはおそらく、国民軍樹立のために生じたこれらの結果をことごとく是認しなかったであろう。彼らが階層制度における軍部の至上権を確保することがふさわしいと考えたのは、このようなレベルにおいてではなかった。彼らは最高の領域において、一定の措置を講ずることによってその目的を確実に達成した。彼らはこれらの措置を憲法の中に書き入れはしなかったが、すでに承認されていた軍首脳部の政府からの独立を慣例として持続せしめた。陸海軍大臣は、たとえば外務省や内政を取り扱う各省の長官とは違って、天皇自身に直接拝謁上奏する権限をもっていた。したがって彼らは天皇の名を利用して、彼らの方策を強制することができた。彼らは文官閣僚に報告したり、協議したりする必要はなかった。さらに軍部はいかなる内閣をも意のままに牛耳る手段をもっていた。彼らは彼らの信頼せぬ内閣の組閣を、陸海軍将官を送って入閣させることを拒絶するという簡単な方法で妨げることができた。そのような高位の現役将校が陸海軍大臣の地位を充たすのでなければ、いかなる内閣も成立しなかった。これらの椅子には文官や退役将校はつくことができなかったからである。同様に、もし軍部が内閣の取ったなんらかの行動に不満であったならば、彼らは閣内にある彼らの代表を引き上げることによって、内閣を総辞職させることもできた。このような最高の政策のレベルにおいては、軍首脳者たちはいかなる干渉をも許さない手段を講じた。もしなおその上に保証が必要とあれば、それは憲法の中に与えられていた。すなわち、「帝国議会ニテ予算ヲ議定セス又ハ予算成立ニ至ラサルトキハ政府ハ前年度ノ予算ヲ施行スヘシ」の条項がそれである。外務省がけっしてそのような手段を取らせないと約束したにもかかわらず、軍が満州占領という大胆不敵な事業をやってのけたのも、閣内の政策が不一致でなかなかまとまらない場合に、軍首脳部が現地司令官の尻押しをして目的を達したかずかずの事例の一つにすぎなかった。軍部に対しても他の分野と同じことであって、階層的特権にかかわりのある場合には、日本人はたとえどのような結果になろうとも、その結果を甘受する傾きがある。それは政策について意見が一致するからではなくて、特権の境界線を踏み越えることをよしとしないからである。

産業的発展の分野においても、日本は西欧諸国のいずれにも類をみない進路をたどった。ここでもまた、「閣下」たちが計画を立て、段取りを定めた。計画を立てたばかりではない。彼らは彼らが必要と定めた産業を、政府の金で建設し、資金を供給した。政府官僚がそれを組織し経営した。外国の技師が招聘され、日本人が海外留学に派遣された。その後、これらの産業が、彼らの言うごとく、「其組織整備して当初目算の事業漸く挙るに従い」、政府はそれを民間会社に払い下げた。官業は徐々に、「ばかばかしく安い値段で」*、選ばれた少数の資本家、すなわち、三井・三菱両家を主とする著名財閥に売り渡された。日本の政治家たちは産業開発ということは、日本にとりまことに重要な事業であるから、需要供給の法則や、自由企業の原則にゆだねてはならないと考えた。だがこの政策はけっして社会主義的信条にもとづくものではなかった。うまい汁を吸ったのはまさしく財閥であった。日本が成し遂げたことは、しくじりと無駄とを最小限度にとどめつつ、彼らの必要と考えた産業を確立することであった。

＊ ノーマン前掲書、一三二頁（邦訳 一九一頁）。この一節の論議はノーマンの明快な分析にもとづく。

日本はこういうやり方によって、「資本主義生産の出発点とその後の諸段階の普通の順序」*を改めることができた。日本は消費材の生産と軽工業から始めるかわりに、まず枢要重工業に手をつけた。造兵廠、造船所、製鉄所、鉄道建設が優先権を与えられ、急速に高度の技術的能率の水準に達した。これらの産業はそのことごとくが民間の手に譲り渡されたわけではなく、巨大な軍需産業は依然として政府官僚の支配下に残され、政府の特別会計によって資金の供給を受けた。

＊ 同書一二五頁（邦訳 一八六頁）

政府が優先権を与えた産業の全分野においては、小商工業者や官僚にあらざる経営者は「ふさわしい位置」をもたなかった。国家と、信用のある、政治的に特別の便宜を与えられている大財閥とだけがこの領域で活動した。だが日本人の生活の他の分野がいずれもそうであるように、産業にもまた自由な領域があった。それは最小限度の資本投下と最大限度の低賃銀労働の利用によって運営される、「残余の」各種産業であった。これらの軽工業は近代的技術がなくとも存在しえたし、今なお存続している。これらの産業は、かつてアメリカでわれわれが home sweat-shops〔極度の労働力搾取の行なわれる家内工場〕と呼び慣わしていたところのものによって行なわれる。いわゆる「スモール・タイム」*製造業者が原料を買い、それを家庭や、四、五人の職工を使う小工場に貸し与え、回収し、また貸し与えて同じ過程をくり返す。そして最後に製品を商人や輸出業者に売り渡すのである。一九三〇年代において、工業従事者総数の五三パーセントを下らない数がこのようにして職工数五人以下の工場や家庭で働いていた。** これらの職工たちの多くは古い徒弟制度のパターナリズム的〔温情主義的〕慣習によって保護されており、また多くは日本の大都市の家庭において、背中に赤ん坊を背負いながら賃仕事をする母親たちである。

＊訳注　small time とは本来興行物などで一日に何度も同じ出し物をくり返すこと。ここでは、わずかな資本金の回転速度を速かにすることによって利を占めようとする小工業者のことである。

＊＊　Miriam S. Farley, *Pigmy Factories*. Far Eastern Survey, VI (1937), p. 2. に引いてある上田教授の所感。

この日本の産業の二元性は、日本人の生活様式において、政治や宗教の分野における二元性と全く同じように重要である。それはあたかも、日本の政治家たちは、他の諸分野における階層制に匹敵するような、財界の貴族制が必要であるという方針を決定した時に、彼らのために各種の戦略的産業を建設してやり、政治的に特別の便宜を供与される商人家族を選び、これらの家族をその「ふさわしい位置」において、他の階層制と関係づけたかのように見える。政府がこれらの財界の有力家族と縁を切るということは、日本の政治家たちの計画の中には全然含まれていなかった。そして財閥は、彼らに利潤と同時に高い地位を与える、一種の継続的なパターナリズム〔庇護政策〕によって、利益を収めた。従来の日本人の利潤ならびに金銭に対する態度から見て、財界貴族が国民の非難攻撃を受けることは避けがたいところであったが、政府は極力その体制を公認されている階層制の観念にしたがって打ち立てるように努力した。その努力は完全には成功しなかった。というのは、財閥は軍のいわゆる青年将校グループや農村方面からしばしば攻撃を受けたからである。がしかし依然として日本人の世論の最も手きびしい攻撃の鋒先は、財閥に対してではなく、〝ナリキン〟〔成金〕に対して向けられていることは事実である。成金はしばしば「ヌーヴォー・リーシュ」'nouveau riche' という語で訳されているが、それでは、日本人の感情は正しく表わされない。アメリカではヌーヴォー・リーシュとは厳密には「新来者」'newcomers' の意味である。彼らがもの笑いになるのは、彼らが不作法であって、まだ洗練された礼儀作法を身につけるいとまがなかったからである。だがこのマイナスは、彼らが丸木小屋から身を起こした人間であり、騾馬の尻を追う境遇から、何百万ドルもの油田の経営者になったという、われわれの心を感動させるプラスによって帳消しされる。ところが日本では成金というのは、日本の将棋からきた言葉であって、金になった歩の意味である。それはまるでギャングの親分'big shot'のように、盤上をわがもの顔に暴れ回る歩である。それは全然そんなことをする階層的権利をもっていない。成金はひとをペテンにひっかけたり、食い物にしたりして、富を得たのだと信じられている。そして成金に向けられる非難は、アメリカ人の「成功したホーム・ボーイ」〔下男、家僕〕に対する態度とは雲泥の差である。日本はその階層制度の中に巨大な富が占めるべき位置を与え、それと手を携えた。ところが富がそれ以外の領域で獲得された場合には、日本人の世論はそれに痛烈な非難を浴びせかける。

このように日本人はたえず階層制度を顧慮しながら、その世界を秩序づけてゆくのである。家庭や、個人間の関係においては、年齢、世代、性別、階級がふさわしい行動を指定する。政治や、宗教や、軍隊や、産業においては、それぞれの領域が周到に階層に分けられていて、上の者も、下の者も、自分たちの特権の範囲を越えると必ず罰せられる。「ふさわしい位置」が保たれている限り日本人は不服を言わずにやってゆく。彼らは安全だと感じる。もちろん彼らは、彼らの最大の幸福が保護されているという意味では、「安全」でない場合がしばしばあるが、それでもやはり、階級制度を正当なものとして受け容れてきたという理由で「安全」である。これが日本人の人生の見方の特徴をなすものであって、それは平等と自由企業に対する信頼がアメリカ人の生活様式の特徴であるのと同じである。

日本の天譴《てんけん》は、日本がその「安全」の信条を国外に輸出しようとした時に訪れた。日本の国内では階層制度は国民の想像力にしっくりあてはまるものであった。それもそのはずで、その想像力そのものが階層制度によって形づくられたものであったからである。野心はそのような世界で具体化することのできるような野心でしかありえなかった。だが階層制度はとても輸出には向かないしろものであった。他の国ぐには日本の大言壮語的主張を、無礼千万な申しぶんとして、いな、それよりもなお悪いものとして憤慨した。ところがあいかわらず日本の将兵たちは、それぞれの占領国において、住民たちが彼らを歓迎しないのを見て、驚くのであった。日本は彼らに、たとえ低い位置であるにせよ、とにかく階層制の中で一つの位置を与えてやろうとしているのではないか。そして階層制というものは、階層制の低い段階に置かれているものにとっても望ましいものではないか、というのが彼らの疑問であった。日本の軍部は、自暴自棄になって身を持ち崩した中国娘が、日本の兵士や技師と恋仲になって幸福を見いだすというような形で、中国の日本に対する「愛情」を描いた戦争映画を、続々と何本も製作した。これはナチの征服観に比べればはなはだしい違いであったが、結局成功しなかったという点では同じである。日本人は自らに要求した事柄を、他の国ぐにに要求することはできなかった。できると思っていたことが、そもそも間違いであった。彼らは、彼らをして「おのおのにふさわしい地位に甘んずる」人間たらしめた日本の道徳体系が、他のところでは期待することのできないものであることに気づかなかった。他の国ぐにはそのような道徳をもたなかった。それはまぎれもない日本製である。日本の著作者たちはこの倫理体系を当然のこととして仮定してかかっているから、それを記述しない。それで日本人を理解するには、それに先立ってまずその道徳体系を記述することが必要である。

第五章　過去と世間に負目を負う者

かつてよくわれわれは英語で、われわれは'heirs of the age'*〔「過去を嗣ぐ者」〕であると言ったものである。両度の大戦とはなはだしい経済的危機のために、この言葉の表わしていた自信は多少薄らいできはしたが、しかしこの変化も、われわれの過去に債務を負っているという感じを増さなかったことだけはたしかである。東洋諸国民は全くこの逆である。彼らは過去に負目を負う者である。西欧人が祖先崇拝と名づけているものの大部分は実は崇拝でなく、また祖先にだけ向けられているのでもない。それは人間が過去一切の事物に対して負っている大きな債務を認める儀式である。さらに彼が負債を負っているのは、過去に対してだけではない。他人との日々の接触のことごとくが、現在における彼の債務を増大する。彼の日ごとの意志決定と行動とはこの負債から生じてこなくてはならない。自分がこうして大切に育てられ、教育を受け、幸福に暮らしていられるのも、第一、この世に生まれてきたことからして、すべて世間のお陰であるにもかかわらず、西欧人はこの世間に対する負目を極端に軽視しているという理由で、日本人はわれわれの行動の動機が不十分であると感じる。非の打ち所のない人間は、アメリカで言うように、私は誰からもなにひとつ恩義を受けていないとは言わない。彼らは過去を度外視しない。日本では義とは、祖先と同時代者とをともに包含する相互債務の巨大な網状組織の中に、自分が位置していることを認めることである。

＊訳注　テニソンの詩に 'the heir of all the ages' の句がある。

このような東洋と西欧との極端な相違は、言葉で言い表わすのは簡単だが、実際生活の上にどのような違いを生じるかということを認識することは困難である。しかもその点を日本において理解しえない限りわれわれは、戦争中われわれが知ったあの極端な自己犠牲や、われわれには少しも腹を立てる必要がないと思われるような場合に、日本人がすぐ腹を立てることの理由をきわめることができない。ひとに借りのある人間は極度に腹を立てやすいものであって、日本人はそのことを証明している。またこの債務が日本人にかずかずの大きな責任を負わせている。

中国語にも日本語にも英語の 'obligation'〔義務〕を意味するさまざまな言葉がある。これらの言葉は完全な同意語ではなく、それぞれの語がもっている特殊な意味はとうてい文字通り英語に翻訳できない。なぜなら、それらの語の表現している観念はわれわれには未知のものであるからである。大から小にいたるまで、ある人の負っている債務のすべてを言い表わす 'obligation' に当たる言葉は〃オン〃〔恩〕である。日本語の慣用ではこの言葉は 'obligation' 'loyalty'〔忠誠〕から 'kindness'〔親切〕や 'love'〔愛〕にいたる、種々さまざまの言葉に英訳されるが、これらの言葉はいずれももとの言葉の意味をゆがめている。もし「恩」が本当に愛、あるいは義務を意味するものであるとするならば、日本人は「子供に対する恩」ということもできるはずであるが、そういう語法は不可能である。またそれは忠誠を意味するものでもない。日本語では忠誠はいくつかの別な言葉で表現されるし、それらの忠誠を意味する言葉はけっして「恩」と同意語ではない。「恩」にはいろいろな用法があるが、それらの用法の全部に通じる意味は、人ができるだけの力を出して背負う負担、債務、重荷である。人は目上の者から恩を受ける。そして目上、あるいは少なくとも自分と同等であることの明らかな人間以外の人から恩を受ける行為は、不愉快な劣等感を与える。日本人が「私は某に恩を着る」と言うのは、「私は某に対する義務の負担を負っている」という意味である。そして彼らはこの債権者、この恩恵供与者を、彼らの「恩人」と呼ぶ。

「恩を忘れぬこと」が純然たるお互いの間の献身的愛情の流露である場合もある。日本の小学二年の教科書に載っている「オンヲ忘レルナ」*という題の短い物語が、この言葉をこの意味で使っている。それは修身の時間に子供たちに読ませる物語である。

ハチハ、カハイ、犬デス。生マレテ間モナクヨソノ人ニヒキ取ラレ、ソノ家ノ子ノヤウニシテカハイガラレマシタ。ソノタメニ、ヨワカッタカラダモ、大ソウジャウブニナリマシタ。サウシテ、カヒヌシガ毎朝ツトメニ出ル時ハ、デンシャノエキマデオクッテ行キ、夕ガタカヘルコロニハ、マタエキマデムカヘニ出マシタ。

ヤガテ、カヒヌシガナクナリマシタ。

ハチハ、ソレヲ知ラナイノカ、毎日カヒヌシヲサガシマシタ。イツモノエキニ行ッテハ、デンシャノツクタビニ、出テ来ル大ゼイノ人ノ中ニ、カヒヌシハヰナイカトサガシマシタ。カウシテ、月日ガタチマシタ。一年タチ、二年タチ、三年タチ、十年タッテモ、シカシ、マダカヒヌシヲサガシテヰル年ヲトッタハチノスガタガ、毎日ソノエキノ前ニ見ラレマシタ。

＊訳注　昭和十年十二月発行『尋常小学校修身　巻二』

この短い物語の教訓は、愛情の別名にほかならないところの忠誠である。深く母のことを気づかう息子は、母親から受けた恩を忘れないということができる。そしてそれは彼が母親に対して、「ハチ」がその飼主に対して抱いていたのと同じひたむきな献身的愛情をもっているという意味である。だがこの恩という語は、彼の愛情を特に指すのではなくて、彼の母親が赤ん坊時代に彼のためにしてくれた一切の事柄、幼少時代に耐え忍んでくれたかずかずの犠牲、成人してからもなにくれと彼の利益になるように尽くしてくれた一切の事柄、たんに母親が存在するというだけの事実から彼が母親に対して負っている一切の負目を指す言葉である。それはこの債務の返済の意味をも含んでいる。だからこそ愛の意味が出てくるのであるが、しかし本来の意味は負目である。ところで、われわれアメリカ人は愛というものは、義務の拘束を受けることなく自由に与えられるものと考える。

「恩」は第一の、また最大の債務、すなわち、「皇恩」について用いられる場合には、常にこの無限の献身の意味で用いられる。それは天皇に対する負債であって、人は皇恩を無限の感謝をもって頂戴せねばならない。この国で生まれ、こうして安楽に生活ができ、自分の身辺の大小さまざまの事柄が好都合にいっていることを喜ぶ時には、常に同時に、これらはすべてある一人の方から与えられた恵みであると考えないわけにはゆかない、というふうに日本人は感じる。日本歴史の全時期を通じて、この、人が負目を負っている、生きた人間の中の究極の一人が、ある人間が所属する世界の最高の長上であった。それは時代の異なるにしたがって、地頭、封建領主、将軍と変わってきた。今日ではそれが天皇になっている。しかし長上が誰であったかということよりも重大な意義をもっているのは、何世紀もの久しい間にわたって、「恩を忘れない」ということが日本人の習性の中で最高の地位を占めてきたという事実である。近代日本はあらゆる手段を利用して、この感情を天皇に集中するようにしてきた。日本人特有の生活様式に対して日本人が抱いているあらゆる偏愛の情が、各人の皇恩を増大する。戦争中、前線の軍隊に、天皇の名において配られた一本の煙草が、おのおのの兵士が天皇に負っている恩を強調し、出撃に先立って兵士たちに分かち与えられた一口の〝サケ〟〔酒〕が、さらに皇恩を深くするのであった。カミカゼ自殺機搭乗員はいずれも、日本人の言うところによれば、皇恩に報じつつあったのである。太平洋のある島を防衛するために、全員残らず玉砕した——と彼らは主張したのであるが——部隊の兵士たちはすべて、天皇に対し彼らの無限の恩を返済しつつあるのだと言われた。

人は天皇よりも身分の低い人びとからもまた恩を着る。もちろん親から受けた恩がある。これが、親たちを子供に対してあのように権力のある枢要な地位に置いているあの有名な、東洋の孝行の基礎である。それは子供が親に対して負っており、返済に努力する負債として言い表わされている。したがって子供の方が服従するように骨を折らなければならないのであった。ドイツのように――ドイツもまた、親が子供に対して権力をもつ国であるが――親の方がこの服従を要求し、強いることに骨を折らねばならないのとわけが違う。日本人は東洋流の孝行の解釈において、非常に現実主義的であって、親から受ける恩に関して、「子を持って知る親の恩」という諺が行なわれている。すなわち、親の恩とは、父母からしてもらう、現実の、日ごとの愛護と骨折りのことである。日本人は祖先崇拝の対象を、今なお記憶に残る最近の先祖だけに限っているのであるが、このことが日本人をして、幼年時代に現実になにかにつけこれらの人びとの世話になったことを、いっそう痛切に感じさせる。そしてむろん、いかなる文化においても、誰もが一度は両親の愛護がなくては生きてゆくことのできない無力な幼児であったこと、成人するまで何年もの間、衣食住を与えられたのだということは、全く明白な、わかりきった事実である。日本人は、アメリカ人はこの事実を軽視していると痛感する。そして、ある書物の中で述べているように、「アメリカでは、親の恩を忘れぬということは、せいぜい父母に親切を尽くすことぐらいでしかない」と感じる。何びとも子供に対する恩を打ち捨ててかえりみないわけにゆかぬことは、いうまでもないことであるが、子供に対する献身的な愛護は、かつて自分が無力な幼児であったころに、両親から受けた恩の恩返しである。人は自分の子供を、親が自分を育ててくれたのと同じようによく、あるいはそれよりもいっそうよく養育することによって、親から受けた恩の一部を返済するのである。子に対する義務は、「親の恩」の中に全く包摂されてしまう。

＊訳注　著者は「恩」を債務、義務というふうに考えているから、始終「……に対する恩」というような、われわれには異様に感じられる語法を用いる。「親の恩」が原文では「親に対するオン」と表現されているほかに、さらに、日本語には該当するもののない、「子に対するオン」などという表現が出てくるのはそのためである。

日本人はまた、教師や主人（〝ヌシ〟）に対しても、特殊な恩を感じる。これらはともに、無事、世渡りのできるように援助してくれた恩人であるから、将来いつか彼らが困ってなにか頼みにくれば、その願いを聞きとどけてあげ、また彼らの死後も、その遺児に特に目をかけてあげなければならない。人は義務を支払うためにはどのようなことでもすべきであって、時の経過は負債を減じない。年とともに、減るどころか、かえってふえてゆく。いわば、利子が積もっていくのである。ある人から恩を受けるということは、重大な事柄である。日本人がよく用いる表現が言い表わしているように、「人はとうてい恩の万分の一も返すことはできない」のである。それは非常な重荷である。また「恩の力」は常に、たんなる個人的な好みを踏みにじる正当な権利をもつものとみなされている。

このような債務の倫理が円滑に行なわれるためには、各人がそれぞれ、彼が負わされている義務を履行するに当たってたいした不快を感じることなしに、自分を大きな負目を負うものと考えるようになっていなければならない。われわれはすでに、日本において階層制度がいかに徹底的に組織されているかということを見てきた。この階層制度に附随する幾多の習慣が忠実に守られているために、日本人はその道徳的債務を西欧人には思いもよらぬ程度にまで尊重することができるのである。このことは、長上が善意の持主とみなされている場合には、いっそう行ないやすくなる。日本語の中に、長上が事実そのかかり人を「愛する」人であると信じられていたことを示す、興味のある証拠がある。日本では〝アイ〟〔愛〕という語が'love'を意味する。そして前世紀の宣教師たちがキリスト教の'love'の訳語として用いることのできる唯一の日本語と考えたのは、この「愛」という語であった。彼らはこの語を聖書の翻訳において用い、神の人間に対する愛、ならびに人間の神に対する愛を意味させた。ところが「愛」は、長上のそのかかり人に対する愛を特に意味する語である。西欧人はあるいは、それではそれは'paternalism'〔庇護〕の意味ではないか、と感じるかもしれないが、日本語の用法ではそれ以上の意味がある。それは愛情を意味する語であった。現代の日本においても、「愛」はなおこの、上から下への愛という厳密な意味で用いられているが、一部はキリスト教の用法の影響によって、またたしかにカースト的差別を打破しようとする官辺の努力の結果として、今日では対等の人間の間の愛に関しても用いることができる。

しかしながら、かように日本文化の特殊性が恩の負担を軽く、負いやすいものにしてはいるものの、それでもなお、日本において感情を害することなく恩が「着られる」のはしあわせな場合である。日本人は偶然に人から恩を受け、したがって返礼の負目を背負い込むことを好まない。彼らは常に、「人に恩を着せる」ということを口にする。そしてしばしば、

'imposing upon another'〔他人に無理に何かを負わせること〕がその最も近い訳語とされる。ところが、アメリカでは 'imposing' というのは、他人から何かを要求することであり、これに反して日本では、この表現は他人になにかを与えること、あるいは親切を尽くすことを意味するのである。比較的縁の遠い人から、はからずも恩恵を蒙ることは、日本人の最も不快に感じるところである。近隣の人たちとのつき合いや、古くから定まった階層的関係においてならば、日本人は恩を受けることの煩雑さを承知しているし、また喜んでその煩雑さを引き受けてきた。ところが相手がたんなる知人や、自分とほとんど対等の人間の場合には、心安からず思う。彼らはなるだけ、恩のさまざまな結果に捲き込まれることを避けたいのである。なにか事故が起こった時に、日本の街の群集が拱手傍観しているのは、ただたんに自発性が欠けているからだけではない。それは官憲でなくて、私人が勝手に手出しをすれば、その行為を受ける人に恩を着せることになるということを認めているからである。明治以前の最も著名な法令の一つに、「喧嘩口論が起こった時には、用もないのに手出しをしてはならない」というのがあった。そして、そういう場合に、明らかな権限をもたずに他人の手助けをする人間は、なにかうまい汁を吸おうとしているのではないかと疑われる。助けてやれば相手がおおいに恩に着ることがわかっている以上、なんとかしてこの好機会を利用しそうなものであるのに、かえって極力援助を与えないように用心する。とりわけ形式ばらない、なんでもない場合に恩に捲き込まれることを、日本人は極度に警戒する。これまでになんの関係もなかった人から、たとえ煙草一本貰っても、日本人は心苦しく思う。そしてそういう場合に礼を述べる丁寧な言い方は、〝キノドク（すなわち、有毒な感情）ですね〟と言うことである。ある日本人が私にこう説明した。「どんなにいやな思いをしているかをはっきり口に出して言ってしまった方が、我慢がしやすいのです。それまでその人のためになにひとつしてやろうなどと考えたことがなかったのですから、恩を受けたことが恥ずかしくてならないのです」。だから「気の毒」という語は、時には'Thank you'（ありがとう、感謝する）（煙草を貰って）、時には'I am sorry'（すまない、遺憾に思う）（恩恵にあずかって）、時には'I feel like a heel'（面目ない、ろくでなしになったような気がする）（このような過分のことをしていただいて）、と訳される。「気の毒」という日本語は、これらすべての意味をもっているが、またそのどれにも当たらない。

日本語には、恩を受けて感じるこの同じ心苦しさを表現する、多くの感謝の述べ方がある。その中で、最も意味にまぎれのない、大都市の近代的百貨店で採用している〝アリガトー〟という言い方は、「これは容易ならぬことです」。'Oh, this difficult thing'の意味である。日本人は通常、この「容易ならぬこと」というのは、客がものを買うことによってその店に授ける、大きな、かつ稀有な恩恵のことであると説明する。この言葉は一種のお世辞である。それはまた、人から贈物を貰った場合にも使うし、そのほか数えきれぬほど多くの場合に用いられる。これと全く同様に普通な、感謝を表わす他のいくつかの言葉は、「気の毒」と同じように、恩を受けることの困難さを指し示す。個人経営の商店主は、たいてい、文字通りには、「これは終わりません」という意味のこと（スミマセン）を言う。つまり、

「私はあなたから恩を受けました。ところで、現代の経済組織の下では、私はとうていあなたに恩返しをすることはできません。私はこのような立場に置かれたことを遺憾に存じます」というのである。「すみません」を英訳すると、'Thank you' 'I'm grateful'〔感謝の念を抱く〕、もしくは、'I'm sorry' 'I apologize'〔陳謝する〕となる。たとえば街を歩いていて風に吹き飛ばされた帽子を、誰かが追っかけてくれた場合に、ほかのどの感謝の言葉よりも好んで用いられるのは、この語である。その人があなたの手に帽子を返してくれる時に、あなたは礼儀として、それを受け取るに当たってあなたの感じる内心の苦しみを告白せねばならない。「この人は今こうして私に恩を提供してくれるが、私はこれまでに一度もこの人に会ったことがない。私はこの人に、まずこちらから恩を提供する機会をもたなかった。こんなことをして貰ってうしろめたい気がするが、謝ればいくらか気が楽になる。日本人の感謝を表わす言葉の中では、おそらく『すみません』が最も普通な言葉であろう。私はこの人に、私がこの人から恩を受けた事実を認めていること、そしてそれは帽子を受け取っただけですまないということを告げる。だって私にはどうにもしようがない。われわれは互いに見知らぬ人間なのだから」。

人から恩を受けることに関する同じ態度を、日本人の立場からみていっそう強く言い表わす感謝の言葉は、〝カタジケナイ〟であって、この言葉は「侮辱」、「不面目」を意味する文字〔辱、忝〕で書き表わされる。この語は「私は侮辱された」という意味と、「私は感謝する」という意味と、両方の意味をもっている。日本語辞書の説明によれば、この語によって、あなたは、あなたが受けた法外な恩恵によって、辱められ、侮辱されたこと――あなたはそのような恩恵を受けるに値しないのであるから――を言い表わす。つまりこの表現によって、あなたは、恩を受けて感じるあなたの恥を、はっきり口に出して告白するのである。ところで、この恥辱、〝ハジ〟ということこそ、後に述べるように、日本人のはなはだしく嫌うものなのである。〝カタジケナイ〟（私は侮辱された）は今でも、古風な商人が客に礼を言う時に用いられる。また客が買物をつけにしておいてくれるように頼む時にも使う。それは明治以前の物語の中に始終出てくる言葉である。御殿奉公をしている間に殿様から妾に選ばれた、身分の賤しい美しい娘は、殿様に〝カタジケナイ〟と言う。「私はもったいなくも、このような御恩を受け、恥ずかしくてたまりません。私は殿様のお慈悲に畏れおののいています」というのである。また、果たし合いをして、当局から無罪放免にして貰った武士も、〝カタジケナイ〟と言う。「私はこのような恩を受けて面目を失ってしまった。このような賤しい位置に身を置くことは、私にふさわしくないことである。私は遺憾に思う。私はあなたがたに丁重に感謝する」という意味である。

これらの表現は、いかなる概括的議論にもまして、能弁に「恩の力」を物語っている。人はたえず相反する気持ちを抱きながら恩を着る。一般に認められている構造化された関係においては、恩が内包する大きな債務は、しばしば人を刺激して、ひたすら全力を挙げて恩返しをするようにしむける。しかしながら債務者になるのはなかなかつらいことであって、とかく癇癪《かんしゃく》が起こりやすいものである。恩を着る人がいかに腹を立てやすいかということが、日本の最も著名な小説家の一人である夏目漱石の、『坊ちゃん』という有名な小説の中に、鮮やかに描かれている。主人公の坊ちゃんは、田舎の小さな町ではじめて学校の教師を勤める江戸っ子である。坊ちゃんはすぐに同僚の教師がどれもこれもくだらぬ人間ばかりで、とてもこんな連中とつき合ってゆくことはできないと感じる。ところが一人若い教師がいて、坊ちゃんはこの教師と親しくなる。ある時、二人で町を歩いていたおりに、坊ちゃんが「山嵐」というあだ名をつけたこの新しい友人が、坊ちゃんに氷水を一杯おごる。山嵐は氷水の代金一銭五厘——一セントの五分の一ぐらいに当たる——を支払う。

その後まもなく、他の教師が坊ちゃんに、山嵐が坊ちゃんの悪口を言ったと告げ口をする。坊ちゃんはこの策動家の告げ口を真に受ける。するとたちまち山嵐から受けた恩が気になってきた。

そんな裏表のある奴から、氷水でも奢つてもらつちや、おれの顔に関《かか》はる。おれはたつた一杯しか飲まなかつたから一銭五厘しか払はしちやない。然し一銭だらうが五厘だらうが、詐欺師の恩になつては、死ぬ迄心持ちがよくない。（中略）他人から恩〔小説の原文は「恵」〕を受けて、だまつて居るのは向ふを一《ひ》と角《かど》の人間と見立てて、其人間に対する厚意の所作だ。割前を出せば夫丈《それだけ》の事で済む所を、心のうちで難有《ありがた》いと恩に着るのは銭金《ぜにかね》で買へる返礼ぢやない。無位無官でも一人前の独立した人間だ。独立した人間が頭を下げるのは百万両より尊《たつ》とい御礼と思はなければならない。

おれは是でも山嵐に一銭五厘奮発させて、百万両より尊とい返礼をした気で居る。

翌日、彼は山嵐の机の上に一銭五厘を投げ出す。それは氷水一杯の恩を着ることをやめた後でなければ、二人の間の当面の問題、すなわち、坊ちゃんが告げ口された山嵐の侮辱的言辞の片をつけることができないからである。あるいはなぐり合いになるかもしれないが、恩はもはや友人同士の間にあるのではないのだから、まずその恩を拭い消さなければならないのである。

些細な事柄についてのこのような神経の過敏さ、このような傷つきやすさは、アメリカでは、不良青年の記録や、神経病患者の病歴簿の中で見受けられるだけである。ところが日本では、これが美徳とされている。いくら日本人だって、こんな極端なことをしでかすものはそうざらにはいない、と日本人は考えるであろう。だが、それはただ多くの人間がだらしないだけのことである。坊ちゃんについて書いている日本の批評家たちは、彼を「癇癪持ちで、水晶のように純粋で、正しい事のためにはどこまでも戦う人間」と評している。著者もまた、坊ちゃんを自己と同一視しているし、また事実、批評家たちによって常に、主人公は漱石自身の肖像画であると認められている。この小説は高邁な徳の物語であって、恩を着た人間が、自分の感謝は「百万両」の値打があると考え、その考えに相応した行ないをすることによってはじめて、負債者の地位から脱け出すことができることを述べている。彼は「一と角の人間」からしか恩を受けることはできない。坊ちゃんは腹を立てながら、山嵐の恩と、年とった乳母から長い間受けてきた恩とを比較する。この老婆は彼を溺愛していた。そして彼の家族は誰一人として、彼の真価を認めるものがいないと考えていた。彼女はよく菓子だの、色鉛筆だの、ちょっとした贈物をこっそり彼のところへ持ってきた。一度は、彼に三円くれたことさえある。「あんまりしょっちゅう構いつけるので、気味が悪かった」。しかし彼は、三円を差し出されて「侮辱」されたが、それを借りておいた。それから何年にもなるが、いまだに返していない。だが返さないのは、彼が山嵐から受けた恩について感じる気持ちと対照して独白しているように、「清をおれの片破れと思ふからだ」。この言葉が日本人の恩に対する反応を理解する手がかりになる。たとえどのように錯綜した感情がともなうにせよ、「恩人」が実際に自分自身である限り、すなわち、その人が「私の」階層的組織の中に一定の位置を占める人であるか、風の吹く日に帽子を返す場合のように、私自身もおそらくそうするだろうと想像されることをするか、あるいはまた、私を崇拝している人間である限りにおいて、日本人は安んじて恩を負担する。ところが、いったんこれらの条件が当てはまらなくなると、恩は堪えがたい苦痛となる。相手から蒙った負債が、どのように些少なものであっても、それを不快に感じるのが立派な態度である。

　日本人の誰もが知っていることであるが、どんな場合にでも、あまり恩を重くしすぎると、面倒なことになる。そのよい例が、最近の一雑誌の「身の上相談」欄に出ている。この欄はアメリカの雑誌の‘Advice to the Lovelorn’〔失恋者への助言〕欄のようなものであって、『東京精神分析雑誌』の呼び物になっている。そこに与えられている勧告は、少しもフロイト的ではなくて、全く日本的である。かなりの年配の男が求めて次のように書いている。

私は三人の男子と一人の女子の父親です。妻は十六年前に死にました。子供たちが可哀そうだったので、私は再婚しませんでした。そしてこのことを、子供たちは私の美徳と考えました。今は子供たちはみな結婚しています。八年前、息子が結婚したおりに、私は二、三丁離れた家に引っ込みました。ちょっと申し上げにくいことですが、私は三年前から、闇の女（居酒屋に身売りして働く娼婦）と関係しています。私は女の身の上話を聞いて、気の毒になりました。そこで少しばかりの金で身請けして連れ戻り、行儀を教え、女中として家に置きました。女は責任感が強く、また感心なほどしまりやです。ところがこのために、私の息子たちと嫁、娘と娘婿は私を見くだし、まるで他人のようによそよそしくします。私は子供らを責めません。自分の落度だからです。

女の両親は事情がわからなかったらしく、なにしろ女はもう年ごろのことですから、帰してほしいという手紙をよこしました。私は両親に会って事情を打ち明けました。親は非常に貧乏ですが、女を種に金をしぼり取ろうとするような人間ではありません。もう娘は死んだものと諦めるから、今まで通りにしていても構わないと言ってくれました。女自身は、私が死ぬまで、私の傍にいたがっています。けれども、二人の年齢が父と娘ほど違っているので、ときおり郷里へ帰してやろうかしらと考えることがあります。私の子供たちは、女は財産が目当てなのだと考えています。

私には持病があって、もう後一、二年ぐらいしかもつまいと思います。どうしたらよろしいか、お教え願えればまことに幸いです。最後にちょっと申し上げておきますが、女は前に一度だけ「闇の女」をしたことがありますが、それは全く境遇のせいだったのです。女の性質は善良ですし、親はけっして金銭目当ての人間ではありません。

回答者の日本人の医者はこれは明らかに、老人が子供たちに過重な恩を負わせたからだと見ている。彼はこう言っている。

あなたが書いておられるようなことは、ほとんど毎日のように起こる事件です。（中略）私の意見を述べる前に、まず申し上げておきたいことは、手紙の文面から察すると、あなたはどうやら私から、あなたの欲する通りの答えを求めておられるらしいが、この点であなたに対して多少反感を感じます。あなたが長い間独身生活に堪えてこられたことは、むろん敬意を表しますが、しかしあなたはそのことを、子供たちに恩を着せ、現在のあなたの行動を正当化するために利用しておられる。この点がどうも私には気にくわないのです。あなたが狡猾な人間だと言うのではありません。ただ、あなたは非常に意志薄弱な方です。もしあなたが女をもたずにはいられなかったのならば、子供たちにはっきり、どうしても女といっしょに暮らさなければならないことを説明し、子供たちに恩（独身生活を続けるという)を着せなかった方がよかったのです。お子さんたちが反目されるのは、あなたがこの恩をあまり強調しすぎたからであって、当たりまえです。結局、人間は性欲がなくならないものであって、あなたも欲情が起こるのは仕方ありません。しかし人は欲望に打ち勝とうと努力します。あなたのお子さんたちは、あなたもきっとそうすることと期待をかけていた。それはあなたが、お子さんがたが頭の中に描いていた、理想の父親にふさわしい生活をするものと期待していたからです。ところが、その期待が裏切られた。私には、お子さんがたの気持ちがよくわかります。もっとも、それはお子さんたちの方が勝手といえば勝手です。あれたちは結婚して性的な満足を得ている。それだのに、同じことを父親に拒むのは我儘だ。あなたはこんなふうに考えておいでになる。そしてお子さんがたはそれとは別なふうに（上に述べたように）考えている。この二通りの考え方はどうしても一致しません。

あなたは、女も、女の両親も善良な人間だと言っておられる。がそれはあなたがそう思いたいから、そう思っているだけのことです。ご存じの通り、人間の善悪というものは、環境により、場合によるものです。現在利益を求めていないからといって、「善良な人間」だとは言い切れません。私は黙って娘を、死期の近づいている男の妾として勤めさせておく、その女の両親は馬鹿だと思います。もしも彼らが、自分の娘が妾になっていることをよく考えてみたならば、必ずそれを種にして、いくばくかの儲けもしくは利益を求めるはずです。それをそんなことはないと考えるのは、あなたの妄想です。

お子さんがたが、女の両親はなにがしかの財産を狙っているのではあるまいか、と心配されるのは、無理はありません。私も本当にその通りだと思います。女は若くてそんな考えはもたないかもしれませんが、女の両親はきっとそういう腹でいるに相違ありません。

あなたの取るべき道は次の二つです。

（一）「完全な人間」（全く完成されていて、なにひとつとしてなしえないことのない人間）として、女と手を切り、きれいに片をつけてしまうこと。しかし、これはあなたにはおできにならないでしょう。あなたの人情が許さないでしょう。

（二）「凡人に帰りなさい」（見栄や外聞をお捨てなさい）、そしてあなたを理想的人間と考えているお子さんの幻影を打ち破ってしまいなさい。

財産に関しては、早速遺言状を作って、女の取り分と、お子さんがたの取り分とをきめておおきなさい。

最後に、あなたは年とっていて、筆跡からもうかがわれるように、しだいに子供のように他愛なくなりつつあることを忘れてはいけません。あなたの考え方は、理性的というよりはむしろ感情的です。あなたはこの女をどん底から救ってやりたいのだと言っておられるが、実は母親代用として女を欲しているのです。子供は母親がいなくなっては生きてゆくことができません。だから、私はあなたに第二の道を取ることをお勧めします。

この手紙は恩に関して、いろいろなことを述べている。人はいったん誰かに、たとえそれが自分の子供であっても、過度に重い恩を着せるような道を選んだならば、相当な障害にぶつかることを覚悟の上でなければ、自分の方針を変更することはできない。彼はそのために苦しむことになることを知るべきである。さらに、子供に恩を施すために、たとえどのように大きな犠牲を払ったにしたところで、彼はそれをなにか手柄のように心得て、他日自分の望みを達する時のとっておきの材料にすることは許されない。恩を「現在の行動を正当化するために」利用することは間違っている。子供たちが憤慨するのは「当たりまえ」である。彼らの父親は最初の方針を守り通すことができなかったのだから、彼らは「裏切られた」のである。子供が父親の保護を必要とする間、全く一身を犠牲にして子供のために尽くしてやったのだから、今はもう一人前になった子供たちは特別に自分のことを気遣ってくれるであろう、と父親が考えるとすれば、それは馬鹿げたことである。子供たちはその代わりに、ただ恩を蒙ったという事実だけを意識する。「子供たちが反対するのは当たりまえである」。

アメリカ人はそのような事態を、こんなふうには判断しない。われわれは、母親を失った子供たちのために一身を捧げた父親は、当然、晩年において、子供たちの暖かい思いやりを受ける資格があると考える。子供たちが「反目するのは当たりまえ」とは考えない。しかしながら、仮にもしそれを金銭上の取引に置き直して考えてみると、日本人の考え方がよくわかる。なんとなれば、その領域においてならば、アメリカでも同様の態度が見受けられるからである。正式の契約手続を取って子供に金を貸し、子供が利子まで払ってその契約を忠実に守ることを要求する父親があるとすれば、われわれはたしかにその父親に向かって、「子供たちがあなたに反目するのは当たりまえだ」と言うに違いない。このように金銭貸借に置きかえてみることによってわれわれはまた、煙草を貰った人間が、まともに「ありがとう」と言う代わりに、「恥」をうんぬんする理由を理解することができる。われわれは日本人が、誰かが誰かに恩を着せたということを言うさいに、憤る理由を理解することができる。われわれは少なくとも、坊ちゃんがわずか氷水一杯の借りを、あんなにぎょうぎょうしく過大視する理由を理解する手がかりを得ることができる。しかしアメリカ人は、たまたま氷屋でおごってもらうとか、母親を失った子供に対する父親の長年の献身とか、〝ハチ〟のような忠実な犬の献身などに、金銭貸借の尺度を当てがうことに慣れていない。ところが日本人はそうする。愛や、親切や、気前良さは、アメリカではなにも附属物がくっついていなければいないだけ、いっそう尊重されるのであるが、日本では必ず附属物がつきまとう。そしてそのような行為を受けた人は債務者となる。日本人がよく用いる諺の通り、「恩を受けるには（ありうべからざる程度の）生まれつきの気前良さが必要である」*。

*訳注　この「諺」もどういう日本語の翻訳か的確に突き止めて復元することはむずかしいが、あるいは「情けは人の為ならず」あたりを指しているのではないかと思われる。

第六章　万分の一の恩返し

「恩」は負債であって返済しなければならない。ところで日本では、報恩は恩とは全く別な範疇に属するものと考えられている。日本人は、倫理学においても、またobligation〔義務、恩義〕やduty〔義務、任務〕のような、どちらにも通じる語においても、この二つの範疇を混同しているわれわれの道徳を奇異に感じる。それはちょうどわれわれが、金銭取引上の「借方」と「貸方」とを区別しないような言語をもつ部族の経済取引を異様に感じるのと同じである。日本人にとっては、「恩」と呼ばれる主要な、けっして消滅することのない債務と、一連の別な概念によって名づけられる積極的な、のっぴきならない返済とは、全く異なった世界である。人の債務（「恩」）は徳行ではない。返済がそうなのだ。徳は人が積極的に報恩行為に身を捧げる時に始まる。

アメリカ人がこの日本人の徳行を理解するに当たって、その理解を容易にする方法は、たえずそれを経済取引と比較することを忘れず、その背後には、アメリカの財産取引の場合と同じように、債務不履行に対するいろいろの制裁があると考えることである。経済上の取引においては、われわれアメリカ人は、人は契約を履行する義務があると考える。われわれは誰かが自分のものでないものを取った場合に情状を酌量しない。われわれは、銀行から借りた金を支払うか、支払わぬかということが、その時どきの気まぐれできめられることを許さない。しかも債務者は、最初に借りた元金だけでなく、その元金から生じた利息をも支払わなければならない。ところがわれわれは、愛国心や家族に対する愛情は、これとは全然異なったものと考えている。われわれにとっては、愛は心情の問題であって、なんの約束もなく自由に与えられる愛が最上の愛である。愛国心も、われわれの国の利害を他の何物よりも重視するという意味では、アメリカが敵国の武力によって攻撃されないうちは、いささかドン・キホーテ的なもの、または、たしかに誤りをおかしがちな人間の本性と相容れないものとみなされている。われわれは、日本人の基本的要請である、すべての人間は生まれ落ちるとともに自動的に大きな債務を受けるという観念を欠いているが、何人《なんぴと》もその窮乏した両親を憐み助けるべきであるし、妻を打ってはならないし、子供たちを扶養すべきであると考える。しかしながら、これらの事柄は、金銭上の負債のように量では計算されないし、また事業における成功のように酬いられることもない。日本においてはそれらはアメリカにおける債務弁済と全く同様に考えられている。そしてその背後にある強制力は、アメリカにおいて請求書や抵当利子の支払いの背後にある強制力と同様に強大である。それは、宣戦布告とか、親の重病とかいった危急のさいにだけ留意せねばならない事柄ではない。それは、ニューヨーク州の小農の抵当についての気苦労や、空売りをしてしまった後で相場が上昇してゆくのを眺めるウォール・ストリートの財界人の気苦労と同じように、たえずつきまとう影である。

日本人の義務ならびに反対義務一覧表

一　**〝オン〟〔恩〕**　受動的に蒙る義務。人は「恩を受ける」、また「恩を着る」、すなわち〝恩〟とは受動的にそれを受ける人間の立場から見た場合の義務である。

〝コーオン〟〔皇恩〕　天皇から受ける「恩」
〝オヤ・ノ・オン〟〔親の恩〕　両親から受ける「恩」
〝ヌシ・ノ・オン〟〔主恩〕　主君から受ける「恩」
〝シ・ノ・オン〟〔師の恩〕　教師から受ける「恩」
生涯のうちのいろいろな接触において人から受ける「恩」

注　自分が「恩」を受けるこれらの人びとは、すべて自分の〝オンジン〟〔恩人〕になる。

二　**〝オン〟の反対義務**　人は恩人に、これらの負債を「払う」、また「これらの義務を返す」、すなわちこれは、積極的な返済の見地から見た場合の義務である。

A　〝ギム〟〔義務〕　はどんなに努力してもけっしてその全部を返しきれず、また時間的にも限りのない義務である。

〝チュー〟〔忠〕　天皇、法律、日本国に対する義務
〝コー〟〔孝〕　両親ならびに祖先（子孫を含む）に対する義務

〝ニンム〟〔任務〕自分の仕事に対する義務

B　〝ギリ〟〔義理〕　自分の受けた恩恵に等しい数量だけ返せばよく、また時間的にも限られている負目。

㈠　世間に対する〝ギリ〟

主君に対する義務

近親に対する義務

他人に対する義務　その人から受けた「恩」、たとえば、金銭を貰ったり、好意を受けたり、仕事の手伝い（〝ユイ〟〔協同労働〕の場合のごとく）をしてもらったりしたことにもとづく。

遠い親戚（伯父、伯母、従兄弟、従姉妹）に対する義務　これは別にこれらの人びとから「恩」を受けたからではなくて、共通の祖先から「恩」を受けたことにもとづく。

㈡　名に対する〝ギリ〟　これは die Ehre〔ドイツ語の「名誉」〕に当たる

人から侮辱や失敗のそしりを受けた時にその汚名を「すすぐ」義務、すなわち、報復、あるいは復讐の義務（注　この仕返しは不法な攻撃とはみなされない）。

自分の失敗や無知（自分の専門とする事柄における）を認めない義務

日本人の礼節をふみ行なう義務、たとえば、あらゆる行儀作法を守ること、身分不相応の生活をせぬこと、みだりに感情を表に出さぬことなど。

日本人は、量においても、また継続期間においても無制限な報恩と、受けた恩と量が等しく、特定の機会に期限の満了する報恩とを、おのおの異なった規則をもった、異なった範疇に分けている。債務に対する無限の返済は〝ギム〟〔義務〕と呼ばれ、それに関して日本人は、「受けた恩の万分の一も返せない」、と言う。「義務」は、両親に対する恩返し、すなわち、〝コー〟〔孝〕と、天皇に対する恩返し、すなわち、〝チュー〟〔忠〕と、二種類の義務を一括した名称である。この二つの「義務」は、ともに強制的であって、何びとも免れることができない。日本の初等教育は「ギム教育」と呼ばれているが、これはまことに適切な名称である。この言葉ほど遺憾なく「必修」の意味を表わす言葉はほかにないからである。人生の各種の偶発事がある人の「義務」の末梢的部分に多少の修正を加えることはあっても、「義務」は自動的にすべての人の肩の上にかかってくるものであり、また一切の偶発的事情を超越したものである。

この二種類の「義務」はともに無条件的である。かように日本は、これらの徳を絶対的なものとすることによって、中国の、国家に対する義務と、孝行との概念から離れてしまった。七世紀以来くり返し、日本に中国の倫理説がとり入れられてきた。そして「忠」および「孝」も、もともと中国語である。ところが、中国人はこれらの徳を無条件的なものとはしなかった。中国は、忠孝の条件であり、忠孝の上に立つ一つの徳を要請する。この徳〔ヂェヌ〔仁〕〕は通常 'benevolence'〔慈善、博愛〕と訳されるが、じつは西欧人が人間間の良好な関係ということによって意味している、ほとんど一切の事柄を意味する。親は「ヂェヌ」をもたねばならない。支配者が「ヂェヌ」をもたなければ、人民はその支配者に対して謀反を起こしてさしつかえない。「ヂェヌ」は忠節の基礎となる条件である。天子がその帝位をたもちうるのも、またその百僚有司が職をたもちうるのも、彼らが「ヂェヌ」を行なうことによるのであった。中国人の倫理は、すべての人間関係にこの試金石を当てがう。

この中国人の倫理上の要請は、ついぞ日本では受け容れられなかった。偉大な日本人学者朝河貫一《あさかわかんいち》は、中世におけるこの両国の相違に論及して、次のように言っている。「日本ではこれらの思想は明らかに天皇制と相容れぬものであった。したがって、学説としてさえも、そっくりそのまま受け容れられたことは一度もなかった」*。事実、日本では「ヂェヌ」は、倫理体系の外に追放された徳となり、中国の倫理体系の中で有していた高い地位からすっかりおとされてしまった。日本ではそれは〝ジン〟と発音されている（文字は、中国人が使用するのと同じ文字で書かれる）。そして〝ジンを行なう〟、もしくはその変形である、〝ジンギを行なう〟ことは、最上層の人びとの間においてすら、けっして徳として要求されない。「仁」は、日本人の倫理体系から完全に追放されてしまった結果、なにかあることを法の範囲外ですることを意味する。慈善事業に寄附の申し込みをしたり、犯罪人に慈悲を施したりすることは、なるほど感心な行為である。しかしながら、それはあくまでも奇特な事業である。すなわち、その行為がどうしてもあなたがせねばならなかった行為ではないことを意味する。

* *Documents of Iriki*, 1929, p. 380, n. 19.〔「入来《いりき》院文書《いんもんじょ》」。鹿児島県薩摩郡入来の旧城主入来院氏関係

の文書、米国エール大学教授朝河貫一が、日本における一般武家法制の性質および変遷の例証として編集刊行したもの――訳者〕

「仁義を行なう」という言葉はまた、「法の範囲外」のもう一つの意味で用いられる、すなわち、無頼漢の間の徳に関して用いられる。徳川時代の、襲撃ときったはったを事としたならず者連中――二本差して威張り歩く武士と違って、長脇差を一本差していた――の「盗人の名誉」――この連中は、「仁義を行なう」ことであった。これらの無法者の一人が、彼とは他人の間柄にある他のやくざ者のところへ行ってかくまってくれと頼んだ場合には、後者は将来、依頼者の仲間から仕返しをされることのないように、かくまってやり、かくして「仁義を行なう」のであった。現代の用法では、「仁義を行なう」の地位はさらにいっそう低下している。それはしばしば、処罰すべき行為の一つとして、論議の的となる。日本の新聞はこう論じている。「下等な労働者は今なお仁義を行なっているが、これは処罰しなくてはならない。警察は今なお日本のすみずみで盛んに行なわれている仁義をやめさせなければならない」。むろん彼らは、ごろつきや、暴力団の世界で栄えている「盗人の名誉」のことを指しているのである。とりわけ、現代日本の小規模の労務請負人が、前世紀末から今世紀初めにかけてのアメリカの港のイタリア人人足請負人 padrone のように、不熟練労働者と法律外の関係を結び、これらの労働者を請負でどこかある事業場に出すことによって私腹を肥やす時に、「仁義を行なう」と言われる。中国の「ヂェヌ」の概念の零落も、ここにいたってその極に達したというべきであろう。* 日本人はこのように、中国の体系の最も肝要な徳をすっかり解釈し直し、その地位を低下させてしまったが、その代わりに、「義務」を条件的なものにするようなものをなにひとつもってこなかったために、日本では孝行は、たとえそれが親の不徳や不正を見て見ぬふりをすることを意味する場合においても、履行せねばならない義務となった。それは天皇に対する義務と衝突する場合にだけ廃棄することができるのであって、親が尊敬に値しない人間であるとか、自分の幸福をそこなうとかいう理由で、棄て去ることは絶対にできなかった。

＊　日本人が「仁を知る」という表現をもちいる時は、中国の用法にやや近くなる。仏教徒は人びとに「仁を知る」ことを勧めるが、それは慈悲深く博愛であることを意味する。しかしながら、日本語辞典の言っているように、「仁を知るということは、行為を指すというよりはむしろ、理想的人間を指す言葉である」。

以下は日本の現代映画の一つのあらすじであるが、ある母親が、結婚し、村の学校の教師を勤めている自分の息子が、飢饉で餓死に瀕している一家を救うために両親に娼家へ売られようとしている若い女生徒を救い出す身代金として村民から集めたいくばくかの金を、たまたま見つける。教師の母親は、自分で相当な料理屋を経営していて、少しも金に困っていないにもかかわらず、息子からこの金を盗む。息子は母親が取ったことを知っているが、自分でその責任をひっかぶらなければならない。彼の妻は真相を発見する。そして金の紛失の全責任をとる旨の書き置きを後に残し、赤ん坊とともに身投げをする。そこで事件は表沙汰になるのであるが、この悲劇における母親の役割は問題にさえされない。かくて孝の掟を果たした息子は、人格を造り上げ、将来も同様の試練に耐えうる強い人間になるために、ただひとり北海道に向かって出発する。この息子は立派な英雄である。この悲劇全体の責任を負うべき人物は、あの盗みを働いた母親であるという、私の明らかにアメリカ人的な判断に対して、私の日本人の連れは猛烈に反対した。その連れが言うには、孝はしばしば他の徳と衝突する。なるほど、もし主人公が賢明であったならば、自尊心を失うことなく、互いに矛盾する徳を融和させる道を発見しえたかもしれない。しかしながら、もし彼がそのために、たとえ自分の心の中だけであっても、自分の母を責める結果になるとするならば、自尊心を押し通すことは絶対に許されないのである。

小説にも、実生活にも、結婚したのちに、重い孝行の義務を負わされる青年の例がいくらでも見受けられる。一部の〝モダン〟*な人びとを除いて、良家では息子の嫁は当然、両親が、通常、媒酌人の斡旋によって選ぶべきものとされている。良い嫁を選ぶことに主として頭を悩ますのは、当の息子ではなくて、その一家である。それはたんに金銭上の取引がからんでいるからだけでなくて、嫁はその家の系譜の中に編入され、やがて男子を生んで家系を永続せしめる人間であるからである。仲人は通例、偶然、顔を合わせた態に仕組んで、当の若い男女が、双方の両親立会いの下に、見合いをする機会を作るが、二人は話はかわさない。時には両親は息子に便宜結婚をさせることがある。その場合には、女の父親は財的に利益を得、男の両親は名門の家と結ぶことによって利益を収める。時にはまた、両親は当人の資質が気に入って、相手の女を選ぶこともある。善良な息子は、親の「恩」に報じなければならないから、親の決定に異議をさしはさまない。結婚したのちも、彼の報恩の義務はなお継続する。特に息子が家督相続人である場合には、彼は両親といっしょに生活するのであるが、姑の嫁を好まぬことは、万人周知の事実である。姑はなにかにつけて嫁に難癖をつける。時には里に追い返し、たとえ息子が自分の妻と仲睦まじく、なによりも妻と共に生活することを望んでいる場合にでも、結婚を解消させてしまうことがある。日本の小説や身の上話は、妻の苦悩と全く同様に、夫の苦悩を強調する傾きがある。夫が結婚の解消に承服するのは、むろん孝を行なうためである。

現在アメリカにいる一人の〝モダン〟な日本婦人が、かつて自分の宿へ、姑に追い出されてやむをえず、嘆き悲しむ若い夫を後に残してきた妊娠した年若い人妻を、預ったことがあった。その人妻はからだの具合いが悪く、悲嘆に暮れていたが、自分の夫を責めなかった。しだいに彼女は、まもなく生まれ出る子供に心をひかれていった。ところがいよいよ子供が生まれると、姑が、黙っておとなしく母親の命に従う息子を連れて、赤ん坊を引き取りにきた。子供は、もちろん夫の家のものであるから、姑はそれを連れていってしまった。そしてただちにその赤ん坊を里子に出した。

＊訳注　日本人の発音をまねて'modan'と書いている。

かように時により、いろいろな事柄が孝行の中に含められるが、そのいずれもが子の当然支払うべき、親から受けた債務の返済である。アメリカではすべてこのような物語は、個人の正当な幸福に対する外からの干渉の事例とみなされる。日本人は、恩の要請の上に立っているから、この干渉を「外からの」ものとは考えない。日本ではこのような物語は、アメリカの、非常な困苦欠乏に耐え忍んで債権者に負債を皆済する正直者の物語のように、真に高潔な人びと、自らの人格を尊重する権利をかちえた人びと、どうしても犠牲にせねばならない個人的願望を甘んじてなげうつだけの強固な意志の持ち主であることを身をもって証明した人びとの物語である。ただしかし、そのような願望の抑圧は、いかに有徳な行為と目されるにしても、胸中になにか釈然としきれない鬱憤の情を残すことは自然の勢いである。この点で、あのアジアのほうぼうの国に行なわれている「忌まわしいもの」の諺が、たとえば、ビルマでは「火事、洪水、盗賊、知事、悪人」を並べているのに対して、日本では「地震、かみなり、おやじ（家長、父親）」をあげていることは注目に値する。

孝行は、中国の場合のように、何世紀もの間の歴代の祖先や、その祖先の後裔であり、おびただしく繁殖している現在の広大な宗族を包括しない。日本の祖先崇拝は最近の祖先に限られている。墓石は誰の墓か明瞭にするために、毎年、文字の書き替えをするが、現に生きている人たちの記憶からもはや消え去った祖先の墓は捨てて顧みられない。またそういう祖先の位牌を、仏壇の中に安置することもしない。日本人はなまなまと記憶されている者以外の祖先に対する孝行を重視しない。彼らはもっぱら今ここにあるものに集中する。多くの書物が、日本人の、抽象的思索、もしくは現存しない事物の心像を脳裏に描き出すことに対する興味の欠如を論じているが、日本人の孝行観は、中国のそれと対照してみると、やはりこのことを立証する一つの事例として役立つ。がしかし、彼らの見解の最も大きな実際的重要性は、孝の義務を現に生きている人びとの間に限っている点にある。

　というのは、中国でも日本でもそうであるが、孝行ということは、ただたんに、自分の両親や祖先に対する尊敬と服従だけではなく、はるかにそれ以上のものであるからである。西欧人が、母親の本能と、父親の責任感に依存するものとしている、子供のために行なう一切の世話を、彼らは祖先に対する孝心に依存するものとしている。日本はこの点について、非常にはっきりと、自分が受けた愛護を子供に移すことによって、祖先の恩を返すのだと言っている。「子供に対する父親の義務」を言い表わす特別な言葉はなく、そのような義務はすべて、両親と、そのまた両親に対する「孝」のうちに含められる。孝行が、家長の肩にかかっている数多くの責任をことごとく履行すること、すなわち、子供を扶養し、息子や弟に教育を授け、財産管理の責任を引き受け、保護を必要とする親戚を引き取って保護し、その他凡百のこれに類する日常のつとめを果たすことを命ずるのである。日本では制度化された家の範囲をいちじるしく制限しているので、この「義務」の対象となる人間の数もまたしたがってはっきりと限られている。息子が死んだ場合には、孝の義務に従って、息子の寡婦と子供たちの扶養の責任を負わねばならない。また同様に、夫に死に別れた娘と娘の子供たちを引き取って世話をせねばならない場合もある。しかしながら寡婦となった姪を引き取ることは「義務」ではない。もしそれを引き取るとすれば、それは全く別種の義務を果たすのである。自分の子供を養育し、教育することは「義務」である。がしかし甥に教育を授ける場合には、甥を法律上正式に自分の養子にするのが普通であって、もし甥が依然として甥の身分をたもつとすれば、それに教育を授けることは「義務」ではない。

孝行は、たとえ相手が窮乏した直接の卑親族であっても、その人に与える援助を尊敬と慈愛をもってすることを要求しない。ある家族に養われる年若い寡婦たちは、「冷飯親類」と呼ばれる。それは冷たくなった飯を食わされるという意味であって、家族の内輪の誰からもあごで使われ、自分の身の上に関するいかなる決定にも、唯々諾々《いいだくだく》と従わねばならない。彼らは、その子供たちといっしょに、肩身の狭い、あわれな親類である。特殊な場合に、彼らがこれよりもましな待遇をされることがあっても、それはその家の家長が「義務」として彼らに良い待遇を与えねばならないからではない。また、兄弟が相互の義務を温かい気持ちで遂行することも、彼らのぜひせねばならぬ「義務」ではない。あの二人は犬猿もただならない間柄であると言いふらされていながら、弟に対する「義務」を完全に果たしたという理由で、賞賛される人間がよくある。

姑と嫁との間には非常な反目がある。嫁は外来者として家庭の中にはいってくる。嫁はまず姑の流儀を学び、次に万事をその流儀に従って行なうことを学ばねばならない。多くの場合、姑はずけずけと、嫁はとうてい自分の息子の妻になる資格のない人間であると主張する。またある場合は、相当激しい嫉妬をもっていると推察されることもある。がしかし、日本の諺にもある通り、「憎まれる嫁が可愛い孫を生み」であって、したがって、嫁と姑との間にも常に孝が存在する。嫁はうわべは限りなく柔順である。ところが、このおとなしい愛すべき人間が、世代が変わるにつれてつぎつぎと、かつて自分の姑がそうであったと同じように、苛酷な、口やかましい姑になってゆく。彼女たちは若妻時代には、その害意を表に現すことができないが、それだからといって、本当におとなしい人間になりきるのではない。彼女たちは晩年になって、いわば、その積もり積もった宿怨を自分の嫁に向けるのである。今日の日本の娘たちは公然と、跡取りでない息子と結婚する方がはるかに得策だと言っている。そうすれば、威張りちらす姑といっしょに生活しなくともすむからである。

「孝のために尽くす」ということは、かならずしも家庭内に慈愛を実現することになるとは限らない。ある種の文化においては、この慈愛ということが広大な家族の道徳律の要点となっている。ところが、日本ではそうではない。ある日本人の著者が述べているように、「日本人は、家を非常に尊重するという、まさにその理由によって、家族の個々の成員や、成員相互の間の家族的紐帯を、あまりたいして尊重しない」*。むろんこの言葉は常にその通りであるとは限らないが、しかしだいたいの様子を伝えている。力点は義務と負債の返済とに置かれ、年長者は重大な責任を引き受ける。ところが、これらの責任の一つは、目下の者に必要な犠牲を必ず払わすようにすることである。彼らがその犠牲に不服であっても、たいしたかわりはない。彼らは年長者の決定に服従せねばならない。さもなければ彼らは「義務」を怠ったことになる。

* Nohara, K., *The True Face of Japan*. London, 1936, p. 45.

日本の孝行の特徴である家族相互間に見られる顕著な怨恨は、孝行と等しく「義務」とみなされているもう一つの重大な義務である天皇に対する忠節には全く見られない。日本の政治家たちが、天皇を神聖首長として祭り上げ、俗生活のごたごたから遠ざける計画を立てたのは、まことに当を得た措置であった。日本ではただそうすることによってのみ、天皇は、全国民を統一し、ひたむきに国家に奉仕せしめる手段として役立つことができたからである。たんに天皇を国民の父とするだけでは不十分であった。というのは家庭の父は、子供たちがあらゆる義務を尽くしてその恩に報いはするが、ややもすれば「あまりたいして尊敬されない人物」であるからであった。天皇は一切の世俗的考慮から離れた神聖首長でなければならなかった。日本人の最高の徳である天皇に対する忠節、すなわち〝チュー〟（忠）は、空想で作り上げた、俗世間との接触によって汚されない「善良な父」を、随喜しながら仰ぎ望むことにならねばならない。明治初年の政治家たちは、西欧諸国を視察したのち、すべてこれらの国ぐににおいては歴史は支配者と人民との間の争闘によって作られるが、これは日本精神にはふさわしくないと書いている。彼らは帰朝後、憲法に、天皇は「神聖ニシテ侵スヘカラ」ざるものであり、国務大臣のいかなる行為に対しても責任を問われない旨の条項を挿入した。天皇は責任ある国家の元首としてではなく、日本国民の統合の最高の象徴として役立つべきものであった。事実、天皇は、ほぼ七百年の間、実権をもった統治者としての機能を果たしたことはなかったのであるから、今まで通り天皇を裏舞台の役割に留まらせておくことは容易であった。ただ一つ、明治の政治家たちがしなければならなかったことは、すべての日本人が心の中で、あの無条件的な最高の徳である「忠」を、天皇に対して捧げるようにしむけることであった。封建時代の日本においては、「忠」は世俗的首長である将軍に対する義務であった。そしてその長い歴史が、明治の政治家たちに、彼らの目的とする日本の精神的統一を成し遂げるためには、新しい局面において何をなさねばならぬかということを教えた。過去何世紀もの間、将軍が大元帥と最高行政官とを兼ねていた。そしてすべての人間が将軍に「忠」を捧げるべきものとされていたにもかかわらず、将軍の支配権に反抗し、将軍の生命を奪おうとする陰謀がたびたび繰り返された。将軍に対する忠節はしばしば、封建君主に対する義務と矛盾し、しかも高次の忠義は低次の忠義ほどの強制力をもたなかった。なんといっても主君に対する忠節は直接顔と顔とを合わせる主従の縁にもとづくものであって、これにくらべれば、将軍に対する忠節がよそよそしく感じられるのも無理はなかった。さらに、動乱時代には、武士たちは将軍をその地位から放逐し、その代わりに自分たちの封建領主を擁立するために戦った。明治維新の先覚者や指導者たちは、九重の雲の奥深く隠栖《いんせい》している天皇、したがってその風貌を各人がそれぞれ自分の欲するままに理想化して描くことのできる天皇に、「忠」を捧げるべきであるというスローガンを掲げて、一世紀にわたり徳川幕府と戦った。明治維新はこの尊王派の勝利であった。そして一八六八年はまさにこの将軍から象徴的天皇への「忠」の転換の実現された年であるから「復古」と名づけられたのは十分理由のあることであった。天皇は今まで通り陰に退いた。天皇は「閣下」たちに権力を付与した。しかし自ら政府や軍隊を指揮し、じきじきに政治方針を指令することはしなかった。これまでと同じような助言者たち――ただし以前よりはすぐれた人びとが選ばれはしたが――があいかわらず政務を担当した。真の大異変が起こったのは精神の領域においてであって、「忠」が、最高の司祭であり、日本の統一と無窮性の象徴である神聖首長に対して、あらゆる人間が支払わねばならない義務となった。

「忠」がこのように容易に天皇に移し替えられたのには、皇室を天照大神の裔《すえ》であるとする古来の民間伝承が、その一助となったことはいうまでもないことである。しかしながら、この神性の伝説的主張は、西欧人が考えるほど重要なものではなかった。こういう主張をまるで否定してかかっていた日本の知識階級も、それだからといって、天皇に「忠」を捧げることになんの疑いをも抱かなかったことはたしかであるし、神の裔であると本気に信じていた多数の一般民衆にしてからが、神の裔ということを、西欧人とは違ったふうに解釈していたのである。〝カミ〟〔神〕は〝god〟と訳される語であるが、文字通りの意味は「頭」、すなわち、階層制度の頂点である。日本人は人間と神との間に、西欧人のように大きなへだたりを置いていない。日本人は誰でも死後は「神」になる。事実、封建時代には、「忠」は、全然神的資格をもたない階層制の頭首に捧げられていた。「忠」を、天皇に移し替えるに当たって、はるかに重大な働きをしたのは、日本の歴史の全時期を通じて唯一の皇室が引き続き皇位に登ったという事実であった。西欧人が、この皇統連綿ということは欺瞞である、皇位継承の規則がイギリスやドイツの王位継承の規則に合致していないではないかと、異議を申し立てても無駄である。日本には日本独特の規則があった。そしてその規則によれば皇統は「万世」一系であったのである。日本は、有史以来三十六の異なった王朝が交替した中国ではなかった。日本は、今までにかずかずの変遷を経てきたが、そのどの変革においても、けっしてその社会組織が支離滅裂に破壊されたことがなく、常に不変の型がたもたれてきた国であった。維新前の百年間に反徳川勢が利用したのはこの論拠であって、天皇神裔説ではなかった。彼らは階層制の頂点に立つ人に帰せられるべき「忠」は、天皇のみに捧げられるべきであると主張した。彼らは天皇を国民の最高司祭に祭り上げたが、その役割はかならずしも神であることを意味しない。それは女神の裔であるということよりもいっそう重要なことであった。

近代日本においては、「忠」を直接な個人的なものとし、特にそれを天皇一人に向かわせるためにあらゆる努力が払われてきた。維新後最初の天皇は、傑出した、おのずからの威厳をそなえた人であって、その長い治世の間に容易に、身をもって国体を象徴するものとしてその臣民の賛仰の的となった。彼は稀れにしか公衆の前に姿を現さなかったが、その台臨は不敬に当たらぬように、あらゆる崇拝の道具立てをととのえたうえで上演された。彼の前に頭を垂れる時、集まった多数の群集の中からは、ささやきひとつ起こらなかった。彼らは眼をあげて彼を凝視しようとはしなかった。どこでも、高いところから天皇を見おろすことのないように、一階から上の窓は鎧戸を引いて閉ざされた。高位の助言者たちに接する場合も同様に階層的であった。天皇がその為政者を召すとは言われなかった。少数の特別な権限を与えられた「閣下」たちが、「拝謁を賜わった」。論争の的となっている政治問題に関して詔勅が下されることはなかった。詔勅は道徳や節倹に関するものであるか、さもなければ、ある問題の決着がついたことを表示する境界標として、したがって国民に安心を与える意図の下に発布されたものであった。彼が臨終の床にあった時には、日本の国全体が一つの巨大な寺院と化し、国民は彼の平癒を願って敬虔な祈禱を捧げた。

天皇はこのようにさまざまの方法によって、国内の政争の全く及ばぬところに置かれた象徴に化せしめられた。星条旗に対する忠誠が一切の政党政治の上に、またかなたに超越したものであると全く同じように、天皇は「侵すべからざるもの」であった。われわれは国旗を、もしそれが人間であるならば全く当を失しているとわれわれが考えるほどの丁重な儀礼をもって取り扱う。ところが日本人は、彼らの至高の象徴の人間性を徹底的に活用した。国民は敬慕を捧げ、天皇はそれに応えることができた。彼らは天皇が「国民の上に想いをお寄せになっている」ということを知ると随喜の涙を流した。彼らは「陛下の御心を安んずるために」一身を犠牲に捧げた。日本の文化のように、完全に個人的なつながりの上に立脚した文化においては、天皇は国旗などの遠く及ばない忠誠の象徴であった。訓練中の教師は、もし人間最高の義務を祖国愛であると言ったとすれば、落第であった。それは天皇その人に対する報恩である、と言わねばならなかった。

「忠」は臣下と天皇との関係の、二重の体系を与える。臣下は上に向かっては、中間者を経ずに、直接天皇を仰ぎみる。彼は彼の行動によって、直接個人的に、「陛下の御心を安んじ奉る」。ところが、臣下が天皇の命を受けるさいには、その命令が、彼と天皇との間に介在する、ありとあらゆる中間者の手をつぎつぎに経て中継されてきたものを耳にする。「これは天皇の命令である」という表現は、「忠」を喚起する表現であって、おそらく他のいかなる近代国家も喚起することのできない強い強制力をもっている。ローリーは、平時の軍隊の演習で、ある士官が許可なくして水筒の水を飲んではならぬという命令を下して、連隊を引率して行軍に出かけたおりの出来事を書いている。日本の軍隊の訓練では、困難な状況の下で、中休みせずに四、五十マイルぶっつづけに行軍できるようにすることに非常な重点が置かれていた。この日には、渇きと疲労のために落伍した者が二十人出た。そのうち五人は死亡した。死亡した兵士の水筒を調べてみると、全然手が触れられていなかった。「その士官がそういう命令を下したのである。そして上官の命令は天皇の命令であった」*。

* Lory, Hillis, *Japan's Military Masters*, 1943, p. 40.

一般行政においては、「忠」は死から納税にいたるあらゆる義務を遂行させる強制力となっている。収税吏、警察官、地方徴兵官は、臣民が捧げる「忠」を媒介する機関である。日本人の見地からすれば、法律に従うことは、彼らの最高の義務、すなわち「皇恩」を返済することである。これほどアメリカの風習といちじるしい対照を示しているものはほかにあるまい。アメリカ人から見れば、ストップライト〔停車表示尾灯〕から所得税にいたる、どんな法律でも、新しく法律が出るたびに、それは個人的な事柄における個人の自由に対する干渉として、国中どこでも憤慨される。連邦法規は二重に疑問視される。それはさらに個々の州の立法権に干渉を加えるものであるからである。連邦法規は、ワシントンの官僚たちが国民に押しつけるものというふうに感じられる。そして多くの国民は、これらの法律に対しどんなに声を大にして反対しても、なお彼らの自尊心のために当然許さるべき限度に達しないと考える。こういうところから日本人は、われわれアメリカ人は遵法精神を欠く国民であると判断する。われわれはまたわれわれの方で、日本人は民主主義の観念の欠如した、屈従的な国民であると判断する。両国の国民の自尊心がそれぞれ異なった態度と結びつけられている、と言った方が真実に近かろう。われわれの国ではそれは自分のことは自分で処理するという態度に依存しており、日本では自分が恩恵を受けたと考える人に恩返しをするということに依存している。この二通りの態度は、ともにそれぞれの難点をもっている。われわれの難点は、法規が国全体の利益になる場合においても、国民の承認を得ることがむずかしいという点であり、彼らの難点は、なんといってもある人の全生涯がその影によっておおわれてしまうほど大きな負目を蒙ることはむずかしいという点である。すべての日本人がたいていどこかある点で、法律の範囲内で生活しながら、しかも巧妙に要求されていることを回避する方法を工夫している。彼らはまた、アメリカ人ならばけっして賞賛しないある種の暴力や直接行動や私的復讐を賞賛する。しかしながら、こういう留保条件があるにせよ、またほかにもいろいろの留保条件があげられるにせよ、「忠」が日本人の上に大きな支配力をもっていることは、疑いのない事実である。

一九四五年八月十四日に日本が降伏した時に、世界はこの「忠」がほとんど信じがたいほどの大きな力を発揮した事実を目撃した。日本に関する経験と知識をもつ多くの西欧人は、日本が降伏するなどということはありうべからざることである、という見解を抱いていた。アジア大陸や太平洋諸島の所々方々に散在する日本軍がおとなしく武器を放棄すると考えるのはおめでたすぎる、と彼らは主張した。日本軍の多くは局地的敗北を受けておらず、彼らは彼らの戦争目的の正しさを確信している。日本本土諸島もまた、最後まで頑強に抗戦する人びとで充満している。だから占領軍は、その前衛部隊はどうしても小部隊とならざるをえないのだからして、艦砲の射程範囲外に進撃するとともに皆殺しにされる危険がある。戦争中、日本人はどんな思いきったことでも平気でやってのけたではないか。彼らは好戦的な国民なのだ。こういうふうに日本を分析していたアメリカ人は、「忠」を勘定に入れていなかったのである。天皇が口を開いた、そして戦争は終わった。天皇の声がラジオで放送される前に、頑強な反対者たちが皇居の周りに非常線をめぐらし、停戦宣言を阻止しようとした。ところがいったんそれが読まれると、何人《なんぴと》もそれに承服した。満州やジャワの現地司令官も、日本内地の東条〔英機〕も、誰一人としてそれにさからうものがいなかった。われわれの部隊は飛行場に着陸し、丁重に迎えられた。外国人記者は、その中の一人が書いているように、朝には小銃をひねくり回しながら着陸したが、昼にはそれを片づけてしまい、夕方にはもう身の回りのものを買いととのえに出かけるというありさまであった。日本人は今や平和の道をたどることによって、「陛下の御心を安んじ奉る」ことになったのである。つい一週間前までは、たとえ竹槍を持ってでも、夷狄《いてき》を撃退することに身を捧げることが「陛下の御心を安んじ奉る」ゆえんであった。

このような態度には少しも不可思議なところはなかった。それを不思議に感じたのは、人間の行為を左右する感情が、いかに多種多様であるかということを容認することのできなかった西欧人だけである。ある者は、日本は事実上、絶滅するほかに道はないと宣言した。またある者は、日本が国を救いうる唯一の道は、自由主義者が権力を握って、政府を倒すことであると唱えた。いずれの見解も、国民全体が支持する総力戦を戦う西欧の一国のこととして考えれば、筋が通っていた。しかしながらこれらの見解は、日本が西欧と大同小異の行動方針に従うものと思い込んでいたために誤っていた。もう何ヵ月も無事平穏に占領が行なわれたのちにおいてもなお、西欧人の中には将来を予測して、西欧流の革命が起こらなかったとか、あるいはまた「日本人は敗戦の事実を認識していない」という理由で、すべては失われたというふうに考える人びとがあった。これは正しいこと、かくあるべきことに関する西欧の標準にもとづいた立派な西欧流の社会哲学である。しかしながら日本は西欧ではない。日本は西欧諸国のあの最後の頼りである革命を用いなかった。日本はまた敵国の占領軍に対して不服従サボタージュを用いなかった。日本は日本固有の強み、すなわち、まだ戦闘力が破砕されていないのに無条件降伏を受諾するという法外な代価を「忠」として自らに要求する能力を用いたのである。日本人の見地からすれば、これはなるほど法外な支払いには相違なかったが、その代わりに日本人の何物よりも高く評価するものをあがなうことができた。すなわち、日本人は、たとえそれが降伏の命令であったにせよ、その命令を下したのは天皇であった、と言いうる権利を獲得したのである。敗戦においてさえも、最高の掟は依然として「忠」であった。

第七章　「義理ほどつらいものはない」

日本人のよく言う言葉に「義理ほどつらいものはない」というのがある。人は「義務」を返済せねばならないと同様に、「義理」を返済せねばならない。しかしながら「義理」は「義務」とは類を異にする一連の義務である。これに相当する言葉は英語には全く見当たらない。また、人類学者が世界の文化のうちに見いだす、あらゆる風変わりな道徳的義務の範疇の中でも、最も珍しいものの一つである。それは特に日本的なものである。「忠」と「孝」とはともに日本が中国と共有している徳目であって、日本はこの二つの概念にいろいろの変化を加えてはいるが、他の東洋諸国の道徳的命令とある程度の同族的類似をもっている、ところが「義理」は、日本が中国の儒教から得たものでもなければ、東洋の仏教から得たものでもない。それは日本独特の範疇であって、「義理」を考慮に入れなければ、日本人の行動方針を理解することは不可能である。日本人はすべて、行為の動機や、名声や、その本国において人びとの遭遇するいろいろのジレンマについて語る時には、必ず常に「義理」を口にする。

西欧人から見ると、「義理」の中には、昔受けた親切に対する返礼から復讐の義務にいたる、互いに異質的な、種々雑多な義務（一四四～一四五頁の表を見よ）が雑然と含まれている。日本人が、今までに西欧人に「義理」の意味を説明する企てをしなかったのも無理はない、彼ら自身の日本語辞書でさえも満足にこの語の定義を下すことができないのだから。ある日本語辞書の説明によれば、義理とは、「正しき筋道。人のふみ行なうべき道。世間への申し訳に、不本意ながらすること」である。こんな説明では、西欧人には、なんのことだかよくわからないが、「不本意」という言葉が「義務」との相違点を示している。「義務」とは、ある人に対していかに多くの困難な要求をするにしても、少なくとも、身近な肉親の世界の中で、また彼の祖国、彼の生活様式、彼の愛国心の象徴である天皇に対して負っている一群の義務である。それは生まれ落ちると同時に結ばれる強力な絆のゆえに、人びとが当然果たさねばならない義務である。それに服するためになさねばならない特定の行為が、どんなに気の進まないものであろうと、「義務」が「不本意なもの」と定義されることはけっしてない。ところが、「義理を返すこと」は不愉快なことだらけである。債務者となることの困難さは「義理の世界」においてその極限に達する。

「義理」は二つの全く異なる部類に分けられる。私が「世間に対する義理」——文字通りには「義理を返すこと」——と呼ぶところのものは、同輩に「恩」を返す義務であり、「名に対する義理」と呼ぶのは、だいたいドイツ人の「名誉」のようなものであって、自分の名と名声とを他人からそしりを受けて汚さないようにする義務である。「義務」が生まれ落ちると同時に生じる親密な義務の履行であると感じられているのに対して、世間に対する「義理」は、おおざっぱにいえば、契約関係の履行ということができる。だから、「義理」は法律上の家族に対して負っている一切の義務を含み、「義務」は直接の家族に対して負っている一切の義務を含む。法律上の父は「義理」の父と呼ばれ、法律上の母は「義理」の母、法律上の兄弟および姉妹は、それぞれ「義理」の兄弟、「義理」の姉妹と呼ばれる。この呼称は、配偶者の血族、および血族の配偶者のいずれにも用いられる。結婚は日本においては、むろん家と家との間の契約であって、生涯相手方の家に対して、これらの契約義務を遂行することが、「義理を果たすこと」とされている。「義理」は、この契約を取りきめた世代――親――に対する「義理」が最も重い。なかんずく重いのは、嫁の姑に対する「義理」であって、それは嫁は自分の生家とは違う他家にいって、そこで暮らさねばならないからである。夫の舅姑に対する義務はこれとは異なるが、やはり恐れられている。それは、夫は舅姑が困っている時には金を貸してやらねばならないし、そのほかさまざまの、契約にもとづく責任を果たさなければならないからである。ある日本人が言ったように、「成人して息子が彼自身の母親のためにいろいろなことをしてやるのは、母親を愛しているからであり、したがってそれは義理ではありえない、心から行なう行為は、義理を果たすことではない」。しかしながら、人は義理の家族に対する義務を几帳面に果たす。それは、どんな犠牲を払ってでも、あの「義理を知らない人間」という、恐ろしい非難を避けなければならないからである。

この義理の家族に対する義務について、日本人がどんなふうに感じているかということは、婦人と同じような仕方で結婚する「婿養子」の場合にまことに明瞭にうかがわれる。女の子ばかりで男の子のない家では、親はその家名を絶やさないために、娘の一人のために婿を選ぶ。婿養子の名は生家の戸籍面から抹消され、彼の義父の名をなのる。彼は妻の家庭にはいり、「義理の上」で舅姑に服従する。そして死ねば養家の墓地に葬られる。こういうところはすべて、通常の結婚における婦人の場合と全く同じである。娘に婿養子を迎える理由は、ただたんに自分の家に男の子がいないからというだけでない場合がある。しばしばそれは双方の利益を図るための取引として行なわれる。これがいわゆる「政略結婚」である。女の家は貧乏ではあるが、家柄がよく、男の方は持参金を持ってゆくが、その代わりに階級的階層制における地位が上昇するというような場合がある。また、女の家が富裕であって婿の教育費を出す能力があり、婿はこの恩恵を受ける代わりに生家を離れて妻の家にはいる契約をすることがある。また、女の父親がこうして彼の会社の将来の共同経営者を得る場合もある。いずれにせよ、婿養子の「義理」は特に重い。それはそのはずであって、日本では自分の名を変えて他家の籍にはいるということは大変なことである。封建時代の日本では、たとえそれが自分の実父を殺すことを意味していても、戦いのさいには養父の側に味方して、自分が新しい家の一員であることを立証せねばならなかった。近代日本においては、婿養子をともなう「政略結婚」は、この強力な「義理」の強制力をよりどころとして、日本人が設けうる最も重い拘束力をもって、青年を舅の事業もしくは養家の運命に縛りつける。特に明治時代には、時としてこのことが双方にとって有利なことがあった。しかしながら、婿養子になることに対する嫌悪の情は、通常はげしいものであって、よく日本人の口にのぼる諺に、

「米が三合〔こぬか三合〕（約一パイント）あれば婿養子になるな」というのがある。日本人はこの嫌悪は「義理のゆえ」であると言う。彼らは、もしアメリカに同じような習慣があったとしたならば、おそらくアメリカ人はそう言うと思われるが、「一人前の男らしくふるまえないから」とは言わない。とにかく、「義理」はつらいもの、「不本意」なものである。そこで「義理のゆえに」という表現は、日本人にとっては、わずらわしい関係を言い表わすのに十分な言葉なのである。

「義理」は法律上の家族に対する義務だけではない。伯父伯母や甥姪に対する義務でさえ同じ範疇にはいる。日本ではこのような比較的近い親類に対する義務ですら孝行（コー）と同列に扱われないという事実は、日本と中国との家族関係について見られる大きな差異の一つをなすものである。中国では多くのこのような親類、それから、これよりもはるかに遠い親類も、共同の資源から分け前を受ける。ところが、日本では、これらの人びとは、「義理」の、すなわち、「契約上」の親類である。日本人は、これらの人びとが援助を求める人間に対して、前に一度も自ら恩恵（オン）を施したことのない場合がよくある、という事実を指摘する。これらの人びとを援助するのは、共通の祖先から受けた「恩」を返すのである。自分の子供の世話をすることもまた、これと同じ動機にもとづくのであるが、この方はむろん「義務」とされるのに反して、動機は同じであっても、これらの比較的縁の遠い親類に対する援助は「義理」とみなされている。これらの人びとに援助を与える時には、義理の家族を援助する場合と同じように、「義理にからまれる」と言う。

大多数の日本人が義理の家族との関係にすら優先すると考えている、重大な伝統的な「義理」関係は、武士の主君および同僚に対する関係である。それは名誉を生命とする人間が、彼の長上ならびに彼と階級を同じくする同輩に対して負う忠節である。この「義理」の義務は数多くの伝統的文芸作品の中でほめたたえられている。それは武士の徳と同一視されている。昔、まだ徳川氏による国内統一の実現されなかった以前の日本では、それはしばしば当時、将軍に対する義務とされていた「忠」にもまさる、大きな、また大切な徳と考えられていた。十二世紀に、源氏の将軍が大名の一人に対してその大名がかくまっている敵領主を引き渡すことを要求したおりに、その大名は返事を書いた。その手紙が今もなお保存されている。彼は彼の「義理」に難癖をつけられたことをはげしく憤り、たとえ「忠」の名においてであろうとも、「義理」に背くことを拒絶した。彼は次のように書いている。「公事は余の如何ともなしがたき（事柄である）。しかしながら、名誉を重んずる武士同士の義理は、永遠にかわらぬ真理である」、したがって将軍の権力を超越するもの、というのである。彼は「尊敬する友人に対する信義を裏切ること」を拒絶した。* この、往時の日本の、他の何物にもまさる武士の徳は、今日、日本国中どこでも知られており、潤色されて、能楽や歌舞伎劇や神楽舞踊となっている、多数の歴史的伝説に充満している。

* Kanichi Asakawa, *Documents of Iriki*, 1929 の引用による。

これらの物語の中で最も有名なものは、あの巨大な無敵の〝ローニン〟〔浪人〕（主君をもたず、自分の才能をよりどころとして生活する武士）、十二世紀の豪傑弁慶の物語である。

驚くべき力のほかには、なにひとつ頼みとするものをもたぬ弁慶は、僧院に身を寄せて僧侶たちをふるえあがらせる。そして、刀をあつめ、それを封建時代ふうの身支度をととのえる費用にするために、道行く武士をかたっぱしから斬り倒す。最後に彼は、彼の眼にはほんの小僧っ子に見えた、華奢《きやしや》でおしゃれな貴公子に挑みかかる。ところが、これがなかなか彼の手に負えない手ごわい相手であることを知る。そして、その青年が、将軍の地位を自分の一門に回復しようと企てている、源氏の裔であることを発見する。この青年こそ、日本人の寵愛措かざる英雄源義経である。弁慶はこの義経に熱烈な「義理」を捧げ、義経のためかずかずの手柄を立てる。しかしながら、最後に彼らは家来とともに圧倒的な敵の勢力から逃げなければならなくなる。一行は寺院建立の寄附を集めるために、日本国中を遍歴して歩く山伏姿に身をやつす。そして露見を防ぐために、義経は一行と同じ服装をしてその一人になりすまし、弁慶は先達を装う。彼らは彼らのゆくてに敵が配置した監視隊にぶつかる。弁慶は一同のために長い寺院建立のための「寄進者」の名簿を捏造し、それを手に持った巻物から読み上げるふりをする。敵はすんでのことに彼らを通そうとする。ところが最後の瞬間に、敵は、下賤なものに身をやつしてはいるが、どうしても隠しきれない義経の貴族的な気品を見て疑いを起こす。彼らは一行を呼び戻す。弁慶はとっさに、義経が受けた嫌疑を完全に晴らす手段を取る。彼は些細なことにかこつけて義経を口汚く罵り、顔を打つ。敵はすっかり得心する。もしこの山伏が義経ならば、家来の一人がそれに向かって手をあげるということがあろうはずはないからである。それはとうてい考えることのできない「義理」の違反である。弁慶の不敬な行為がこの小さな一隊の生命を救う。一同が安全なところに来るやいなや、弁慶は義経の足もとに身を投げ出し、彼を殺すように頼む。彼の主君は慈悲深く赦してやる。

このような、「義理」が心からのものであり、いささかも嫌悪の念に汚されていなかった時代の古い物語は、近代日本が夢みる黄金時代の白昼夢である。これらの物語が日本人に告げるところによれば、当時は「義理」には少しも「不本意」なところはなかった。もしそれが「忠」と衝突すれば、人は堂々と「義理」に忠実であることができた。当時の「義理」は、あらゆる封建的装飾で装われた、愛される、直接的な関係であった。「義理を知る」ということは、生涯主君に忠節を尽くすということであった。そして主君はその代わりに家来の面倒をみた。「義理を返す」ということは、なにもかも一切世話になっている主君に、生命をも捧げるということであった。

これはもちろん幻想である。日本の封建時代の歴史は、敵側の大名にその忠誠を買収された多くの武士のあったことを語っている。さらに重要なことは、次の章で述べるように、主君が家臣になにか恥辱を与えた時には、家臣は当然、またしきたりとして仕官をやめ、また敵とよしみを通じることさえあった。日本人は復讐の主題を、不惜身命の忠節と同じように喜びもてはやす。そしてこの両者はともに「義理」であった。忠節は主君に対する「義理」であり、侮辱に対する復讐はわが名に対する「義理」であった。日本ではこの二つは同一の楯の両面であった。

それにもかかわらず、昔の忠誠の物語は今日の日本人の楽しい白昼夢となっている。というのは、現在では、「義理を返す」ことは、もはや自分の正当な首領に対する忠誠ではなくて、あらゆる種類の人びとに対する、あらゆる種類の義務を履行することであるからである。今日たえず用いられる表現は、嫌悪と、自分の意志に反して「義理」を行なうことを強制する世論の圧力の強調とに満たされている。彼らは、「全く義理でこの縁談を取りきめているのだ」とか、「全く義理であの男を採用せねばならなかった」とか、「全く義理であの人に会わなければならない」とか言う。彼らはたえず、「義理にからまれる」と言うが、この表現は辞書では、'I am obliged to it'〔やむをえずせねばならない〕と訳されている。彼らは、「あの男に義理で強いられた」とか、「あの男に義理で迫られた」とか言う。これらの慣用句は他の慣用句とひとしく、誰かが、この言葉を口にする人に対して、前にこれこれの「恩」を施してやったことがあるのだから、当然その恩返しをすべきだと言って、その人の欲しない、または、するつもりのないことを無理やりにさせたことを意味する。農村において、小商店の取引において、上層の財閥の社会において、日本の内閣において、人びとは「義理に強いられ」、「義理に迫られる」。求婚者が将来自分の義父となるべき人に、両家の間の古くからの関係、もしくは、取引を楯に取ってそうする場合もある。また、ある人が農民の土地を手に入れるために、この同じ武器を用いることもある。義理に「迫られた」人間は、どうしてもそれに応じないわけにはゆかないと感じる。彼は、「恩人（私が恩を受けた人）の肩を持たなければ、世間から義理知らずだとそしられる」と言う。これらの語法はすべて、不本意ながら、また、和英辞典が言っているように、'for mere decency's sake'〔ただ世間態を繕うために〕義理を果たす、という意味を含んでいる。

「義理」の規則は、厳密に、どうしても果たさなければならない返済の規則である。それはモーセの十戒のような一連の道徳的規則ではない。「義理」に強いられた時には、場合によっては、自分の正義感を無視せねばならぬこともあるというふうに考えられている。日本人はしばしば、「私は義理のために、正義(ギ)を行なうことができなかった」と言う。また、「義理」の規則は、隣人を自分と同じように愛するということとも、なんの関係ももたない。日本人は、人が真心から自発的に寛大な行為をすることを要求しない。彼らは、人が「義理」を果たさなければならないのは、「もしそうしなければ、人びとから『義理を知らぬ人間』と呼ばれ、世人の前で恥をかくことになるからである」、と言う。「義理」にどうしても従わなければならないのは、世間の取り沙汰が恐ろしいからである。事実、「世間に対する義理」はしばしば英語では、'conformity to public opinion'〔世論に従うこと〕と訳される。また辞書には、「世間への義理だからいたし方がない」が、'people will not accept any other course of action'〔世人はこれ以外のやり方を承認しないであろう〕と訳されている。

借りた金の返済に関するアメリカの掟との比較が、日本人の態度を理解するうえに最も役立つのは、この「義理の世界」においてである。われわれアメリカ人は、人から手紙を貰ったとか、贈物を贈られたとか、時宜に適した言葉をかけられたとかいって、利息の支払いや、銀行からの借入金の返済の場合に必要な厳格さをもって、その恩義を返さなければならないとは考えない。こういう金銭上の取引においては、破産が支払い不能に対する刑罰である。それはたいへんきびしい刑罰である。ところで、日本人はある人が「義理」を返すことができない場合には、その人は破産したとみなす。しかも、人生におけるあらゆる接触が、必ずなんらかの「義理」を招来する。このことは、アメリカ人が義務を招来するなどということは毛頭考えずに気軽に振りまき歩く、些細な言葉や行ないを、いちいち帳面につけておくことを意味する。それは複雑な世の中を、たえず油断なく心をくばりながら歩いてゆくことを意味する。

日本人の世間への「義理」の観念と、アメリカ人の借金返済の観念との間には、もう一つの類似点がある。「義理」の返済は正確な等量の返済と考えられている。この点において、「義理」は、「義務」と全然異なっている。「義務」は、たとえどんなことをしたところでとうてい完全には、いな、完全に近い程度においてさえも返しきれないものである。ところが、「義理」は無際限ではない。アメリカ人にはもとの恩恵に対して返済が奇怪なほど均衡を失していると思われるが、日本人はそんなふうには見ない。われわれはまた、毎年二度、すべての家がなにかある品物を、一定の形式に従って包み、六ヵ月前に受けた贈物の返しとして持っていったり、あるいは、女中の里から女中に雇ってもらっている礼に一年中いろいろなものをつけ届けしたりする日本人の贈答の習慣を奇怪に思う。しかしながら、日本人は相手に貰った贈物よりも大きな贈物を返すことを禁制にしている。アメリカ人のいわゆる

'pure velvet'〔丸儲け、らくらくと手に入った価値あるもの。ここではむろん礼をされる方が丸儲けをするようなもの、の意味〕を返すことは、けっして名誉にはならない。贈物について言うことのできる最もひどい悪口の一つは、贈呈者が「雑魚の礼を鯛(これは大きな魚である)でした*」ということである。義理を返す場合もこれと同じである。

*訳注 「エビでタイを釣る」を指しているのであろうが、ここでもやはり、解釈のずれが見られる。ところで、英語に、これに相当する諺として、「鯨を取るために小魚を投げる」'throw out a minnow to catch a whale' という表現がある。

できれば、それが労力であろうと、品物であろうと、お互いの間の複雑なやりとりの関係を記した記録が作られる。農村ではこれらの記録のあるものは部落長が、あるものは協同労働*の仲間の一人が、あるものは家または個人が保管する。葬式の時には「香奠《こうでん》」を持ってゆくのが習慣になっている。親戚はこのほかさらに葬い用の幟を作る色布を持ち寄ることもある。近所の人びとが手伝いに来、女は台所仕事を、男は墓穴を掘り、棺をつくる仕事をする。須恵村では部落長がこれらの事柄を記録した帳簿を作った。それは死者を出した家の大切な記録であった。その記録を見れば、近隣の人たちからどんな贈物を受けたかということがわかるからであった。それはまた、その家が、他家で誰か死んだ場合に、返しをしなければならない相手の名前を示す名簿でもある。以上は長期の相互義務である。なおこのほかに、村の葬式のさいには、あらゆる種類の祝宴のさいと同じように、短期の相互交換が行なわれる。棺をつくる手伝い人は食事をふるまわれるが、彼らはその食い料の一部として、いくらかの米を喪家に持ってゆく。この米もまた部落の記録の中に記入される。祝宴の時もたいていは、客は宴会の飲み料の一部として、少しずつ酒を持参する。それが出生であろうと死亡であろうと、あるいはまた、田植、普請、懇親会のいずれの場合であっても、「義理」の交換は将来の返済に備えて丹念に記録される。

＊訳注　原著の'work-party'は「ユイ」（地方によっては、「ケイヤク」、「ドウギョウ」などとも呼ぶそうである）の訳語と思われる。「ユイ」というのは、主として農村地域で、田植・屋根葺き・冠婚葬祭等のさいに、互いに労力を交換し助け合うこと、ならびに、そのような関係によって結びつけられている集団を指す。

日本人は「義理」に関して、さらにもう一つ、西欧の借金返済に関する慣例と似かよった慣例をもっている。それは、もし返済が期限よりもおくれると、あたかも利子がつくように、大きくなることである。エクスタイン博士は、彼のために、野口英世の伝記の資料をあつめるために日本へ行く旅費を出してくれた、ある日本の製造業者との交渉にさいして、このことを経験したことを述べている。エクスタイン博士は伝記を書くために帰米した。そしてとうとう書き上げて原稿を日本に送った。ところが一向に受け取りも来なければ、手紙も来ない。博士はもちろん、その書物に書いたことでなにか日本人の気に障ることでもあったのではないかと心配した。そして何度も手紙を出してみたが、やはり返事が来なかった。それから何年かのちに、その製造業者が博士に電話をかけてきた。彼はアメリカに来ていたのである。そして間もなく彼は、日本の桜の樹を何十本も持参して、エクスタイン博士の家を訪れた。その贈物は実に豪勢なものであった。長い間、預りになっていたのだから、当然すばらしいものにせねばならなかったのである。その日本人はエクスタイン博士に向かって、「きっとあなたは、すぐに礼をして貰わなくて、よいことをしたと思っていらっしゃるでしょう」と言った。

「義理に迫られる」人間はしばしば、時のたつにつれて増大した負債の返済を強いられる。たとえば、誰かがある小商人《こあきんど》に、その商人が少年時代に教わった教師の甥であるからという理由で、援助を求めることがある。若いころに、生徒は先生に「義理」を返すことができなかったのであるから、その時から今までに経過した歳月の間に負債はしだいにかさんできている。そして商人はその負債を「世間への申しわけに、不本意ながら」支払わねばならない。

第八章　汚名をすすぐ

名に対する「義理」とは、自分の名声を汚さないようにする義務である。これはさまざまの徳から成り立っている。それらの徳のうちのあるものは、西欧人には相反するものと考えられるが、日本人から見れば、それらの義務はいずれも、ひとから受けた恩恵の返済ではないという点、すなわち「恩の圏外」にあるという点でけっこう統一をもっている。それは、以前に他の人から受けた恩義にかかわりなく、自己の名声を輝かすさまざまの行為である。したがってそれは、「ふさわしい位置」が要求する種々雑多な礼法をことごとく守り、苦痛にのぞんで泰然自若とした態度を示し、専門の職業や技能における自己の名声を擁護することを含んでいる。名に対する「義理」は、また、誹謗もしくは侮辱を取り除く行為を要求する。誹謗は自分の名誉に暗い影を落とすものであるから、どうしても取り除かなければならない。そのために名誉毀損者に対して復讐せねばならないこともあるし、自殺せねばならないこともある。またこの両極端の中間に、さまざまな可能な行動方針がある。しかしながら日本人は、自分の名誉を傷つける事柄を、ただ簡単に顔をしかめるだけで放任してはおかない。

日本人は私がここで「名に対する義理」と名づけている事柄に対して、特別な名前を付けていない。彼らはそれをたんに「恩」の圏外にある「義理」と言うだけである。この点が分類の基礎になっているのであって、世間に対する「義理」が親切を返す義務であり、名に対する「義理」が復讐をその主たる内容としているという事実にもとづいて分けられているのではない。西欧諸語がこの両者を、感謝と復讐という全く相反する範疇に分けている事実は、どうも日本人にはぴったりこない。他人の好意に反応する場合の行動と、他人の軽蔑や悪意に反応する場合の行動とを、どうして一つの徳のもとにひっくるめてはいけないのか。

日本ではそうしているのである。有徳の人は、彼が受けた恩恵のみならず、侮辱についても同様に強く感じる。どちらもそれに報いることが道徳的に立派な行ないである。彼はわれわれのように両者を区別して、一方を侵害行為、もう一方を非侵害行為とは呼ばない。彼の眼から見れば、ある行為が侵害となるのは、それが「義理の世界」の外で行なわれた場合に限るのである。人は「義理」を守り汚名をすすぐ限り、けっして侵害の罪を犯したことにはならない。ただ借りを返して勘定を清算するだけのことである。日本人は、侮辱や誹謗や敗北が報復され、あるいは除去されない限り、「世の中がひっくりかえる」と言う。有徳の人は世の中を再び均衡状態に戻すように努力せねばならない。報復は人間の徳行であって、人間の本質的な弱さにもとづく避けがたい悪徳ではない。ヨーロッパの歴史においても、ある時期には名に対する「義理」が、それが日本において言語的に感謝や忠誠と結びつけられている点をも含めて、西欧人の徳とされた時代があった。それは文芸復興期に、特にイタリアにおいて隆昌を極めた。また最盛期のスペインの el valor Español〔スペイン人の勇気〕

や、ドイツの die Ehre〔名誉〕とも多くの共通点をもっている。百年前までのヨーロッパにおいて行なわれていた決闘の習慣の根底にも、これと非常に似かよった動機が潜んでいた。それが日本であろうと西欧諸国においてであろうと、この自己の名誉の上に加えられた汚点を拭い去る徳が勢力を占めていたところではどこでも、この徳の核心は常に、それが一切の物質的な意味における利得を超越するという点にあった。人はその財産や、家族や、自己の生命を「名誉」のために犠牲にすればするほど徳高き人とされた。この点がこの徳の定義そのものの一部をなすものであり、またこれらの国ぐにが常に提唱する、それは「精神的」価値であるという主張の根底となっている。それはたしかに彼らに多大の物質的損失をもたらすものであって、損得ずくの立場に立てばとうてい是認しがたい事柄である。この点に、このような名誉観と、アメリカ人の生活にときおり現れる劇烈な競争や公然たる敵対との間の、非常にいちじるしい差異がある。アメリカでは、なにかある政治上のまたは経済上の折衝において、保有には少しも制限が設けられていないが、なにかある物質的利益を獲得しもしくは保とうとすれば、それこそ戦争になるような場合がある。名に対する「義理」の範疇に入る名誉の掟が行なわれるのは、たとえばケンタッキー山中の住民間の反目の場合のような、例外的な場合に限られている。

しかしながら、名に対する「義理」と、いかなる文化においてもそれに附随する敵意や、油断なく機会を待ち設ける態度とは、けっしてアジア大陸特有の徳ではない。それはよく言われているように東洋的なものではない。中国人も、シャム人も、インド人もそれをもっていない。中国人は、侮辱や誹謗に対してそのように神経過敏になることを、「小人《しょうじん》」、つまり道徳的に卑小な人間の特徴と考えている。それは日本の場合のように、彼らの高潔さの理想の一部をなすものではない。中国の倫理では、人がなんの理由もなく出しぬけに始める場合には不法とみなされる暴力が、侮辱の返報として用いる場合には正しい行ないとなる、というようなことはない。彼らはそんなに神経を尖らせるのは少々滑稽だと考える。彼らはまた、人から悪しざまに言われた時に、神かけてその誹謗のいわれなきことを証明しようと決心するようなこともない。シャム人には侮辱に対するこのような敏感さは全然見られない。彼らは中国人と同じように、誹謗者を愚弄することを好むが、自分たちの名誉が攻撃されたとは考えない。彼らは、「相手が人でなしであることを暴露する最上の方法は、相手に負けておくことである」と言っている。

名に対する「義理」の完全な意義は、日本においてその中に含められているさまざまの非攻撃的な徳をすべて考慮の中に入れるのでなければ、とうてい理解することはできない。復讐は名に対する「義理」が時によって要求する一つの徳であるにすぎない。名に対する「義理」の中には、復讐のほかに、多くの物静かな穏やかな行動が含まれている。体面を重んずる日本人に要求されるストイシズム、あるいは自制は、彼の名に対する「義理」の一部分である。女は分娩の際に大声を立ててはならず、男は苦痛や危険に超然としていなくてはならない。洪水が日本の村に押し寄せてくる時、体面を重んずる人びとはめいめい、携えてゆく必要な品物を取りまとめて高い土地に向かってゆく。そこには叫喚も、右往左往も、狼狽もない。秋分前後の雨風が猛烈な嵐となって襲来する時にも、同じような自制が認められる。そのような態度は、たとえ完全にそれを実現することができない場合があるにしたところで、日本人のおのおのがもっている自尊心の一部分をなすものである。彼らは、アメリカ人の自尊心は自制を要求しないと考えている。日本人のこの自制にはノブレス・オブリージュ(noblesse oblige)〔身分の高くなるにしたがって責任の重くなること〕的なところがあり、したがって封建時代においては庶民よりも武士に多く要求された。しかしながらこの徳は、武士ほどきびしいものでなかったにしても、すべての階級に通じる生活原理であった。武士が極端なまでに肉体的苦痛を超越することを要求されたとすれば、庶民もまた極端に従順に武器を携える武士の攻撃を甘受せねばならなかった。

武士のストイシズムについては、かずかずの有名な物語が伝えられている。彼らは飢えに屈服することを禁じられていたが、しかしこれはわざわざ言及する必要もないくらいに当りまえのことであった。彼らは餓死に瀕している時でも、たった今、食事を終えたばかり、というようなふりをすることを命じられていた。彼らは楊枝で歯をほじくらねばならなかった。「雛鳥は餌を求めて鳴くが、武士は口に楊枝をくわえる」という格言が行なわれていた。今度の戦争ではこれが下士卒に対する軍の格言となった。また彼らは苦痛に負けてはならなかった。日本人の態度は、ナポレオンに「傷を受けたのか、ですって。いいえ、陛下、私はもう殺されているのです」と答えた、あの少年兵の応答に似たものであった。武士は死にいたるまで少しも苦悶の様子を示してはならず、眉一つ動かさずに苦痛を堪え忍ばねばならなかった。これは一八九九年〔明治三十二年〕に逝去した勝伯爵〔海舟〕の話であるが、彼は子供のころに犬に睾丸を食い切られた。彼は武士の家柄であったが、彼の家は赤貧洗うような状態にあった。医者が手術をしている間中、彼の父親は彼の鼻先に刀を突きつけていた。父親は彼に向かって、「一声でも泣き声を出してみろ。せめて武士として恥ずかしくない死に方をさせてやるから」と言った。

名に対する「義理」はまた身分に応じた生活をすることを要求する。人がもしこの「義理」を欠けば、彼は自らを尊敬する権利を失う。このことは徳川時代においては、各人が身に着け、所有し、あるいは使用するものを、ほとんどなにからなにまでいちいち細かに規定した奢侈取締令を、自己の自尊の一部として受諾することを意味していた。アメリカ人は、こういう事柄を世襲の階級的地位によって規定するような法律には、ひじょうなショックを受ける。アメリカでは自尊は自己の地位を向上することと結びついている。したがって、固定した節倹令はわれわれの社会の根底そのものを否定するものである。われわれはある階級の農民は子供にこれこれの人形を買ってやってよろしい、他の階級の農民は別な人形を買わなくてはいけない、というようなことを規定した徳川時代の法律に慄然とする。しかしながら、アメリカでは、われわれはほかの掟にもとづいて同じ結果を収めている。われわれは工場主の子供が電気列車のセットを持ち、小作農の子供がトウモロコシの芯で作った人形で満足している事実を、無批判に承認している。われわれは収入の差異を承認し、その差異を当然と考えている。よい月給を取るということがわれわれの自尊の体系の一部分になっている。人形の種類が収入によって制約されていても、それはけっしてわれわれの道徳観念に違反しない。金持ちになった人間が上等な人形を子供に買ってやるのである。日本では金持ちになることはなにかうしろめたいこととされているが、自分にふさわしい位置を守ることは立派なこととされている。今日でも富者はもとより貧者もまた、階層制の慣例を遵奉することによってその自尊心を保っている。これはアメリカには見られない徳であって、フランス人ド・トクヴィルは、一八三〇年代に、前に挙げた書物の中でこの点を指摘した。十八世紀のフランスに生まれたド・トクヴィルは、平等の原則の上に立つアメリカに対して寛大な論評を加えているにもかかわらず、貴族制度的な生活をよく知っており、また愛していた。彼の言によれば、アメリカはいろいろのすぐれた道徳的美点をもってはいるが、真の尊厳を欠いている。「真の尊厳とは、常に高すぎもせず、低すぎもしない、身分にちょうどふさわしい地位を占めることである。そしてこのことは、王侯であろうと、農民であろうと、何人《なんぴと》にも可能な事柄である」。ド・トクヴィルならば、階級の差別はそれ自体においてはけっして不面目なものではない、とする日本人の態度を理解しえたであろう。

諸民族の文化の客観的研究の行なわれる今日においては、「真の尊厳」は民族の異なるにしたがって異なったふうにその内容を規定しうるものであって、それはあたかも、彼らが常に不面目な事柄の内容をそれぞれ独特の仕方で規定しているのと同じであることが認められている。今日アメリカ人の中には日本人に自尊心を与えるためには、どうしてもアメリカ流の平等主義の原則を採用せしめなければならないと叫ぶ人びとがいるが、それは民族的自己中心主義の誤謬を犯すものである。もしこれらのアメリカ人の欲するところが、彼らの言う通りに、日本人に自尊心をもたせることであるとするならば、彼らは日本人の自尊心の根底を見きわめねばならないであろう。われわれはかつてド・トクヴィルが認めたように、このような貴族制度的な「真の尊厳」が近代世界から消滅しつつあること、そして別な、それよりもすぐれた――とわれわれは信ずるのであるが――尊厳がその代わりに出現しつつあることを認めることができる。日本においてもまた必ずそうなることであろう。だが、まだそこまで達しない今日においては、日本はわれわれの基礎の上にではなく、日本自身の基礎の上にその自尊心を再建せねばならないであろう。そしてそれを日本独特の方法によって純化してゆかなければならないであろう。

名に対する「義理」はまた、ふさわしい地位にもとづく責務以外の多種多様な責務を遂行することである。金を借りる人間が、借金のかたに、名に対する「義理」を質に置くことがある。二、三十年前まではそれを、「万一、金額を弁済しなかった節は、公衆の面前で笑いものにされても異存はない」というふうに言い表わすのが普通であった。ただ実際は、金を返すことができなくとも、文字通りに笑いものにされることはなかった。日本には人前で曝しものにする制度がなかったから。しかしながら、借りをすっかり返してしまわなければならない日限である正月がやってくると、支払い不能の債務者は「名を汚さぬ」ために自殺することがあった。現在でも大晦日《おおみそか》には、自分の名声を救うためにこの手段を取った自殺者が続出する。

あらゆる種類の職業上の責務も、名に対する「義理」をともなう。特別な事情によってだれかが衆人環視の的となり、多くの人びとの非難をうけるはめになった場合には、日本人はしばしば途方もない要求をすることがある。たとえば、自分の学校の火災によって――失火の責任は全然ないのだが――どの学校にも掲げてある天皇の写真が危険に瀕したという理由で自殺した校長がたくさんいる。教師の中にもまた、この写真を救い出すために燃えさかる校舎の中に飛び込んで焼け死んだ人びとが大勢いる。これらの人びとは死ぬことによって、彼らが名に対する「義理」と天皇に対する「忠」とをいかに重視しているかということを証明したのである。また、教育勅語か軍人勅諭か、どちらか一方の勅語を奉読している最中に読み損ないをし、自殺を遂げることによって汚名をすすいだ人びとに関する有名な話が伝えられている。現在の天皇の治世においても、ついうっかり自分の息子に「裕仁」という名を付けたために――日本では天皇の名はけっして口にされることがなかった――その子供とともに自殺した人があった。

専門家としての名に対する「義理」は日本では非常にきびしいものであるが、かならずしもそれはアメリカ人が高度の専門的能力として理解しているものによって維持される必要はない。教師は、「教師という名の手前、義理にもそれを知らないとはいえない」と言う。この言葉の意味は、もし彼がカエルが何という種に属するかということを知らなくても、知ったふりをせねばならないというのである。もしその教師がわずか数年、学校で教わっただけの知識を頼りにして英語を教えているのだとしても、彼は誰かが自分の間違いを訂正しうるということを、認めるわけにはゆかない。「教師としての名に対する義理」が指し示すのは、特にこの種の自己防御の態度である。実業家もまた実業家としての名に対する「義理」から、彼の資産が涸渇して危機に瀕しているとか、彼が自分の会社のために立てた計画がうまくゆかなかったということを何びとにもさとられてはならない。また外交官は「義理」にも自分の外交方針の失敗を認めるわけにはゆかない。以上の「義理」の用法のすべてに共通し、人間と仕事の極端な同一視が見られる。そしてある人の行為もしくは能力に対する批判は、自動的にその人間そのものに対する批判となる。

これらの、失敗や無能の汚名に対する日本人の反応と全く同じ態度が、アメリカにおいてもたびたび見受けられる。われわれは皆ひとから悪しざまに言われると狂気のようになって怒る人びとのいることを知っている。しかしながらわれわれアメリカ人は日本人のように自己防御に汲々《きゅうきゅう》とすることは稀れである。もし教師がカエルがどの種に属するかを知らなければ、たとえ自分の無知を隠したい誘惑に負ける場合があるにしても、彼は知ったかぶりをするよりは、正直に知らないという方が立派な態度であると考える。実業家は、もし前にやらせてみた方針が思わしくなければ、新しい、別な指令を出せばよいと考える。彼は今まで自分のやってきたことは正しかったのだと言い張らなければ自尊心が保てないとは考えない。またもし自分の誤りを認めれば、辞職するか隠退するかしなければならないとも考えない。ところが日本ではこの自己防御ということが非常に深く根をおろしている。そこで、ある人に面と向かって、彼が職業上の過失をおかしたということをあまり言わないようにすることが、一般に行なわれている礼儀でもあり、また賢明な人のとる態度とされている。

このような神経過敏さは、人と競争して負けた場合に特に顕著に現れる。それは就職のさいに自分以外の人が採用されたとか、あるいはまた、当人が競争試験に落第したにすぎないことがある。敗者はそのような失敗のために「恥をかく」。そしてこの恥は、発奮の強い刺激になる場合もあるが、多くの場合は危険な意気消沈を引き起こす原因となる。彼は自信を失い、憂鬱になるか、腹を立てるかどちらか、あるいは同時にこの両方の状態におちいる。彼の努力は阻害される。アメリカ人にとって特に重要なのは、かように競争は日本において は、われわれ自身の生活機構の中で収めていると同程度の社会的に望ましい効果を収めないということを認識することである。われわれは競争を「よいこと」としておおいに頼りにする。心理的テストは、競争がわれわれを刺激して最良の努力をなさしめるものであることを証明している。この刺激のある場合には作業能率は上昇する。われわれはたった一人でやる仕事を授けられた時には、競争者のある場合に挙げる成績に達しない。ところが日本では、テストの結果は正にその反対の事実を示している。このことは特に少年期を過ぎた後の時期においていちじるしい。日本の子供たちは競争を遊び半分に考えており、たいして気にかけない。ところが、青年や成人の場合には、競争があると作業能率がぐんと低下した。単独でしている時には良好な進歩を示し、しだいに間違いの数も減り、速度も増していった被験者が、競争相手といっしょにさせると、間違いだし、速度もはるかに遅くなった。彼らは彼らの進歩を、彼ら自身の成績と比較しつつ測定する時に、最も良好な成績を挙げた。ところが、他人と比較測定する場合にはそうはゆかなかった。この実験を行なった数人の日本人学者は、競争状態に置かれた場合にどうしてこのように成績が悪くなるか、という理由を正しく分析している。彼らの説明によれば、問題を競争でやるようになると、被験者たちは負けるかもしれないという危険にすっかり心を奪われ、仕事の方がお留守になってしまう。彼らはあまりにも鋭敏に、競争を外から自分に加えられる攻撃と感じる。そこで彼らは、彼らが従事している仕事に専念する代わりに、その注意を自分と攻撃者との関係に向けるのであった。*

* このテストの概要については、*The Japanese: Character and Morale*（謄写版刷）を参照すること。これは Ladislas Farago が Committee for National Morale（9East 89th Street, New York 所在）のために作成したもの。

このテストを受けた学生たちは、失敗した場合の恥辱の予想によって、最も強い影響を蒙る傾向を示した。教師や実業家がそれぞれの専門家としての名誉に対する「義理」に従って行動するように、彼らは学生としての彼らの名に対する「義理」の命ずるままに行動するのである。試合に負けた学生チームもまた、この失敗の恥辱にかられて随分極端な行動をとった。ボート選手はボートに乗ったまま、オールの傍らに身を投げ出して悲嘆にくれた。野球の試合に負けたチームはひとかたまりになり、おいおい声をあげて泣いた。アメリカでならばわれわれは、なんという負けぶりの悪いやつらだ、と言うことであろう。われわれの作法では、敗者は当然、やはり力の優ったチームが勝ったのだ、と言うものと期待されている。

敗者は勝者と握手するのが礼儀になっている。どんなに負けることがいやだとしても、負けたからといって泣いたり喚いたりするような人間をわれわれは軽蔑する。

日本人は従来、常になにかしら巧妙な方法を工夫して、極力直接的競争を避けるようにしてきた。日本の小学校では競争の機会を、アメリカ人にはとうてい考えられないほど、最小限にとどめている。日本の教師たちは、児童はめいめい自分の成績をよくするように教えられねばならない、自分をほかの児童と比較する機会を与えてはならない、という指示を受けている。日本の小学校では、生徒を落第させてもとの学年をもう一度やらせるということはしない。いっしょに入学した児童は、小学教育の全課程をいっしょに受け、いっしょに卒業してゆく。成績通知表に示されている小学児童の成績順位は操行点を基準とするものであって、学業成績によるものではない。中学校の入学試験の場合のように、どうしても本当の競争状態が避けられない時には、子供たちの緊張ぶりはむろん非常なものである。どの教師も不合格になったことを知って自殺を企てる少年の話を知っている。

この直接的競争を最小限にとどめる努力は、日本人の生活のあらゆる面にゆきわたっている。アメリカ人の無上命法は同輩との競争において良い成績を挙げることであるが、「恩」に立脚する倫理には競争を容れる余地はごくわずかしかない。それぞれの階級の遵守すべき規則を細かに定めている日本の階層制度全体が、直接的競争を最小限度にとどめている。家族制度もまた、それを最小限度に制限している。というのは、制度上、父と息子とは、アメリカのように、競争関係に置かれていないからである。彼らは互いに斥けあうことはあっても、競争するということはありえない。日本人は、父親と息子とが競争で自家用自動車を使用し、競争で母親もしくは妻の注意をひきあうアメリカ人の家庭を見て、驚き呆れた調子でそれに論評を加える。

どんなところにも姿を現す仲介者の制度は、日本人が互いに競争しあう二人の人間が直接顔を合わせることを防ぐ顕著な方法の一つである。もし失敗すれば恥を感じるような場合にはいつでも中間者が必要とされる。したがって仲介者は、縁談、求職、退職、無数の日常的事務の取りきめなど、よろずの場合に斡旋の任に当たる。この仲介者が当事者の双方に相手の意向を伝える。あるいはまた、結婚のような重要な取引においては、双方ともそれぞれ自分の側の仲介者を頼む。そして仲介者同士で細かな折衝をすませてから、それぞれ自分の側に報告する。このように間接に取引を行なうことによって当事者は、もし直接に話しあえば、名に対する「義理」の手前、どうしても腹を立てずにはいられないような要求や非難を知らずにすむ。仲介者もまた、このような晴の役目を果たすことによって信望を得、斡旋《あっせん》に成功すれば社会の尊敬を博する。仲介者は話をうまくまとめることに自分の面目をかけているので、なおのこと無事に協定が成立する機会が多い。仲介者は同じようにして、就職の世話を頼みにきた者のために雇傭者の意向を探り、あるいはまた、勤め人の退職の意志を雇傭者に伝達する役目を果たす。

恥をひき起こし、名に対する「義理」が問題となるような事態を避けるために、あらゆる種類の礼法が組み立てられている。かようにして最小限に食い止められているこれらの事態は、たんに直接的競争の場合だけでなく、それよりもはるかに広い範囲に及んでいる。日本人の考えによれば、客を迎える時には衣服をあらため、一定の礼式をもって迎えねばならない。したがって、農民の家を訪問した場合に、農民が仕事着を着たままでいる時には、しばらく待っていなければならない。農民は適当な着物を着、適当な儀礼をととのえるまでは知らぬ顔をしている。それは主人が、客が待たされている部屋の中で着替えをしなければならない場合でも同じことである。ちゃんと身仕度をするまでは、彼は全くその場にいないことになっているのである。田舎ではまた、夜、家族のものが寝静まり、娘が床に入った後に、青年が娘を訪れる風習がある。娘は青年の言い寄りを受け容れることもあり、はねつけることもあるが、青年は手ぬぐいで頬被りをし、たとえ拒絶されても翌日、恥を感じなくともすむようにする。この変装は娘に誰であるかを悟られぬためではない。それは例の砂に頭を突っこむ駝鳥の流儀であって、後で、辱めを受けたのは自分だ、と認めなくてはならないようなはめにおちいらないための手段にほかならない。日本人の作法はまた、どんな計画でも、成功が確実になるまでは、できるだけ人に気づかれないようにすることを要求する。結婚の媒酌人の任務の一つは、契約が完了する前に将来の花嫁と花婿とを引き合わせることであるが、この会合を偶然の会合に見せかけるためにあらゆる手段が講じられる。もし紹介の目的がこの段階で明らかにされたとすれば、万一、破談になった場合には、どちらか一方の家、あるいは双方の家の名誉を傷つけることになるからである。若い男女にはそれぞれ父親か母親かのどちらか、あるいは両親が揃って付き添い、媒酌人は主人役を務めなければならない。したがって一番好都合なやり方は、年中行事の菊の展覧会や花見の機会に、あるいは著名な公園や娯楽場で、偶然一同が「落ち合った」態に仕組むことである。

以上のような方法によって、またこのほかさまざまの方法を講じて、日本人は失敗が恥辱を招くような機会を避ける。彼らは人から侮辱を受けた汚名をすすぐ義務を非常に強調するのであるが、実際にはこのことが彼らをして、できるだけ侮辱を感じる機会が少なくなるように事柄を処理せしめるのである。この点は、日本とほぼ同じように汚名をすすぐということに重きを置く太平洋諸島の多くの部族とくらべて、いちじるしく異なっている点である。

これらの園芸を生業とするニューギニアおよびメラネシアの未開諸民族の間では、どうしても腹を立てなければならないような侮辱が、部族ならびに個人の行動をひき起こす主動力になっている。部族の祝宴を催すときにも、この主動力を発動させなければ行なわれない。そのやり方は、ある村が他の村に向かって、お前たちは貧乏で、たった十人の客にご馳走できない、お前たちは、けちん坊でタロ芋や椰子《やし》の実を匿《かく》している、お前たちの指導者たちは間抜けだから、やろうとしても宴会ができまい、といった調子でさんざん罵倒する。すると挑戦された村は、豪勢な誇示と歓待とで、来会者一同のどぎもを抜くことによって、その汚名をすすぐのである。縁談や経済上の取引も同様にして行なわれる。これから戦いをするというときも同じであって、敵味方とも、弓に矢をつがえる前に、すさまじい悪口のやりとりをする。彼らはどんな些細なことでも、まるで死闘をせねばならない場合であるかのように取りあつかう。それは有力な行動の動機であって、そのような部族はしばしば多大の生活力をもっている。しかし、これらの部族を礼儀正しい民族と言った人はいまだかつてない。

日本人はこれに反して、礼儀正しさの模範である。そしてこのような顕著な礼儀正しさは、彼らが汚名をすすがなければならないような機会をいかに極端に制限しているかを測る尺度となる。彼らは依然として、侮辱がひき起こす憤りを成功の無二の刺激としているが、しかしそれを必要とする事態を制限している。それは特定の場合にのみ、もしくは、それを取り除く伝統的手段がなにかの力に妨げられて挫折した場合にのみ起こるべきものである。この刺激の利用が、日本が極東において獲得することのできた支配的地位、ならびに最近十年間の対英米戦政策に貢献したことは疑いのない事実である。しかしながら、日本人の侮辱に対する敏感さと熾烈な復讐心を説く西欧人の議論の多くは、日本よりも、ニューギニアのあの何事によらず侮辱を利用する部族に適切に当てはまるのである。そして今度の戦争に敗れた後に日本の取る行動についての西欧人の予測の多くが全く的はずれであったのは、日本人が名の「義理」に対して加えている特殊な制限を認識していなかったからである。

日本人はたしかに礼儀正しい国民であるが、だからといってアメリカ人は、誹謗に対する彼らの敏感さを軽視してはならない。アメリカ人がきわめて気軽に悪口のやりとりをする。それは一種の遊戯のようなものである。われわれには日本人はどうしてあんなに、なんでもない言葉を恐ろしく深刻に受け取るのか理解しがたい。英文で書き、アメリカで出版されたその自叙伝の中で、日本人画家マキノ・ヨシオは、彼が嘲笑と解釈した事柄に対する、いかにも日本人らしい反応を生き生きと描写している。この本を書くまで、彼は成人になってからの生活の大部分をアメリカとヨーロッパとで過ごしてきたのであるが、彼はこの事件をまるで故郷の愛知県の田舎町にいるかのように強烈に感じた。彼は相当な身分の地主の末子であって、楽しい家庭でこのうえない寵愛を受けて育った。そろそろ幼年期が終わろうとするころになって、母が死に、その後間もなく父が破産して、負債を支払うために財産をすっかり売り払ってしまった。一家は離散した。そしてマキノは自分の野心の実現を助けるべき一銭の金も持たなかった。その野心の一つは英語を学ぶことであった。彼は附近のミッション・スクールに身を寄せ、英語を学ぶために門番の仕事をした。十八歳になった時、彼はまだそれまでに二、三の田舎町の範囲以外のところに行ったことがなかったのであるが、アメリカに行く決心をした。

私は誰よりも一番信頼していた宣教師の一人を訪れた。私はその宣教師に渡米したい旨を打ち明けた。おそらくなにか有益な知識を授けてくれるであろうと思ったからである。ところが非常に失望したことには、その宣教師は、「なんだって、お前がアメリカへ行きたいんだって」と叫んだ。同じ部屋に宣教師の妻君も居合わせたが、二人でいっしょになって私を嘲笑した。その瞬間、私は頭の中の血が全部、足まで下がってゆくように感じた。私は二、三秒間、黙って同じ場所に突っ立っていた。それから「さよなら」も言わずに私の部屋に戻ってきた。私は「万事はこれでおしまいだ」と独言を言った。

翌朝、私は逃げ出した。さてここでちょっとその理由を書いておきたい。私は常に、この世における最大の罪は不誠実であると信じている。しかも嘲笑ほど不誠実なものはほかにない。

私は常に相手の怒を許す。つい腹を立ててしまうのが人間の本性であるからである。人が私に嘘をついた時にはたいていは許してやる。人間の性質はきわめて弱く、困難にまともに向かい、ことごとく真実を語るだけのしっかりした心をもつことのできない場合が非常に多いからである。私はまた、人が私について根も葉もない噂をしたり、陰口をたたいた場合にも許してやる。それは誰かほかの人たちにそんなふうに思いこまされると、まことに容易におちいる誘惑であるからである。

殺人者でさえ、事情によっては許してやってもよい。しかしながら嘲笑だけは、全然弁解の余地がない。なぜならば、故意の不誠実なくしては、罪のない人間を嘲笑することはできないからである。

私はあなたがたに二つの語の私なりの定義を聴いていただきたい。殺人者――それは誰かある人間の肉体を殺害する人間である。嘲笑者――それは他人の魂と心とを殺害する人間である。

魂と心とは肉体よりもはるかに貴いものである。したがって嘲笑は最悪の罪である。実際、あの宣教師夫婦は私の魂と心とを殺害しようとしたのだ。私は心に非常な痛みを感じた。そして私の心は、「なぜ『お前が』と言うのか」と叫んだ。*

* Makino Yoshio, *When I was a Child*, 1912, pp. 159-160. 傍点は原文でイタリックの個所。

翌朝、彼は持物全部をふろしきに包んで立ち去った。

彼はその宣教師が、一文無しの田舎の少年が、画家になるために渡米するということに対して取った、不信の態度によって「殺害された」と感じた。彼の名が彼がその目的を遂行しないうちはとうてい拭い消すことのできない汚点を蒙った。宣教師から「嘲笑」された以上、その土地を立ち去り、この通り立派にアメリカに行く能力があるのだぞということを見せる以外に彼には道がなかったのである。彼は‘insincerity’〔不誠実〕という英語を使って、宣教師を非難しているが、われわれにはこれは奇妙に感じられる。われわれには、そのアメリカ人の驚きは、われわれがその語を理解している意味では、全く‘sincere’な〔誠実な、正直な〕ものと思われるからである。しかしながら、彼はこの語を日本人的な意味で使っているのである。日本人はいつでも、べつだん相手に喧嘩を売りつけるつもりもないくせに、ひとをさげすむ人間は誠意をもたない人間であると考える。そのような嘲りは全くいわれのないものであって、それは「不誠実」の証拠である。

「殺人者でさえ、事情によっては許してやってもよい。しかしながら嘲笑だけは、全然弁解の余地がない」。「許す」ことが正しい態度でない以上、誹謗に対処する唯一の可能な道は復讐である。マキノは渡米することによってその汚名をすすいだのであるが、復讐は、ひとから侮辱や敗北を蒙った場合には、「よいこと」として、日本の伝統の中で高い地位を占めている。西欧人の読者を目当てにして書物を書いている日本人は、ときおり生彩に富む譬喩《ひゆ》を用いて、日本人の復讐に対する態度を描いている。日本における最も博愛心に富む人間の一人であった新渡戸《にとべ》稲造《いなぞう》は、一九〇〇年に著した書物の中で次のように述べている。「復讐にはなにかわれわれの正義感を満足させるものがある。われわれの復讐の観念はわれわれの数学的能力と同様に厳密なものであって、方程式の両辺が満足されないうちは、われわれはまだなにかし残したことがあるような感じがしてならない」*。岡倉由三郎《おかくらよしさぶろう》は、『日本の生活と思想』と題する著書の中で、復讐を日本独特の一つの習慣と比較して次のように述べている。

日本人のいわゆる心的特異性の多くは、きれい好きと、それと表裏一体の、けがれを忌む態度とに起因する。全くそれ以外に説明のしようがない。実際、われわれは、家の名誉や国民的誇りに加えられた侮辱を、申し開きによって完全に洗い浄めるのでなければ、もと通りすっかりきれいになり、またなおりきることのない、けがれや傷とみなすようにしつけられているのである。日本の公私の生活においてあれほどしばしば見受けられる復讐の事例は、きれい好きがこうじて潔癖になっている国民が行なう朝湯のようなものにほかならない、とお考えになってさしつかえない**。

そして彼はさらに語を続けて、このようにして日本人は「満開の桜のようにはればれと美しく見える、清らかな、けがれのない生活を送る」、と述べている。言いかえれば、この「朝湯」が他人があなたに投げつけた泥を洗い落とすのであって、少しでも泥がこびりついている間は、あなたは立派な人間とはいえないのである。日本人は、人は自分で辱められたと考えるのでなければ辱められるということはありえないこと、また、人を汚辱するのは「当人から出てくるもの」だけであって、他人がその人に向かって言ったり行なったりすることではない、ということを教える倫理をもち合わせていない。

* Nitobe, Inazo, *Busnido:The Soul of Japan*, 1900, p. 83.

** Okakura, Yoshisaburo, *The Life and Thought of Japan*, London, 1913, p. 17.

日本の伝統はたえず一般民衆の前に、この復讐の「朝湯」の理想をかかげる。数知れぬ事件や英雄物語――その中で最も人気のあるのは『四十七士』の物語である――が誰にでも知られている。これらの物語は学校の教科書で読まれ、劇場で上演され、現代映画に仕組まれ、通俗出版物として刊行されている。それらは今日の日本の生きた文化の一部分となっている。

これらの物語の多くは、偶然の失敗に対する過敏さに関するものである。たとえば、ある大名が三人の家臣にある名刀の作者を当てさせた。三人の意見はまちまちであった。そこで、その道の専門家を呼んできたところが、その刀を正しく村正と言い当てたのは、名古屋山三ただ一人であることがわかった。鑑定しそこなったほかの二人はそれを侮辱と感じ、山三の生命をつけ狙い始めた。二人の中の一人が、山三の眠っているところを襲い、山三自身の刀で突き刺した。ところが山三は命拾いをした。そこで山三を襲った人間は、その後、一切をなげうって、ひたすら復讐を遂げようとした。ついに最後に、彼は首尾よく山三を殺し、かくて彼の「義理」は果たされた。

他の物語は自分の主君に報復することの必要に関するものである。日本の倫理では、「義理」は家臣の主君に対する終生の忠誠を意味すると同時に、家臣が主君に辱められたと感じた場合に、急にそれが途方もない憎悪に一変することを意味していた。徳川初代の将軍であった家康に関して伝えられている物語の中にそのよい例がみられる。家康の家臣の一人が、家康が彼のことを、「あれは魚の骨をのどに立てて死ぬような男だ」と言ったということを耳にした。武士の顔にかかわるような死に方をするであろうという誹謗《ひぼう》は、とうてい我慢のできないものであった。その家臣はこの恥辱を生涯、いや死んでも忘れまいと誓った。当時、家康は新しく江戸（東京）を首府と定め、そこから国内統一の事業を進めていた時であって、まだ敵は完全に掃蕩《そうとう》されていなかった。その家臣は敵側の諸侯に内通し、内部から江戸に火をかけて焼き払うことを申し出た。そうすることによって彼の「義理」は果たされ、家康に仕返しをしたことになると思ったのである。日本人の忠誠に関する西欧人の議論の大部分が全くの空論であるのは、「義理」がたんに忠誠であるにとどまらず、ある場合には裏切りを命ずる徳であることを見落としたからである。彼らは「打たれた人間は謀叛する」と言っているが、侮辱を受けた人間も同様である。

歴史物語に見られるこの二つのテーマ――自分が間違っていた場合に正しかった人間に対して復讐することと、たとえ相手が自分の主君であろうと、人に加えられた侮辱に復讐することと――は、日本の最もよく知られている文学の常套主題であって、さまざまな形で述べられている。ところが現代の身の上話や小説や実際の事件を調べてみると、日本人は昔物語の中では復讐をおおいに称揚しているけれども、実際に復讐の行なわれるのは、今日ではたしかに西欧諸国と同じように、いや、ひょっとすれば西欧諸国よりもなおいっそう、稀れになっていることが明らかになる。このことは、前ほどに名誉ということを気にかけなくなったということを意味しない。むしろそれは、失敗や侮辱に対する反応が、攻撃的ではなくて、防御的な場合がますます多くなってきていることを意味する。日本人はあいかわらず深刻に恥辱を感じるが、そのために争いを始める代わりに、自分の活動力を麻痺せしめられる場合が、ますます多くなってきている。復讐の目的で直接攻撃を加えることは、法律の行なわれていなかった明治以前の時代の方が可能性が多かった。近代になってからは、法と秩序と、昔よりもずっと相互依存的になった経済生活を営んでゆくことの困難さとのために、復讐は隠密なものになるか、あるいは自分自身の胸に向けられるようになってきた。あの仇に糞を食わせた古い話のようなぐあいに、こっそり黙って敵にたちの悪いいたずらをしかけることによって、ひそかに復讐を遂げることがある。その話の主人公は、敵に見つけられないように上手にご馳走の中に糞を入れて出し、相手が気がつくかどうかうかがっていた。客は全然気がつかなかった。しかしながら、この種の隠密な攻撃でさえ今日では攻撃を自分自身に向ける場合よりも稀れになっている。攻撃を内に向ける際に二つの道がある。すなわち、それを「不可能」の実現に自分を駆り立てる刺激として利用するか、あるいはそのためにすっかり心を蝕まれてしまうか、いずれかである。

日本人は失敗や誹謗や擯斥《ひんせき》のために傷つきやすく、したがってあまりにも容易に、他人を悩ます代わりに自分自身を悩ましがちである。日本の小説の中には、最近数十年間、教養ある日本人が非常にしばしば我を忘れて怒りを爆発させるかと思うと、逆に極端な憂鬱におちいったことが、くり返し描かれている。これらの小説の主要人物は倦怠している。日々の生活に倦怠し、家庭に倦怠し、都会に倦怠し、田舎に倦怠している。しかしながらそれは、心眼に描かれている偉大な目標に比べれば一切の努力がつまらなく見える、あの高遠な理想世界に達しようとする倦怠ではない。それは現実と理想とのはなはだしい食い違いから生まれる倦怠ではない。日本人は重大な使命を幻に描くとき倦怠を失う。彼らはその目標がいかに遠くとも、倦怠を完全に、あとかたもなく失う。このような日本人特有の倦怠は、過度に傷つきやすい国民の病気である。彼らは擯斥の恐怖を内攻せしめ、その恐怖に妨げられて手も足も出なくなる。日本の小説の中に描かれている倦怠は、現実世界と理想世界との間のはなはだしい相違が主人公の経験するあらゆる倦怠の基礎となっている、あのロシア小説においてわれわれになじみの深い倦怠とは、まるで異なった心的状態である。サー・ジョージ・サンソムはかつて、日本人にこの現実と理想の対立に関する感覚が欠けていることを述べたことがあるが、それは日本人の倦怠の根底を説明するためではなくて、日本人がいかなる哲学をもち、人生に対するいかなる一般的態度をもっているかを説明するためであった。たしかに、西欧人の根本思想との間に見られるこのはなはだしい相違は、ここで問題にしている特殊な場合を越え、それよりもはるかに広汎な範囲に及ぶものであるが、しかし、それは日本人のややもすればおちいりがちな抑鬱と特に深い関連をもっている。日本人はロシア人と並んで、その小説の中で好んで倦怠を描く国民であって、この点、アメリカ人といちじるしい対照を示している。アメリカの小説家はあまりこのテーマを取り扱わない。アメリカの小説家は作中人物の不幸を性格的欠陥、もしくは無慈悲な世の荒浪によるものと考え、その原因を追求するが、純然たる倦怠を描写することはきわめて稀れである。ある人間が周囲とうまくそりを合わせてゆくことのできないことを書く時には、詳しくその原因を書きたて、読者が主人公の性格のなにかある欠点、もしくは社会秩序の中に存するなにかある害悪に対して道徳的非難を浴びせかけるようにしむけなければならない。日本にもプロレタリア小説があって、都市における悲惨な経済状態や、漁船の上で起こる恐ろしい出来事に対して抗議をしているが、しかし日本の性格小説は人びとの感情がたいていの場合、ある著者が述べているように、まるで風のまにまにただよう毒ガスのように湧き起こる世界を暴露している。作中人物も、また作家も、その暗雲の原因をつきとめるために、周囲の事情を分析したり、主人公の経歴を分析したりする必要を認めない。それは気まぐれに去来する。彼らは傷つきやすい。彼らは昔の物語の主人公が敵に対して加えた攻撃を内に向けているのである。そして彼らの憂鬱は彼らには別にこれといった原因がないように思われる。憂鬱の原因としてなにかある事件を捉える場合もなくはないが、その事件はたんに象徴であるにすぎないという奇妙な印象を残す。

現代の日本人が自分自身に対して行なう最も極端な攻撃的行為は自殺である。彼らの信条に従えば、自殺は、もし適当な方法によって行なうならば、自分の汚名をすすぎ、死後の評判を回復する。アメリカ人は自殺を罪悪視しているからして、アメリカでは自殺は絶望への自暴自棄的な屈服にすぎないが、自殺を尊敬する日本人の間では、それは明確な目的をもって行なう立派な行為になりうる。ある場合には自殺が、名に対する「義理」からいって当然選ぶべき、最も立派な行動方針とされる。元旦に負債を返済できない債務者、なにかある不運な出来事の責任を引いて自殺する官吏、しょせん成就の見込みのない恋愛を心中によって成就する恋人、政府の対中国戦争遷延策に死をもって抗議する憂国の志士などはいずれも、試験に落第した少年や捕虜になることを避ける兵士と同じように、最後の暴力を自分自身に向けるのである。二、三の日本人はその著書において、この自殺の傾向は日本では新しいものであると述べている。はたしてその通りかどうか、容易に断定はできないが、統計は近年の観察者がややもすればその頻度数を過大視しがちであったことを示している。前世紀のデンマークや、ナチ以前のドイツの方が、日本のどの時代よりも自殺の数が多かった。しかしながらただ一つ、たしかなことは、日本人は自殺のテーマを愛好するということである。日本人はアメリカ人が犯罪を書きたてると同じようにさかんに自殺のことを書きたて、アメリカ人が犯罪に感じると同じ身代わりの喜びを自殺に対して感じる。彼らは他人を殺害する事件よりも、自分を殺す事件を話題にのぼすことを好む。彼らはそれを、ベイコンの言い方にならって言えば、彼らの大好きな‘flagrant case’〔由々しき事件〕にしている。それは他の行為を論ずることによっては満たされない、なにかある必要を満たすのである。

さらにまた、自殺は近代日本においては、封建時代の歴史物語の中に出てくる自殺にくらべて、もっとマゾヒズム的〔自虐的〕になっている。これらの物語に伝えられている侍は、不名誉な処刑から身を守るために、公儀の命により自らの手で自殺を遂げた。それは西欧で敵国の軍人が絞首刑よりも銃殺を望み、あるいはまた、敵の手中におちいった場合に当然受けると思われる拷問を免れるために、自分の手で自分を射殺するのと同じである。武士が〝ハラキリ〟を許されたのはまた、罪に問われ名誉を失墜したプロシアの将校が、ときおりひそかにピストル自殺をすることを許されたのと同じである。プロシア将校の場合には、当局者は、彼がもはやそれ以外に名誉を守る望みがなくなったと悟った時、彼の居室のテーブルの上に、一瓶のウイスキーとピストルとを載せておくのであった。日本の武士の場合もその通りであって、そのような事情で自ら命を絶つのは、たんに手段の選択にすぎなかった。人はどのみち死は免れぬ運命であった。ところが近代においては、自殺は死の選択である。人はしばしば誰かほかの人を殺害する代わりに、暴力を自分自身に向ける。封建時代には勇気と決断との最後の表明であった自殺行為が、今日では自ら選んだ自己破滅になっている。最近五、六十年間の日本人は、「世の中がひっくりかえる」と感じた時、「方程式の両辺」が合わないと感じた時、またけがれを洗い落とすために「朝湯」が必要であると感じた時に、他人を滅ぼす代わりに、ますます多く自らを滅ぼすようになってきている。

自分の側に勝利を獲得するための最後の論拠として用いられる自殺――これは封建時代だけでなく現代でも行なわれるが――でさえ、右と同じ方向に変化してきている。徳川時代の有名な物語に、幕府の顧問官として高位を占めていた年老いた将軍傅育《ふいく》役が、肌を露出して抜身を当てがい、いつでも腹を切るという構えで、顧問官一同ならびに将軍職代行者を前にして自説を主張した話がある。この自殺の威嚇はみごとに功を奏し、彼はそれによって自分の推挙した候補者に将軍職を継がせることができた。彼は首尾よく目的を達したので結局、自殺はしなかった。西欧流に言えば、この傅育役は反対派を脅喝したのである。ところが現代では、このような抗議のための自殺はかけひきではなくて、主義に殉ずる行為である。それがなにかある目的の達成に失敗したのちに、あるいはまた、すでに締結された協定、たとえば、海軍軍備縮小条約に反対したものとして名を記録に留めるために行なわれる。それは自殺の威嚇ではなしに、実際に決行することによって、世論に影響を及ぼすために演ぜられる。

かように、名に対する「義理」が脅かされた場合に、攻撃を自分に向ける傾向がしだいに強くなりつつあるが、だからといってかならずしも常に自殺というような極端な手段を取るとは限らない。内側に向けられた攻撃がたんに憂鬱と無気力、かつて有識階級の一般的風潮であったあの日本人独特の倦怠を生み出すにすぎない場合がある。どうしてこのような気分が特にこの階級の間に広くひろまったかというと、それには十分な社会学的理由が存する。すなわち、インテリゲンチアは過剰になっており、階層制の中で彼らが占めていた位置はきわめて不安定なものであった。彼らの中でその野望を満足させることのできたものはごくわずかしかいなかった。さらに一九三〇年代には、当局がインテリ階級を「危険思想」の保持者として疑いの眼で眺めたために、彼らは二重に心を傷つけられた。日本の知識人たちは彼らの抑鬱を、日本の欧化が招来した混乱によるものとし、その混乱をかこつのが常であるが、この説明はあまりたいして役に立たない。日本人特有の気分の激変は熱烈な献身から極端な倦怠に移り変わることであって、多くの知識人が遭遇した心理的難破は、伝統的な日本人流儀によるものであった。一九三〇年代の中ごろに彼らの多くがそれから免れた方法もまた、伝統的なものであった。彼らは国家主義的目標を抱き、攻撃を自分自身の胸から転じて再び外へ向けたのである。外国に対する全体主義的侵略の中に、彼らは再び「自らを見いだす」ことができた。彼らは不愉快な気分から免れ、自己のうちに大きな新しい力を感じた。彼らは個人的な関係においてはそうはできなかったが、征服国民としてそうすることができると信じた。

ところが今度の戦争の結果がこの信念の誤っていたことを立証した現在、再び無気力が日本における大きな心理的脅威となっている。彼らは、彼らの意図がどうあろうと、なかなかそうたやすくこの気分を克服することができない。それは非常に深く根をおろしている。以下は東京で一日本人が語った言葉であるが、彼はこう言っている。「もう爆弾が落ちてくる心配がなくなって、ほんとにほっとした。ところが戦争がすむと、まるで目的がなくなってしまった。みんなぼうっとしていて、物事をうわのそらでやっている。私がその通り、私の家内がその通り、国民全体が入院患者のようだ。われわれはみな、なにをするにものろのろとやり、茫然としている。人びとは現在政府の戦争の後片づけや救済事業が遅々として進まないと言って不平を鳴らしているが、私はそれは、役人連中もみんなわれわれと同じ気持ちにおちいったからだと思う」。この日本人の虚脱状態は解放後のフランスにおいて見られたのと同じ種類の危険である。降伏後、最初の六ヵ月ないし八ヵ月間のドイツではそれは問題にならなかった。日本では問題になっている。そしてアメリカ人にはこのような反応は十分理解できる。ところが、われわれにとってほとんど信じがたく思われるのは、このような態度と並んで、戦勝国に対して日本人があのような親善ぶりを示していることである。戦争が終わるとほとんど同時に、日本人が非常な好意をもって敗戦にともなう一切の結果を受け容れていることが明らかになった。アメリカ人はおじぎと笑顔で迎えられ、手を振り歓迎された。これらの人びとは不機嫌でもなく、怒ってもいなかった。彼らは、天皇が降伏を告げる詔書の中で用いた表現を用いて言えば、「堪《た》ヘ難《がた》キヲ堪ヘ忍《しの》ヒ難キヲ忍」んだのであった。だとすれば、なぜこれらの人びとは国内を整理する仕事に取りかからないのか。占領の条件のうちに彼らはそれをする機会を与えられた。すなわち、村ごとに外国軍隊に占領されるということなく、行政権は彼らの手に残されたのである。彼らは国民こぞって自分のなすべき仕事をそっちのけにして、ひたすら連合国軍歓迎の意を表するために、笑顔をつくり手を振ることに専念しているように見えた。しかもこの国民こそ、明治初年に国家再興のかずかずの奇跡を成し遂げ、一九三〇年代にあのような精力を傾けて軍事的征服の準備をととのえ、その兵士が太平洋のいたる所で島ごとにあのように勇猛果敢に戦った国民であった。

実際、日本人は少しも変わっていない。彼らはいかにも日本人らしい反応を示しているのである。猛烈な努力と、全くの足踏み状態である無気力との間を、大きく気分が揺れ動くのが日本人生来の性質である。日本人は目下のところ戦敗国としてその名誉を擁護することにもっぱら意を注いでいる。そして連合国に対して友好的態度を取ることによってその目的を達しうると考えている。その必然的帰結として、多くの日本人は何事によらずあなたまかせの態度を取ることが目的達成の最も安全な道であると考えている。こういう考えから、なにをしてみたところでどうせ駄目なんだからしばらく足踏みして形勢を観望する方がましだ、という考えに移行するのはまことに容易なことである。無気力は広がってゆく。

しかしながら日本人はけっして無気力をたのしまない。「無気力から立ち上がり」、「他の人びとを無気力から立ち上がらせる」ということが、日本においてたえず用いられる、よりよき生活をうながす呼びかけであって、戦時中にもラジオ放送者がしばしば口にした言葉である。彼らはいかにも彼ららしいやり方で無為無気力と戦う。一九四六年春の日本新聞は、「世界中の眼がわれわれの上に注がれているのに」、いまだに爆撃の跡片づけもできていず、ある種の公益事業が活動を停止しているのは、なんという日本の面汚しであろう、というような事をたえず論じている。また、夜停車場に集まってきてごろ寝をし、そのみじめな姿をアメリカ人の眼の前にさらす浮浪者の家族の無気力を非難する。日本人にはこのような、彼らの名誉心に訴える批評はよく理解することができる。彼らはまた、将来ふたたび国民全体として、国際連合の中で重要な位置を獲得するために最大の努力を傾けることができるようになりたいと願っている。それはやはり名誉のために努力することになるのであって、ただ方向が新しい方向に変わるだけである。将来もし大国間の平和が実現されれば、日本はこの自尊心回復の道をたどることができるであろう。

日本人の恒久不変の目標は名誉である。他人の尊敬を博するということが必要欠くべからざる要件である。その目的のために用いる手段は、その場の事情の命ずるままに取り上げ、かつ捨て去る道具である。事態が変化すれば、日本人は態度を一変し、新しい進路に向かって歩みだすことができる。日本人は態度変更を、西欧人のように、道徳問題とは考えない。われわれは「主義」に熱中し、イデオロギー上の事柄に関する信念に熱中する。われわれはたとえ敗れても、依然として前と同じ考えを抱き続ける。戦いに敗れたヨーロッパ人は、どの国においても、徒党を組んで地下運動を行なった。少数の頑強な抵抗者を除いて、日本人はアメリカ占領軍に対し不服従運動をしたり、地下潜行的反対をしたりする必要を認めない。彼らは古い主義を固守する道徳的必要を感じない。占領の当初から、アメリカ人は単独で、すし詰めの列車に乗って日本の辺鄙《へんぴ》な片田舎へ旅行してもなんの危険も感じず、かつては国家主義で凝り固まっていた役人に丁重な礼をもって迎えられた。今までに一度も復讐が行なわれたことはなかった。われわれのジープが村を通り抜ける時には、道ばたに子供たちが立ち並んで、「ハロー」、「グット・バイ」と叫ぶ。そして自分で手を振ることのできない小さな赤ん坊の場合には、母親がその手を持って、アメリカ兵に向かって振ってやる。

敗戦後の日本人のこの百八十度の転向は、アメリカ人にはなかなか額面通りには受け取りにくい。それはわれわれにはとうていできないことである。それはわれわれにとっては、収容所における日本人俘虜の態度の変化よりもさらにいっそう理解しにくい。というのは、俘虜は、自分たちは日本にとっては死んだ者とみなしていた。そこでわれわれは、「死んだ」人間がなにをしでかすか実際わかったものではない、と考えていたからである。日本通の西欧人の中で、俘虜の表面的性格の変化と同じ変化が敗戦後の日本にも起こるであろう、と予言した人はほとんどいなかった。彼らはたいていは、日本は「勝利か、しからずんば敗北か、ということしか知らない」、そして敗戦は日本人の眼には執拗な死物狂いの暴力によって報復すべき侮辱と映ずるであろう、と信じていた。ある人びとは、日本人はその国民性から見て、いかなる講和条件をも受諾すまいと信じていた。これらの日本研究者たちは「義理」を理解していなかったのである。彼らは名声を獲得するさまざまの二者択一的手順の中から、ただ一つ、復讐と攻撃という顕著な伝統的手段のみを選び出した。彼らは日本人の、もう一つ別の方針を取る習慣を考慮の中に入れなかった。彼らは日本人の攻撃の倫理と、ヨーロッパ人の方式とを混同した。後者によれば、いかなる個人もまた国民も、およそ戦う場合には、まず最初にその主義主張が永遠に正しいものであることを確認し、胸中に蓄積された憎悪もしくは道徳的憤りから力を得てこねばならないとされている。

日本人はその侵略の根拠を他のところに求める。彼らはぜひとも世界の人びとから尊敬を受けることを必要とする。彼らは大国が尊敬をかちえたのは武力によってであったことを見てとり、これらの国ぐにに匹敵する国になる方針を取った。彼らは資源に乏しく、技術も幼稚であったので、西欧諸国そこのけの悪辣な手段を用いねばならなかった。彼らは非常な努力を傾注したにもかかわらずついに失敗したのであるが、それは彼らにとっては、結局、侵略は名誉に到る道ではなかったということを意味した。「義理」は常に侵略行為の行使と、敬譲関係の遵守とをひとしく意味していた。そして敗戦にさいして日本人は、明らかに自分自身に心理的暴力を加えるという意識を全然もたずに、前者から後者へ方向を転じた。目標は今なお依然として名声を博することである。

日本はその歴史上の他のかずかずの場合においても同様にふるまってきた。そしてそれは常に西欧人を当惑させるものであった。長い間の日本の封建的孤立が今まさに終わりを告げ、近代日本の幕が開かれようとする一八六二年に、リチャードソンという英国人が薩摩で＊殺害された。薩摩藩は攘夷運動の温床であって、薩摩武士は日本中で最も傲慢《ごうまん》な、かつ最も好戦的な人間として知られていた。英国は膺懲《ようちょう》のために遠征軍を派遣し、薩摩藩の重要な港である鹿児島を砲撃した。日本人は徳川時代を通じてずっと火器を製作していたが、それは旧式のポルトガル砲を模倣したものであった。したがってむろん、鹿児島は英国軍艦の敵ではなかった。ところが、この砲撃は意外な結果をもたらした。薩摩藩は英国に対する永遠の復讐を誓う代わりに、かえって英国の友誼《ゆうぎ》を求めた。まのあたりに敵の強大さを見た彼らは、敵の教えを乞おうとした。彼らは英国と通商関係を結び、翌年には薩摩に学校〔開成所〕を設立した。当時の一日本人の書いているところによれば、この学校では、「西欧の学術の奥儀《おうぎ》が教えられた。（中略）生麦事件を機縁として生じた友好関係はますます深まっていった」＊＊。生麦事件というのは、英国の薩摩膺懲と鹿児島港砲撃のことであった。

＊訳注　生麦を薩摩にあると思い違いをしているのである。
＊＊　E・H・ノーマン、前掲書、四四〜四五頁〔邦訳　八五頁〕、及び同書、注　八五〔邦訳　九四頁〕。

これはけっして孤立した事例ではなかった。最も好戦的な、かつ最も猛烈な外国人嫌いという点で薩摩とせり合っていた、今一つの藩は長州藩であった。この薩長両藩が王政復古の機運醸成の指導者となったのである。さて、公的には権力をもたない朝廷が、将軍は一八六三年五月十一日を期して、日本の国土から一切の夷狄を追い払うべし、という勅命を発した。幕府はこの命令を無視したが、長州藩は無視しなかった。長州藩はその沖合を航行し、下関海峡を通過する西欧の商船めがけて、要塞から砲火を浴びせかけた。日本の大砲や弾薬はまことに幼稚なものであったから外国船に損害はなかったが、長州藩を懲らしめるために、西欧諸国は連合して艦隊を送り、またたくまに要塞を粉砕してしまった。砲撃は薩摩藩の場合と同じ奇妙な結果をもたらした。しかも、西欧諸国が三百万ドルの賠償金を要求したにもかかわらず、そうなったのである。薩摩事件ならびに長州事件に関して、ノーマンは次のように述べている。「攘夷の急先鋒であったこれらの藩が行なった豹変の背後に、どういう複雑な動機が潜んでいたにせよ、この行動が証拠立てている現実主義と平静さとには、敬意を表さざるをえない」＊。

＊　前掲書、四五頁〔邦訳　八五頁〕。

このような、機を見、変に応ずることに敏捷な現実主義は、日本人の名に対する「義理」の明るい面である。月と同じように、「義理」には明るい面と暗い面とがある。日本をしてアメリカの排日法や海軍軍縮条約をはなはだしい国辱と感ぜしめ、ついに彼らをあのような不幸な戦争計画にかりたてたのはその暗い面であった。一九四五年に、降伏のさまざまな結果を好意をもって受け容れることを可能ならしめたのは、その明るい面である。日本はあいかわらず日本独特の仕方で行動しているのである。

近代の日本の著述家ならびに評論家たちはさまざまな「義理」の義務の中から、あるものだけを選び出し、それを西欧人に〝ブシドー〟、すなわち、文字通りには、「武士の道」として示してきた。これはいくつかの理由で、誤解を招くおそれがあった。武士道という名称は近代になってはじめて現れた公認の表現であって、「義理に迫られる」とか、「全く義理で」とか、「熱心に義理のために尽くす」というような表現が日本においてもっている、根強い民族的感情をその背後にもっていない。またそれは、「義理」の複雑さと多義とを包括していない。それは評論家の創作である。さらにこの語は国家主義者、軍国主義者のスローガンにされたために、これらの指導者たちの信望が地を払うとともに、武士道の概念もまた、不信の眼で見られるようになっている。このことはけっして日本人は今後もはや「義理を知る」ことをやめる、ということを意味するものではない。むしろ今日ほど西欧人にとって、日本における「義理」の意味を理解することが重要な時はない。武士道と武士階級との同一視もまた、誤解のもとであった。「義理」はすべての階級に共通した徳である。日本の他のすべての義務や規律と同じように、「義理」は身分が高くなるにしたがって「次第に重く」なりはするが、しかしそれは身分の高下を問わず、すべての階層に要求される。少なくとも日本人は、武士は誰よりも重い「義理」を負わされていると考えている。日本人以外の観察者はちょうどそれと反対に、「義理」は庶民に対して最も大きな犠牲を要求する、というふうに考えがちである。というのは、外国人には、「義理」を守ることによって得られる報いは、庶民の方が少ないように思われるからである。日本人から見れば、自分の属している世界で尊敬されれば、それでもう十分な報いである。そして「義理を知らぬ人間」は今もなお、「見下げはてた人間」とされる。彼は仲間からさげすまれ、つまはじきされる。

第九章　人情の世界

　日本の道徳律のように、あれほど極端な義務の返済と、徹底した自己放棄とを要求する道徳律は、当然首尾一貫して個人的欲望に、人間の胸中から除去すべき罪悪という烙印をおしていそうに思われる。古典仏教の教えがそうである。したがって、日本の道徳律があのように寛大に五官の快楽を許容しているのは、二重に意外な感じがする。日本は世界有数の仏教国の一つであるにもかかわらず、その倫理はこの点で、ゴータマ・ブッダ〔釈迦〕ならびに仏教経典の教えといちじるしい対照をなしている。日本人は自己の欲望の満足を罪悪とは考えない。彼らはピューリタンではない。彼らは肉体的快楽をよいもの、涵養《かんよう》に値するものと考えている。快楽は追求され尊重される。しかしながら、快楽は一定の限界内にとどめておかなければならない。快楽は人生の重大な事柄の領域に侵入してはならない。

　このような道徳律は生活をいちじるしく緊張した状態に置く。インド人は、日本人のように官能的快楽を容認すれば、勢いそういう結果にならざるをえないことを、アメリカ人よりもはるかに容易に理解することができる。アメリカ人は快楽というものはわざわざ学ばなければならないものとは思っていない。アメリカ人から見れば、人が官能的快楽に耽ることを拒むのは、べつに学ぶ必要のない既知の誘惑に打ち勝つことである。ところが日本では快楽は、義務と同じように学ばれる。多くの文化においては、快楽そのものが教えられるということはない。したがって、人びとが自己犠牲を必要とする義務に献身することが特に容易になっている。男女間の肉体的牽引でさえ、ときには極度に制限されていて、家庭生活の円滑な進行にほとんどなんの脅威も与えないほどになっている場合もある。それらの国ぐにの家庭生活は、男女間の愛情とは全く別な基礎の上に置かれているのである。日本人は肉体的快楽をわざわざ涵養しておきながら、その後でせっかくこうして涵養した快楽を、厳粛な生活様式としてはそれに耽ってはならないものとして禁止する道徳律を設けることによって、人生を困難なものにしている。彼らは肉体的快楽をあたかも芸術のように練磨する。それから、快楽の味が十分味わえるようになった時に、それを義務のために犠牲にする。

日本人の最も好むささやかな肉体的快楽の一つは温浴である。どんなに貧乏な農民でも、またどんなに賤しい僕《しもべ》でも、富裕な貴族と全くかわりなく、毎日夕方に、非常に熱く沸かした湯につかることを日課の一つにしている。最もありふれた浴槽は木製の桶で、その下に炭火を燃して湯を華氏一一〇度またはそれ以上の温度に保つ。人びとは湯槽《ゆぶね》にはいる前に身体中をすっかり洗い清める。それから湯につかって温かさとくつろぎの楽しみに身をゆだねる。彼らは湯槽の中に胎児のような姿勢で両膝を立てて坐り、顎まで湯につかる。彼らが毎日入浴するのは、アメリカと同じように清潔のためでもあるが、なおそのほかに、世界の他の国ぐにの入浴の習慣には類例を見いだすことの困難な、一種の受動的な耽溺の芸術としての価値を置いている。この価値は、彼らの言によれば、年を取るにしたがってしだいに増大してゆく。

　湯をたてる経費と労力とを節減するために、さまざまな方法が工夫されているが、とにかく日本人はなんとかして湯にはいらずにはいられない。都市や町には水泳プールのような大きな公衆浴場があり、そこへ行って湯につかり、湯の中でたまたまいっしょになった人と交歓することができる。農村では隣り近所の数人の女がかわるがわる中庭で風呂を焚きつけ——日本人は入浴中、ひとに見られても少しも恥ずかしがらない——その女たちの家族が交代で湯にはいる。たとえそれが上流の家庭であっても、家族は常に厳格な順序を守ってつぎつぎに家庭風呂にはいる——まず第一にはお客様、次にお祖父さん、次に父親、次に長男、以下しだいに下って、最後はその家の一番下の召使いという順に。彼らは海老のようにまっかにゆだって湯から出てくる。そして一家団欒して、一日のうちで最もうちくつろいだ夕食前のひとときを楽しむ。

　温浴がこのように非常に珍重される楽しみであるように、「鍛錬」もまたその中に伝統的に、まことに法外な冷水浴の習慣を含んでいた。この習慣はしばしば「寒稽古《かんげいこ》」または「水垢離《みずごり》」という名で呼ばれ、今日もなお行なわれているが、昔の伝統的な形とは異なってきている。昔は夜明け前に出かけていって、身を切るように冷たい谷川の滝の下に坐り込まなければならなかった。寒中の夜、暖房のない日本家屋の中で、氷のような冷水を身体に注ぎかけるだけでも、なみなみならぬ苦行であるが、パーシヴァル・ロウエルは一八九〇年代に行なわれていたこの習慣を記述している。治療もしくは予言の特別な能力を得ようと志す人びと——もっともこれらの人びとは別に、そういう修行をつんだ後で、僧侶や神官になるというのではなかった——は、就寝前に水垢離を行ない、「神がみがみそぎをする」午前二時に再び起きてまたそれを行なった。彼らはさらに、朝起きた時と、正午と、日没時とに同じことをくり返した。* 夜明け前の苦行は、たんに真剣にある楽器の演奏の修行をしたり、なにかある世俗的な職業の準備をするだけの目的のためにも、人びとの特に好んで用いた手段であった。身体を鍛えるために酷寒に身をさらすこともある。習字の練習をする子供たちは、手の指をかじかませ、霜やけにかかりながら、その練習期間を終えることが、特に効果のあることとみなされている。現代の小学校は暖房をしないが、このことは児童の身体を鍛錬し、将来の人生のさまざまな艱難に堪えられるようにするという理由で、非常によいこととされている。西欧人にはそんな効果よりも、この習慣がそれを予防する点ではむろんなんのたしにもならない、児童の絶えざる風邪ひきと洟《はな》たらしの方が、余計に印象に残った。

* Lowell, Percival, *Occult Japan*, 1895, pp. 106-121.

睡眠もまた、日本人の愛好する楽しみである。それは日本人の最も完成された技能の一つである。彼らはどんな姿勢ででも、またわれわれにはとても眠れそうに思われないような状況のもとにおいても、楽々とよく眠る。このことは多くの西欧の日本研究家を驚かせた事柄である。アメリカ人は不眠と精神的緊張とをほとんど同意語と考えている。そしてわれわれの標準からすれば、日本人の性格の中には非常な緊張が見受けられる。ところが彼らにとって熟睡はなんの造作もないことである。彼らはまた夜早く床に就く。東洋諸国の中でこんなに早寝をする国民はちょっとほかには見当たらない。村人たちはみんな、日が暮れるとまもなく寝てしまうが、それは翌日のために精力を蓄えるというわれわれの処世術に従うのではない。彼らはそのような計算はしない。日本人のことをよく知っていたある西欧人は次のように書いている。「日本に行ったならば、今夜の睡眠と休息によって、明日の仕事の準備をすることが義務であるという考えを捨てなければならない。睡眠は疲労回復や、休息、保養などという問題とは切り離して考えねばならない」。睡眠は労力の提供と同様に、「既知の死活にかかわる重大な事実とは全く関係なく、独立」すべきものである。* アメリカ人は睡眠を体力を維持するためにするものと考えることに慣れている。そしてわれわれの大多数のものが、朝目を覚まして第一に考えることは、その晩に何時間眠ったか計算することである。睡眠の長さによって、その日にどれだけの精力を費やし、どれだけの能率をあげえられるかがわかる。日本人が眠るのはそれとは別な理由にもとづく。彼らは睡眠を好み、妨げるものがなければ喜んで寝に就く。

* Watson, W. Petrie, *The Future of Japan*, 1907.

その証拠にまた彼らは容赦なく眠りを犠牲にする。試験準備をする学生は、寝た方が試験を受けるのに有利だという考えに拘束されることなく、夜昼ぶっ通しに勉強する。軍隊教育では、睡眠は全く訓練のために犠牲にすべきものとされている。一九三四年から一九三五年にかけて日本陸軍に所属していたハロルド・ダウド大佐は、手島大尉との対談を伝えている。平時の演習中に、その部隊は「二度、十分間の小休止や、状況が小康を得ているわずかな時間に、ほんの少しとろとろとまどろむだけで、後は全然睡眠を取らずに、三日二晩ぶっ通しの行軍を行なった。兵士たちは時おり歩きながら眠った。ある若い少尉は、ぐっすり眠りこんで、道ばたに積み重ねてあった材木の堆積にもろに衝突し、大笑いになった」。やっと兵営にたどりついた後も、まだ誰一人睡眠の機会を与えられず、兵士たちはみな歩哨勤務や巡視の部署に配属された。「『どうして一部のものに睡眠を取らせないのですか』と私は尋ねた。すると大尉は、『とんでもない、その必要はありません。あいつらは教えなくとも眠ることは知っています。必要なことは眠らない訓練をすることです』と言った」[*]。この話は日本人の見解を簡潔な言葉の中に、遺憾なく伝えている。

* *Infantry Journal* に連載された記事を収録し、ペンギン叢書 Penguin Books の一冊として出版された *How the Jap Army Fights*, 1942, pp. 54-55.

ものを食うこともまた、身体を温めることや眠ることと同じように、楽しみとしておおいに享楽される骨休めであると同時に、鍛錬のために課せられる修行でもある。余暇行事として、日本人は後から後からいくらでも料理の出てくる食事を楽しむ。そのさい、一度に出される料理はほんのティー・スプーン一杯ぐらいのわずかな分量であって、料理は風味だけでなく、外観の点からも賞玩される。しかしながら、そのほかの場合には、訓練ということがおおいに強調される。「早飯早糞ということが、日本人の最高の徳の一つとなっている」、とエクスタインは日本の農民の言葉を引いて言っている[*]。「食事は重要な行為とはみなされていない。（中略）食事は生命を維持するために必要である。ゆえにできるだけ手早く片づけてしまわねばならない。子供たち、なかんずく男の子は、ヨーロッパのように、ゆっくり食うようにと忠告される代わりに、できるだけ早く食うようにせき立てられる」**〔傍点は原著者ベネディクトがイタリックにしているところ――訳者〕。僧侶が訓練を受ける仏教の僧院では、僧侶たちは食前の感謝祈禱の中で、彼らが食物は薬にほかならぬことを思い起こすようにと願う。***その意とするところは、鍛錬中の人間は食物を楽しみとすることをやめ、それをやむをえない必要と考えるべきであるというのである。

* Eckstein, G., *In Peace Japan Breeds War*, 1943, p. 153.

** Nohara, K., *The True Face of Japan*, London, 1936, p. 140.

***訳注　『道元禅師清規』、「赴粥飯法《ふしゆくはんぽう》」の中に次の語がある。「俟《ま》ちて遍槌を聞かば、合掌揖食《しゆうじき》し、次に五観を作《な》す。一《ひとつ》には功の多少を計《はか》り彼の来処を量《はか》る。二《ふたつ》には己が徳行《とくぎょう》の全欠を付《はか》つて供に応ず。三《みつ》には心《しん》を防ぎ過《とが》を離るることは貪等《とんとう》を宗《しゅう》とす。四《よつ》には正に良薬を事とするは形枯《ぎょうこ》を療ぜんが為なり。五《いつつ》には成道の為の故に今此の食を受く」。

日本人の考えに従えば、食いたいのをがまんして食を断つことは、どれくらい「鍛錬」ができているかを知る、特にすぐれた鑑別法である。暖を去り、睡眠を割愛するのと同じように、断食もまた、苦難に堪え、武士と同様に、「楊枝をくわえる」ことができることを示す好機会である。断食を行なってこの試練に堪えたならば、体力は、カロリーやヴィタミンの欠乏によって低下するどころか、逆に精神の勝利によって高められる。日本人はアメリカ人が自明のこととしている栄養と体力との間の一対一の対応関係を認めない。だからこそ、東京放送局は、戦争中、防空壕に避難していた人びとに向かって、体操が飢えた人びとの体力と元気を回復する、などということを説くことができたのである。

ロマンチックな恋愛もまた、日本人の涵養する「人情」である。それは日本人の結婚形態と家族に対する義務とに反するものであるにもかかわらず、完全に日本人のものになりきっている。日本の小説はそれを取り扱うものが多く、フランス文学の場合と同じく、主要人物は既婚者である。情死は日本人が好んで読み、また好んで話題にのぼすテーマである。十一世紀の『源氏物語』は、世界のどの国の生み出した、どの偉大な小説にくらべてもひけを取らない、ロマンチックな恋愛を取り扱った傑出した小説である。また封建時代の大名や武士たちの恋愛物語も、これと同じくロマンチックなものである。それはまた現代小説の主要なテーマになっている。この点で中国文学との間にははなはだしい相違がある。中国人はロマンチックな恋愛や性的享楽を控えめに取り扱う。それによって、彼らは多くの厄介な問題を免れている。したがってその家庭生活はいちじるしく平穏無事である。

アメリカ人にはむろんこの点に関しては、中国人よりも日本人の方がよく理解できる。がしかしこの理解はほんの表面的なものであって、たいして役に立たない。われわれは性的享楽に関して、日本人のもたない多くのタブーをもっている。それは、われわれは非常に厳格な態度を取るが、日本人はあまりやかましく言わない領域である。日本人は、性は他の「人情」とひとしく、人生において低い位置を占めている限り、一向さしつかえないものと考えている。「人情」には少しも悪いところはない。したがって性の享楽についてとやかくやかましく言う必要は少しもない。彼らは今日もなお、英米人が彼らの大切にしている絵本のあるものを淫猥であると考え、吉原——芸者や娼婦の住む地域——を非常に陰惨な場所のように考える事実を問題にする。日本人は西欧諸国との接触が始まったばかりの時期においても、このような外国人の批評を非常に気にかけ、彼らの習慣を西欧の標準に近づけるために幾多の法律を制定した。しかしながら、どんなに法律で取り締まってみたところで、文化的差異の橋渡しをすることはできなかった。

教養ある日本人は、日本人がそう考えない事柄を、英米人は不道徳、猥褻《わいせつ》と考えることは十分承知している。しかしながら彼らは、われわれの習慣的な態度と、「人情」は人生の重大な事柄の領域を侵してはならないとする彼らの信条との間に、越えがたいへだたりのあることをそれほどはっきりと意識しない。ところで、この点こそ、恋愛や性的享楽に関する日本人の態度がわれわれに理解しがたい大きな原因になっているのである。彼らは妻に属する領域と、性的享楽に属する領域との間に垣を設けて、明確に区別する。この二つの領域はともにひとしく公然と認められている。両者の区別は、アメリカ人の生活におけるがごとく、一方は世人に対して公然と自認するが、他方は人目を忍んでこっそり足を踏み入れるという事実にもとづいてなされるのではない。両者が区別されるのは、一方が人間の主要な義務の世界に属するのに対して、他方は些細な気晴らしの世界に属するからである。このようにおのおのの領域の「ふさわしい位置」を定める習慣が、家庭の理想的な父親にも粋人にもひとしく、この二つの領域を別な世界と観ぜしめている。日本人はわれわれアメリカ人のように恋愛と結婚とを同一視する理想を掲げない。われわれは恋愛を、それが配偶者選択の基礎となる程度に比例して、是認する。「恋愛している」ということが、われわれの最も立派な結婚の理由になる。結婚後、夫がほかの婦人に肉体的にひきつけられることは、彼の妻を侮辱するものである。なんとなれば、それは当然、妻の所有に帰すべきものを、他の人間に与えることになるからである。日本人はこれとは別な見方をする。配偶者の選択にさいして青年は親の選択に従い、唯々諾々《いいだくだく》として結婚する。彼は妻との関係において非常に固苦しい形式を守らなければならない。うちとけた家庭生活の中においてすら、子供たちは両親の間に性愛を表現するしぐさが交わされるのを目撃することはない。ある雑誌の中で現代の一日本人が述べているように、「結婚の真の目的は、この国では子供を産み、それによって家の生命を存続することにあると考えられている。これ以外の目的はいずれも、たんに結婚の真の意味を歪曲することに役立つのみである」。

しかしながら、このことはけっして、日本の男子がそのような生活の中だけに閉じこもり、品行方正にしているということを意味するものではない。彼はもしその余裕があれば、情婦をもつ。ただし中国とは大違いで、惚れた女を家庭の一員に加えることはしない。もしそうすれば、それは区別しておかねばならない二つの領域を混同することになる。女は音楽・舞踊・按摩その他、ひとを楽しませるさまざまの芸を十分仕込まれた芸者であることもあるし、また娼婦であることもあるが、いずれにせよ、男は女が雇われている家と契約を取り交わす。そしてこの契約が女が捨てられることを防ぎ、また女に金銭上の報酬を保証する。男は女に独立の世帯をもたせる。ただ例外的に、女に子供があり、男がその子供を自分の子供といっしょに育てることを希望する場合に限って、女を自分の家庭に入れる。そしてその場合、女は第二夫人としてではなく、召使いの一人として扱われる。子供は本妻を「母」と呼び、実母と子供との関係は認められない。中国においてあのように顕著な伝統的習慣となっている東洋の一夫多妻制度は、したがって、全く非日本的なものである。日本人は家族的義務と「人情」とを、空間的にも区別する。

妾を蓄えるだけの余裕があるのは上流階級の人間に限られているが、たいていの男子はいつか一度は芸者や娼婦と遊んだ経験をもっている。そのような遊興は全くおおっぴらに行なわれる。妻が夜遊びに出かける夫の身仕度をしてやることもある。また夫が遊びにいった娼家から妻の所へ請求書を回すこともあるが、妻は当然のことと心得て支払いをする。妻がそのことを悩みの種とすることはあっても、それは彼女自身が処理すべき事柄である。娼婦の所へ遊びにゆくよりも、芸者屋に行く方が金がかかる。だが、こうして一夕の遊興を買うために支払う金には、芸者を性行為の相手にする権利の代価は含まれていない。彼が得る楽しみは、その役割を演ずるために念入りな訓練を施された、美々しく着飾り、挙措動作の法にかなった少女たちのもてなしを受ける楽しみである。特定の芸者となじみになるには、男はその芸者の旦那になり、彼女を妾にする契約をするか、あるいは自分の魅力によって女の心を捕らえ、向こうから進んで彼に身をまかせるようにしむけるかせねばならない。とはいえ、芸者とともに過ごす一夕の遊興はけっして色事抜きではない。芸者の舞踊、軽妙な受け答え、歌謡、しぐさは伝統的に思わせぶりなものであり、上流階級の夫人の表現しえない一切の内容を表現するように周到に計画されている。それらは「人情の世界の中に」あるものであって、「孝の世界」に倦み疲れた人に慰安を与える。道楽にうつつを抜かす危険がなくはないが、この二つの領域は所属を異にしているのである。

娼婦は遊郭に住んでいる。芸者と遊んだ後で、さらに気が向けば娼婦のところに行く人もあるが、娼婦の方が金がかからないので、懐のさびしい人間はこの遊興法で満足し、芸者遊びは断念しなければならない。娼家の店先には娼婦の写真が張り出してある。そして遊客は平気で人目につくところで長い間かかって写真を見くらべ、相手を選択するのが普通である。娼婦は身分が低く、芸者のように高い地位に置かれていない。彼女たちはたいていは生家が金に窮したために娼家に売られた貧乏人の娘であって、芸者のような芸は仕込まれない。昔まだ日本人が西欧人の非難に気づかず、したがってその習慣を廃止しなかったころには、娼婦自ら人目につく場所に坐り、人肉商品を選ぶ遊客にその無感動な顔をさらしていた。現在の写真はその代わりである。

娼婦の一人がある男に選ばれ、その男が娼家と契約を取り交わして旦那になり、女を妾として独立させることがある。そのような女は契約の条件によって保護される。ところが、女中や女店員を別に契約を取り交わさずに妾にすることがある。こういう「自由意志による妾」は最も無防備な状態に置かれている人たちである。彼女たちこそまさしく、たいていは相手の男と恋愛によって結びつけられた女たちであるが、彼女たちは一切の公認された義務の世界の外に置かれている。日本人はアメリカの恋人に捨てられ、「みどり児膝にかき抱き」（'with my baby on my knee'）悲嘆に暮れる若い女の物語や詩を読むと、これらの私生児の母親たちを彼らの「自由意志による妾」と同一視する。

同性愛もまた、伝統的な「人情」の一部分をなしている。旧時代の日本においては、同性愛は、武士や僧侶のような、高位の人びとの公認の楽しみであった。明治時代になって、日本が西欧人の意を迎えようとして、多くの習慣を法律で禁止したさいに、この習慣も、法律によって処罰すべきものと定めた。ところが今日もなおこの習慣は、あまりやかましく言うにはあたらない「人情」の一つとされている。ただそれは適当な位置に留めておかねばならず、家の維持の妨げとなってはならない。したがって、西欧流の表現で言われるように、男や女が同性愛常習者に「なる」危険は、ほとんど考えられない。もっとも職業的に男芸者〔かげま〕になる男がなくはないが。日本人は特に、アメリカに一人前の男で同性愛の受動役をする者がいることに驚きを感じる。日本の成年男子は少年を相手方に選ぶ。成人は受動的な役割を演ずることは自分たちの威厳にかかわると考えている。日本人は日本人なりに、してよいことと、してはならないこととの間に境界線を引いて自重するが、その境界線はわれわれの境界線とは異なっている。

日本人はまた、自淫的享楽に対してもあまりやかましく言わない。日本人ほどこの目的のために用いるさまざまの道具を工夫した国民はほかにない。この領域においてもまた、日本人はこれらの道具のうちあまりおおっぴらに行なわれていたものを放逐することによって外国人の非難を免れようとした。しかし彼ら自身はこれらの道具をけっして悪いものとは感じていない。手淫を非難する西欧人の強硬な態度——それはアメリカよりもヨーロッパの大部分の国ぐにの方がさらに強硬であるが——は、われわれが成人する以前に、われわれの意識の中に深く刻みつけられる。少年はそんなことをすれば頭がおかしくなるぞ、とか、頭が禿《は》げてしまうぞ、とかいうささやきを耳にする。西欧人は幼年時代に母から厳重な監視を受けた。もしその罪を犯せば、母親は非常に問題にし、体罰を加えることがあった。両手を縛ってしまうこともあった。また、神様に罰せられますよ、と言うこともあった。日本の幼児や少年はこういう経験をもたない。したがって、大人になってからも彼らはわれわれと同じ態度を取りえない。自淫は日本人の全然罪悪と感じない享楽である。そして彼らは謹厳な生活の中で、それに下位の地位を割り当てることによって、十分それを統御できると考えている。

酒に酔うこともまた、許しうる「人情」の一つである。日本人はわれわれアメリカ人の絶対禁酒の誓いを、西欧人の風変わりなものずきの一つと考える。彼らはまた、投票によってわれわれの地元一帯に禁酒令を布こうとするわれわれの地方的運動を同じように考える。飲酒はまともな人間の享受することをはばからない快楽である。しかしながらアルコールはとるにたらぬ気晴らしの一つであるからして、まともな人間はまた、それのとりこになることもない。彼らの考え方に従えば、同性愛常習者に「なる」恐れがないと同様に、アルコール中毒者に「なる」恐れもない。事実、強制措置を必要とするアルコール中毒者は、日本では社会問題になっていない。アルコールは愉快な気晴らしであって、その家族も、また一般世人でさえも、酒に酔っている人間を嫌悪すべきものとは考えない。彼はめったに乱暴をしない。またたしかに、彼がその子供をなぐると考えるものは一人もいない。陽気に放歌乱舞するのが常であり、みんなしかつめらしいかみしもは脱いで、すっかりうちくつろぐ。都会の酒宴の席では、人びとはお互いに相手の膝の上に坐ることを好む。

昔気質《むかしかたぎ》の日本人は、飲酒と食事とを厳重に区別する。酒の出る村の宴会で、誰かが飯を食い始めたならば、それはその人がすでに酒を飲むことをやめたことを意味する。彼は別な「世界」に足を踏み入れたのであって、二つの「世界」をはっきり区別する。彼は自宅では食後に酒を飲むこともあるが、飲酒と飯を食うこととを同時に行なうことはない。彼は順番にどちらか一方の楽しみに専念する。

以上のような日本人の「人情」観は、いくつかの重要な帰結をともなう。それは、肉体と精神という二つの力が、各人の生活において覇権を獲得するために、たえず闘っていると考える西欧の哲学を根底からくつがえす。日本人の哲学では、肉は悪ではない。可能な肉の快楽を楽しむことは罪ではない。精神と肉体とは宇宙の対立する二大勢力ではない。そして日本人はこの信条を論理的に押し進めて、世界は善と悪との戦場ではないという結論にまで持ってゆく。サー・ジョージ・サンソムは次のように述べている、「日本人はその歴史のどの時代においても、このような、悪の問題を認識する能力の欠如、もしくはそれと正面から取り組むことを回避する態度を、何らかの程度において保持してきたように思われる」*。事実、日本人は、悪の問題を人生観として承認することを終始こばみ続けてきた。彼らは人間には二通りの魂があると信じているが、それは互いに争い合う善の衝動と悪の衝動とではない。それは「柔和な」魂〔和魂《にぎたま》〕と「荒々しい」魂〔荒魂《あらたま》〕とであって、すべての人間の——またすべての国民の——生涯には、「柔和」であるべき場合と、「荒々しく」あるべき場合とがある。一方の魂が地獄に、他方が天国に行くと定まっているのではない。この二つの魂はともに、それぞれ異なった場合に必要であり、善となる。

＊ サンソム、前掲書、一九三一年刊、五一頁。

彼らの神がみでさえ、同じように顕著に善悪両方の性質を兼ね備えている。彼らの最も人気のある神は、天照大神《あまてらすおおみかみ》の弟、素戔嗚尊《すさのおのみこと》——「速かに猛き男神」——であるが、その姉妹に対する乱暴な行動は、もしそれが西欧の神話であれば、おそらく彼を悪魔にしてしまうであろうと思われるくらいである。天照大神は素戔嗚尊が自分のところへ来た動機を疑って、彼を屋外に放逐しようとする。彼はさんざん暴れまわり、天照大神が侍者たちとともに新嘗の儀式を行なっている食堂に、糞をまき散らす。また田の畔《あぜ》を毀《こぼ》つという恐ろしい罪を犯す。なかんずく最も兇悪な——そして西欧人には最も不可解な——罪として、彼は姉神の居室の屋根に穴をあけ、そこから「逆剝ぎにした」斑駒《ぶちこま》を投げ入れる。素戔嗚尊はこういう乱暴を働いたので、神がみの裁きを受け、重い科料を負わされ、「暗黒の国」〔根の国〕に追いやられる。しかし、彼は依然として日本のパンテオン〔八百万《やおよろず》の神がみ〕の中での人気者であって、それ相当の崇拝を受けている。このような神格は世界の方々の民族の神話の中によく出てくる神である。しかしながら、高等な倫理宗教においては、これらの神がみは排除されている。それは、超自然的存在を黒と白というふうに、全く違った二つのグループに分けられる方が、それらの宗教の善と悪との宇宙闘争の哲学によりよく合致するからである。

日本人は終始、徳とはすなわち悪と戦うことであるということを、きわめて明瞭に否定してきた。彼らの哲学者や宗教家たちが何世紀もの間、たえず主張し続けてきたように、そのような道徳律は日本には不向きである。彼らは声を大にして、このことこそまさしく、日本人の道徳的優秀さを立証するものであると揚言する。彼らの主張するところによれば、中国人は「ヂェヌ」〔仁〕、すなわち、公正であって情け深い行動を絶対的標準として掲げ、すべての人間、すべての行為をその標準に照らしてみて、それに達しない場合に、欠陥のあることを知る、というような道徳律を作らねばならなかった。「道徳律は、性質が劣っているために、そのような人為的手段によって抑制を加えなければならなかった漢人《からひと》にこそ、適するものであった」。十八世紀のすぐれた神道家、本居〔宣長〕はこのように書いている。* 近代の仏教家や国家主義の指導者たちも、同じ題目について書き、あるいは講演を行なっている。彼らは言う、日本では人間の性質は、生まれつき善であり、信頼できる。それは自己の悪しき半分と戦う必要はない。それが必要とするのは、ただ心の窓を清らかにし、場合場合にふさわしい行ないをすることだけである。もしそれが「けがれた」としても、けがれは容易に取り除かれ、人間の本質である善が再び輝きだす。仏教哲学は日本では他のいかなる国よりも徹底したものであって、人間は誰でも仏となる可能性をもっており、道徳律は経典の中ではなく、悟りを開いた清浄無垢な自らの心のうちに発見するものの中にあると説く。自分の心のうちに発見するものに対してどうして疑惑を抱く必要があろうか。悪は人間の心に生来そなわったものではない。彼らは詩篇作者〔ダビデ〕とともに、「見よ、わたしは不義のなかに生まれました。わたしの母は罪のうちにわたしをみごもりました」〔詩篇五一篇〕と叫ぶ神学をもたない。彼らは人間堕落の教えを説かない。「人情」は非難してはならない天与の祝福である。哲学者もまた農民もそれを非難しない。

＊訳注　出典を正確に突きとめることはできないが、類似の表現はいくらもある。次にその二、三の例をあげれば——

かく道といふことを作りて正すは、もと、道の正しからぬが故のわざなるを云々（『古事記伝』『直毘《なおびの》霊《みたま》』）

すべて何の上へにも、法の厳しきは、犯すものゝ多きがゆゑぞかし（同右）

かの漢国《からくに》などは、もと人の心悪くて事の乱の多かりしから、其を防がむ為めにこそ万ッをこまかにきはやかには定めつるなれ（『古事記伝』）

アメリカ人には、このような教えは、結局、放縦と不品行の哲学に導くように思われる。ところが日本人は、前に述べたように、義務の遂行を人生最高の任務と定めている。彼らは、報恩が個人的欲望や快楽を犠牲にすることを意味する事実を十分認めている。幸福の追求を人生の重大な目標とする思想は、彼らにとっては驚くべき、かつ不道徳な教説である。幸福は、人がそれに耽溺できる時には耽溺する気晴らしであるが、それにもったいをつけて、国家や家庭をそれによって判断する基準にしようなどということは、全く考えられないことである。「忠孝」や「義理」の義務を果たすに当たって人がしばしばはなはだしい苦痛を経験するという事実は、彼らの初めから覚悟しているところである。それは人生を困難なものにするが、しかし彼らはその困難に堪える心構えができている。彼らはたえず、彼らが少しも悪いとは考えていない快楽を思いきる。それには意志の強さが必要であるが、そのような強さこそ、日本人の最も称揚する美徳である。

このような日本人の見解と符節を合わせて、日本の小説や演劇の中で、「ハッピー・エンド」に終わるものはきわめて稀れである。アメリカの一般観衆は解決を熱望する。彼らは劇中人物がその後いつまでも幸福に暮らすようになると信じたがる。彼らは劇中人物がその徳行の酬いを受けることを知りたがる。もし彼らがある劇の終わりに泣かなければならないとしても、それは主人公の性格の中になにか欠点があったからか、あるいは主人公が邪悪な社会秩序の犠牲になったからか、どちらかでなくてはならない。だがしかし、万事が主人公にとって幸福な結果になる方が、はるかに観衆に喜ばれる。日本の一般観衆はさめざめと泣きながら、運命の転変によって、主人公が悲劇的な最後を遂げ、美しい女主人公が殺されるのを見守る。そのような筋こそ、一夕の娯楽のやまである。人びとはそれを観ることを目当てに劇場に行く。日本の現代映画でさえも、主人公と女主人公の苦悩をテーマにして構成される。恋しあっている男女が、恋人を思いきらねばならない筋がある。なかむつまじく暮らしていた夫婦の一方が、当然果たさなければならない義務を果たすために自殺する筋がある。夫の職業的生命を救い、夫を励ましてその役者としてのすぐれた天分を磨かせるために一身を捧げた妻が、夫がいよいよ成功するというまぎわに、夫の新しい生活の妨げにならないように大都会の中に身を隠し、夫の大成功の当日に、貧窮の中に一言も不平を洩らさずに死んでゆく筋がある。ハッピー・エンドにする必要はない。自己を犠牲にする主人公と女主人公とに対する憐れみと同情とが喚起されれば、もうそれで十分目的は果たされる。主人公や女主人公の苦しみは、彼らに下された神の裁きではない。それは彼らがあらゆる犠牲を忍んでその義務を遂行したこと、どんな不幸に遭遇しても——人に捨てられようと、病気になろうと、いな、生命を捨てようと——正しい道を踏みはずさなかったことを示す。

日本の現代の戦争映画もまた、同じ伝統に従っている。これらの映画を見るアメリカ人はしばしば、これこそ今までに見た中で、最もすぐれた反戦宣伝だという。これはいかにもアメリカ人らしい反応である。というのは、これらの映画は戦争の犠牲と苦痛ばかりを取り扱っているからである。日本の戦争映画は分列式や、軍楽隊や、艦隊の演習や巨砲の誇らしげな偉容を、景気よく描き出すことはしない。日露戦争を扱ったものにしろ、日中戦争を扱ったものにしろ、それらが執拗にくりひろげる情景は、あいもかわらず単調な泥濘の中の行軍、みすぼらしい戦闘の苦痛、勝敗の定まらない作戦である。幕切れのシーンは勝利でもなければ、〝バンザイ〟突撃ですらない。それはなんの変哲もない、深く泥中に埋もれた、中国のどこかの町での宿営の情景である。あるいはまた、三度の戦争の生存者で、それぞれに戦場で身体に傷害を負った、父子三代の日本人を映し出す。あるいはまた、兵士が戦死した後、銃後にあるその家族が、夫であり、一家の稼ぎ手だった人の死をとむらい、勇気をふるい起こしてなんとか彼なしに暮らしてゆく姿を映し出す。英米の「カヴァルケイド」式の映画〔騎兵・騎馬の入り乱れるスペクタクル映画〕の、あの胸をわくわくさせるような背景は全く見られない。彼らは傷痍軍人の更生というテーマを劇化することすらしない。それどころか、彼らが戦っていた戦争の目的さえ述べられていない。日本人の観衆には、画面に現れる人物がすべて、全力を傾注して恩返しをしさえすれば、もうそれで十分である。だからこそ、これらの映画は日本では軍国主義者たちの宣伝の具になったのである。これらの映画の後援者たちは、日本の観衆はそれを見ても、けっして反戦思想を抱くようにはならない、ということを心得ていた。

第十章　徳のジレンマ

日本人の人生観は彼らの忠・孝・義理・仁・人情等の表現によって示されているとおりである。彼らは「人間の義務の全体」は、あたかも地図の上の諸地域のように、明確に区別されたいくつかの部分に分けられているように考えている。彼らの表現によれば、人生は「忠の世界」、「孝の世界」、「義理の世界」、「仁の世界」、「人情の世界」、その他なお多くの世界から成り立っている。おのおのの世界はそれぞれ特有の、細かに規定された掟をもっている。そして人は他の人間を、全一な人格の持ち主として判断するのではなくて、「孝を知らない」とか、「義理を知らない」とか言って判断する。彼らはアメリカ人のように、ある人を不正であると言って非難する代わりに、その人間がなすべき務めを完全に果たさなかった行動の世界を明らかに示す。ある人を利己的であるとか不親切であるとか言って非難する代わりに、日本人はその人間が掟に違反した特定の領域を明示する。彼らは無上命法や黄金律*に訴えることはしない。是とされる行動は、その行動が現れる世界と相対的である。「人が孝のために」行動する時と、「たんに義理のために」、あるいは「仁の世界において」行動する時とでは――西欧人にはそう考えられるのであるが――全く人間が違うように行動する。さらに、おのおのの世界の掟はその「世界」の中で条件が変化するにしたがって、いちじるしく異なった行動が当然なすべき行ないとして要求されるように定められている。主君に対する「義理」は、主君が家来を侮辱するまでの間は最高度の忠誠を要求するが、いったん侮辱を受けたのちは謀叛を起こしても、いっこうさしつかえがなかった。一九四五年八月までは、「忠」は日本国民に最後の一人まで敵に抗戦することを要求した。天皇がラジオで日本の降伏を告げることによって「忠」の要求内容を変更するとともに、日本人はこれまでとはうって変わって熱心に外来者との協力ぶりを示すようになった。

＊訳注　マタイ福音書、七章、一二節の「だから、何事でも人びとからしてほしいと望むことは、人びとにもそのとおりにせよ」のこと。

こういう点は西欧人にはどうも理解しがたいところである。われわれの経験によれば、「人間はその人柄 'character' に相応して」行動する。われわれは忠実であるか不忠実であるか、協力的であるか強情であるかによって、羊と山羊とを区別する。[*] われわれは人びとにレッテルをつけて分類し、彼らが次に行なう行動は前に行なった行動と同じものであろうと予期する。人間は気前がよいかけちであるか、進んで協力するか疑いぶかいか、保守主義者であるか自由主義者であるか、いずれかである。われわれは人びとがある特定の政治的イデオロギーを信じ、終始一貫して反対のイデオロギーと抗争するものと予期する。ヨーロッパにおけるわれわれの戦争経験において、協力派の人びとと反抗派の人びととがいたが、われわれはヨーロッパ戦勝日以後に協力派の人びとがその立場を変更するとは考えなかった。そしてこの推測は全く正しかった。アメリカ国内の政争においても、われわれはたとえば、ニュー・ディール派と反ニュー・ディール派とがあることを認める。そしてこの両派は、新しい事態が現れても、依然としてそれぞれの派に特有の仕方で行動するであろうとわれわれは判断する。よし個々の人間が垣の反対側に移る——たとえば、不信仰者がカトリック信者になるとか、「赤」が保守主義者になるとか——場合があるとしても、そのような変化は正しく転向であり、その転向にふさわしい新しい人格が形づくられたものとみなさねばならない。

＊訳注　マタイ福音書、二五章、三二〜三三節、「そして、すべての国民をその前に集めて、羊飼いが羊とやぎとを分けるように、彼らをより分け、羊を右に、やぎを左におくであろう」。

西欧人のこのような全一的行動の信念は、むろんかならずしも常に事実によって裏書きされるとは限らないが、しかしそれはけっして幻想ではない。未開と文明との別を問わず、大多数の文化において、人びとは自分たちはそれぞれ特定の種類の人間として行動していると想像している。もし彼らが権力に関心を寄せていれば、他人が自分の意志に服従する度合を基準にして、その失敗と成功とを測る。人から愛されることに関心をもっている場合には、人間的接触のない事態においては望みを満たされない。彼らは自分たちは厳格に正しい人間であるとか、「芸術家的気質」をもっているとか、善良な家庭人であると考えている。彼らは一般に自らの性格の中にゲシュタルトを作り上げる。それが人間生活に秩序をもたらす。

西欧人には、日本人が精神的苦痛をともなうことなく、一つの行動から他の行動へ転換しうるということが、なかなか信じられない。そのような極端な可能性はわれわれの経験の中には含まれていない。ところが日本人の生活においては、矛盾――われわれには矛盾としか思われないのだが――が深く彼らの人生観の中に根を下ろしている、ちょうどわれわれの斉一性がわれわれの人生観に根ざしているのと同じように。西欧人にとって特に重要なことは、日本人が生活を区分している「世界」の中には、「悪の世界」は含まれていないということを認識することである。このことは、日本人は悪い行動の存在を認めない、ということではない。ただ彼らは人生を善の力が悪の力と争闘する舞台とは見ないのである。彼らは生活を、ある一つの「世界」と他の「世界」と、ある一つの行動方針と他の行動方針と、この両者の要求を注意深く比較考量することを必要とする一篇の劇と見ている。それぞれの世界、それぞれの行動方針はそれ自体においては善である。もしも万人が真の本能に従うとすれば、万人は善人になるはずである。先に述べたように、彼らは中国の道徳の教えですら、それは中国人がそのようなものを必要とする国民であることを立証するものであると考えている。それは中国人の劣等性を証明する。日本人には生活の全面をおおう倫理的戒律は全く無用である、と彼らは言う。先に引用したサー・ジョージ・サンソムの言葉を借りて言えば、彼らは「悪の問題と正面から取り組むことをしない」。彼らの見解に従えば、悪の行ないはそのような宇宙的な原理から説き起こさなくとも十分説明がつく。各人の魂は、本来は新しい刀と同じように徳で輝いている。ただ、それを磨かずにいると錆《さ》びてくる。この彼らのいわゆる「身から出た錆」は刀の錆と同じようによくないものである。人は自分の人格を、刀と同じように錆びつかせないように気をつけねばならない。しかしながら、たとえ錆が出てきても、その錆の下には依然として光り輝く魂があるのであって、それをもう一度磨き上げさえすればよいのである。

この日本人の人生観のゆえに、彼らの民間説話や小説や劇は、しばしば行なわれるように、その筋を書き直して、われわれの性格の一貫性と善と悪の争闘との要求に合致するようにすることができない限り、西欧人にはいちじるしく不得要領のように思われる。ところが、日本人はこれらの筋をそんなふうにはながめていない。彼らの批評は主人公が、「義理と人情」、「忠と孝」、「義理と義務」の葛藤に捉えられているという点におかれる。主人公が失敗するのは、人情に溺れて「義理」の義務をおろそかにするためか、「忠」として負っている債務と、「孝」として負っている債務との双方を同時に返済することができないためである。彼は「義理」のために正しいこと（〃ギ〃）を行なうことができない。「義理」に迫られて家族を犠牲にする。そういうふうに描かれている葛藤は依然として、ともにそれ自体においては拘束力を有する二通りの義務の間の葛藤である。それらの義務はともに「善」である。どの義務を選ぶかは、あまりにも多くの負債を負っている債務者の直面する選択と相通ずるものがある。彼はある負債を支払い他の負債はさしあたり無視する。しかしながら、一つの負債を支払ったからといって、それで他の負債を免除されたことにはならない。

物語の主人公の生活についてのこのような見方は、西欧人の見解とくらべると非常な違いがある。われわれの物語の主人公が立派な人間とされるのは、善の側に加担し、反対者である悪人を相手にして戦うからにほかならない。われわれのよく口にするように、「徳が勝利を占める」物語はハッピー・エンドで終わらなければならない。善人は報いられねばならない。ところが日本人は、主人公が互いに両立しがたい、世間に対する負目と、名に対する負目との板挟みに合い、ついに唯一の解決法として死を選ぶというような、「由々しき事件」の物語に対する、飽きることを知らぬ嗜好をもっている。このような物語は多くの文化においては、苛酷な運命への忍従を教える物語となるであろう。ところが日本ではまさにその反対である。それらは自発性と断乎たる決意の物語である。主人公は彼らの肩にかかっているある一つの義務を果たすために、あらゆる努力を傾注する。そしてそのさい、他の義務を軽視する。しかしながら彼らは最後には、先に軽視した「世界」との決算を行なう。

日本の真の国民的叙事詩というべきものは、『四十七士物語』である。それは世界の文学の中で高い地位を占める物語ではないが、この物語ほど日本人の心を強く捉えているものはほかに類がない。日本の少年は誰でも、この物語の本筋だけでなく、脇筋に至るまでよく知っている。その物語はたえず語られ、文字に印刷され、現代の通俗映画でくり返しくり返し取り扱われる。四十七士の墓所は昔から今に至るまで名所となっていて、何千何万という人びとが参詣した。これらの人びとはまた、名刺を置いていった。そしてそれらの名刺で墓の周囲の地面が白くなることもたびたびあった。

『四十七士』の主題は主君に対する「義理」を中心としている。日本人の見方によれば、この物語は「義理」と「忠」との葛藤、「義理」と正義との葛藤――これらの葛藤において、むろん「義理」が正当に勝利を得るのである――及び「一遍の義理」と無限の「義理」との葛藤を描いている。それは一七〇三年の歴史物語であるが、当時は封建制度の最盛期であって、近代日本人の夢想するところによれば、男はあくまでも男らしく、「義理」に「不本意」の要素が全然なかった時代である。四十七人の浪士は名声も、父も、妻も、妹も、正義（〝ギ〟）も、一切のものを「義理」のために犠牲にする。最後に彼ら自身の生命を忠に捧げ、自殺して果てる。

浅野侯は幕府から、全国の大名がうち揃って定期的に将軍のご機嫌を奉伺する儀式をつかさどる、二人の大名の一人に任命された。式部官は二人とも田舎大名であった。したがって、宮廷の非常に身分の高い大名であった吉良侯に、必要な作法の指南を乞わなければならなかった。浅野侯の家臣の中で第一の知恵者であった大石――この人物がこの物語の主人公である――がいたならば、主君に抜けめなく助言をしたに相違なかったのであるが、あいにくと国に帰っていた。そして浅野は世慣れない一徹者であって、指南役に十分な「贈物」をする才覚が働かなかった。吉良の指導を受けていたもう一人の大名の家来たちは、世故にたけた人びとで、指南役に対して金に糸目をつけずおびただしい贈物を贈った。そこで吉良侯は浅野侯にはよい顔をして教えず、故意に全然違式の服装をつけて儀式に出るように指図した。浅野侯は教えられたとおりの服装で晴れの日に臨んだ。そして侮辱を加えられたことを悟ると同時に、刀を抜き、他人に分け隔てられる前に吉良の額に斬りつけた。吉良の侮辱に復讐することは、名誉を重んずる人間として彼の当然なすべき行為――すなわち、名に対する「義理」――であったが、将軍の御殿の中で刀を抜くことは「忠」に反する行ないであった。浅野侯は、名に対する「義理」という点では立派な行動をしたのであるが、〃セップク〃〔切腹〕の作法にしたがって自殺する以外に、「忠」と和解する道はなかった。彼は邸に引き下がり、切腹の身仕度をととのえ、ひたすら彼の最も聡明な、また最も忠実な家臣である大石の帰ってくるのを待ちわびた。二人が長い訣別の視線を取り交わしたのち、すでに作法通りに坐していた浅野侯は、腹に刀を突き刺し、自らの手で生命を絶った。「忠」にそむき、幕府のとがめを蒙った故人の跡目を相続しようとする親戚が一人もいなかったので、浅野の藩地は没収され、家臣は主なき〃ローニン〃〔浪人〕となった。

「義理」の義務からいえば、浅野家の家臣は亡君に対して、主君と同じく切腹する義務を負っていた。もしも彼らが主君に対する「義理」から、主君が名に対する「義理」のためにしたと同じことをするならば、吉良が彼らの主君に加えた侮辱に対する抗議を表明したことになる。ところが、大石は心ひそかに、切腹などはとうてい彼らの義理を表現するにはたりない、つまらない行為であるときめた。ほかの侍たちによって身分の高い敵から引き離されたために、主君が貫徹しえなかった復讐を彼らは全うさせねばならない。彼らは吉良侯を打ち果たさなければならない。しかしながらこのことを成し遂げようとすれば、どうしても「忠」に違反することになる。吉良侯は幕府とあまりにも近密な間柄にあり、浪士たちが政府から仇討ちの免許を得ることは不可能であった。通常の場合には、復讐を計画する一団の人びとは、それ以前に仇討ちを完了する、さもなければ企図を放棄するという最後の日限をきって、その計画を幕府に届け出るのであった。この制度のお陰で、若干の幸運な人びとは

「忠」と「義理」とを和解させることができた。大石は彼と彼の同志には、この道が開かれていないことを知っていた。そこで彼はかつて浅野の家臣であった浪人たちを一堂に呼び集めた。しかし一言も吉良を討つ計画のことは口に出さなかった。これらの浪人の数は三百以上に達したが、一九四〇年度に日本の学校で教えられていたところによれば、彼らはすべて切腹することに意見が一致した。しかしながら大石には、そのことごとくが無限の「義理」――日本語の表現で言えば「まことの義理」――の持ち主ではないこと、したがって信頼して吉良に対する報復というような危険な大事をともにしうる人間でないことがわかっていた。「一遍の義理」しかもたぬ人間と、「まことの義理」の持ち主とをふるい分ける方法として、彼は主君の財産をどんなふうにみんなに分配したらよかろうか、という問題を出してみた。日本人から見ると、これは、彼らの家族が利益を得ることになるのであって、彼らがすでに自決することに同意した者とは思われない試験法であった。財産分配の基準に関して浪人たちの間にはげしい意見の対立があった。仕置家老は家臣の中で最高の禄をはんでいた男であったが、財産を従来の知行の高に応じて分配することを主張する一派の旗頭となった。大石は全員に均等に分配することを主張する一派の指導者であった。こうして浪人の中の誰が「一遍の義理」の持ち主にすぎないかということが十分明らかになると同時に、大石は仕置家老の財産分割案に賛成した。そして勝利を得た連中が一味から脱退するのを黙認した。仕置家老は逃亡した。そしてそのために「犬侍」、「義理をわきまえぬ人間」、不義非道の人間の名を得た。大石はただ四十七人だけが、彼の復讐計画をひそかに打ち明けるにたる、義理固い人びとであることを見てとった。大石と結んだこれら四十七人の人びとは、大石と結ぶことによって、信義も、愛情も、「義務」も、およそ彼らの宿願達成の妨げとなる一切のものを排除する誓いを立てた。「義理」が彼らの無上の掟とならねばならなかった。四十七士は指を切って血盟を結んだ。

彼らの第一の仕事は吉良に感づかれぬようにすることであった。彼らはちりぢりに離散し、名誉というものは一切忘れてしまったようなふうを装った。大石は最も低級な娼家に入りびたり、醜い喧嘩口論をこととした。このような放埒な生活にかこつけて、彼は妻を離別した。これは法律に違反する行ないをしようとする日本人の誰しもが通常用いた、かつまた全く正当とされた手段であった。そうすることによって、彼の妻子が彼とともに、究極の行為の責任を問われることを避けることができたからである。大石の妻は泣く泣く彼と別れていったが、彼の息子は浪士の仲間に加わった。

東京〔江戸〕中の人びとは仇討ちについてあれこれと臆測をした。浪士たちを尊敬していた人びとはむろんすべて、必ず彼らは吉良侯の殺害を企てるであろうと確信していた。しかしながら、四十七士はそんなつもりは毛頭ないと言い張った。彼らは「義理をわきまえぬ」人間のようなふりをした。彼らの舅はそのような恥ずべき行状を憤って、彼らを家からおい出し、結婚を解消させた。彼らの友人は彼らを嘲った。ある日、大石の親友が酒に酔って女と浮かれ騒いでいる大石に会った。ところが大石はこの親友に対してさえ、主君に対する「義理」を否定した。彼は、「なに、仇討ちだって。馬鹿馬鹿しい。人生すべからく面白おかしくすごすに限る。酒を飲んで遊びまわるほどよいことはない」と言った。友人はその言葉を信ぜず、大石の刀の鞘を払ってみた。おそらくは、大石の言に相違して、研ぎ澄まされていることと思ったからであった。ところが刀は赤く錆びていた。友人は大石の言葉が本心から出たものであると信じないわけにはゆかなくなった。そこで彼は酔いしれている大石を、路上で公然と足蹴にかけ、唾をひっかけた。

浪士の一人は、復讐に参加する資金を工面するために、自分の妻を遊女に売りとばした。この妻女の兄もまた浪士の一人であったが、復讐の秘密が妹に知られたことを知り、忠誠のあかしを立てて大石の仇討ちの仲間に加えてもらうためだからと説いて、自分の刀で妹を殺そうとした。ある浪士は義父を殺した。またある浪士は攻撃の時期について吉良邸の内部から通報させるために、自分の妹を仇敵吉良侯の小間使い兼側女として住み込ませた。その結果、彼女は、首尾よく復讐がなしとげられたのちに、自殺しなければならなくなった。たとえ見せかけであったにせよ、吉良侯の側に侍った過ちを、死によってすすがねばならなかったからである。

雪の降る十二月十四日の夜、吉良は酒宴を催し、警固の武士たちは酔っていた。浪士たちは要害堅固な吉良邸を襲い、護衛の武士たちを斬り伏せて、まっすぐに吉良侯の寝室に向かっていった。彼の姿はそこには見えなかったが、寝床はまだ温かかった。浪士たちは彼が邸内のどこかに隠れていることを知った。ついに彼らは、炭を貯蔵する物置小屋の中に、誰か一人うずくまっているもののあることを発見した。浪士の一人が小屋の壁越しに槍を突き入れてみたが、引き抜いた穂先には血がついていなかった。槍はたしかに吉良の身体に突き刺さったのであるが、吉良は槍が引き抜かれるおりに、着物の袖で血を拭い取ったのである。彼の小細工はなんの役にも立たなかった。浪士たちは彼を引きずり出した。ところが彼は、自分は吉良ではなく、筆頭家老にすぎないと言い張った。この時、四十七士の一人が、浅野侯が殿中で吉良に斬りつけた傷痕が残っているはずだということを思い出した。その傷痕によって浪士たちは、それがまぎれもなく吉良であることを知った。そしてその場でただちに切腹することを要求した。彼はその要求を拒絶した――このことはむろん、彼が卑怯者であることを証明するものであった。そこで浪士たちは、彼らの主君浅野侯が切腹のさい用いた刀で首をはね、型どおりその首を洗った。かくて本望を達した一行は隊伍をととのえ、二度血ぬられた刀と、切断された首級とを持って、浅野の墓に向かって出発した。

東京〔江戸〕市中は浪士たちのみごとな働きを知って全く熱狂した。浪士たちの義心を疑った浪士の家族や義父たちは、先を争って浪士たちと抱擁し、敬意を表するためにやってきた。大藩の諸侯は沿道彼らを手厚くもてなした。浪士たちは墓前に参進し、首級と刀と、さらに亡君に対する奉告文を供えた。この奉告文は今もなお保存されているが、*だいたい次のような意味のものであった。

われわれは今日ここに、御尊霊を拝しに罷《まか》り越しました。（中略）われわれは殿がお果たしになろうとしてお果たしになれなかった復讐を遂げない間は、御墓前に参ることができませんでした。われわれは一日千秋の思いで今日の日を待ち侘びておりました。(中略)われわれは今御墓前に吉良殿の御供をして参りました。この短刀は先年御愛用の上、われらにお預けになった品でありますが、只今お返し申し上げます。願わくはこの短刀を執って、再び怨敵の首を打ち、永久に御遺恨をお晴らし下さい。以上、われら四十七人、謹んで御尊霊に申し上げます。

*訳注　福本日南の『元禄快挙録』によれば、墓前奉告文は後世の捏造である。ここでは英文をそのまま訳出しておいた。

彼等の「義理」はこれですんだ。だがまだ「忠」を果たさなければならなかった。ところでこの両者を一致せしめる道は、彼らの死をおいてほかにはなかった。彼らはあらかじめ届出することなしに復讐を行なうことを禁ずる国法を破った。がしかし「忠」にそむいたわけではなかった。たとえそれがどのようなことであっても、忠の名のもとに要求される事柄を、彼らは果たさなければならなかった。幕府は四十七士に切腹を申しつけた。小学五年の国語読本*は次のように述べている。

彼等は主君の仇を報じたのであって、その確乎不抜《かっこふばつ》の義理は永久不滅の亀鑑とみなすべきものであった。(中略)そこで幕府は熟考のすえ、切腹を命じた。それは正に一石二鳥の策であった。

すなわち、浪士たちは自らの手で生命を絶つことによって、「義理」と「義務」との双方に対する、最高の債務を支払ったのである。

＊訳注　それは『小学国語読本』（尋常科用）巻十（昭和十二年発行）、第二十一「国法と大慈悲」のことであるに相違ない。ところがここに引用されているとおりの文句は見あたらない。

この日本の国民的叙事詩は、所伝の異なるにしたがって、多少内容が異なっている。現代の映画の取り扱いでは、発端の賄賂のテーマが色恋のテーマに変えられている。吉良侯は浅野の奥方に言い寄っているところを見つけられる。そして奥方に対する横恋慕から、わざと間違ったことを教えて浅野に恥をかかせる。このようにして賄賂の件は取り除かれている。しかし「義理」のすべての義務は、戦慄を感じるほどこまごまと述べられている。「彼等は義理のために妻を棄て、子と別れ、親を失った（殺した）」。

「義務」と「義理」との衝突のテーマは、他の多くの物語や映画の基礎になっている。最もすぐれた時代映画の一つは、時代を徳川三代将軍〔家光〕のころに取ったものである。この将軍は、年若くまだどれほどの器の人物かわからぬころに将軍に指名されたのであるが、その将軍継承について幕臣の意見が分かれ、ある人びとは彼と同年輩の近親を擁立した。敗れた大名の一人は、三代将軍のすぐれた政治手腕にもかかわらず、この「侮辱」を胸中深く抱いていた。彼は時機を待った。そしてその時機はついに到来した。将軍とその側近者とが、二、三の国を巡察するという知らせがあった。この大名は一行を接待する任務を仰せつかった。彼はその機会に乗じて宿怨をはらし、名に対する「義理」を果たそうとした。彼の住居はすでに要塞化されていたのであるが、きたるべき出来事に備えて一切の出口をとざし、要塞を封鎖することができるようにした。それからさらに壁や天井が将軍とその一行になだれ落ちるようにしかけをした。彼の陰謀は堂々と実行に移された。歓待はいたれりつくせりのものであった。将軍を楽しませる余興として彼は家臣の一人に剣舞を舞わせた。そしてこの武士は、舞が最高潮に達した時に、剣で将軍を刺すように旨を含められていた。大名に対する「義理」から、武士はどうしても君命を拒むことができなかった。しかしながら彼の「忠」は、将軍に手向かいすることを禁じた。スクリーンに映し出される剣舞は、この葛藤をあますところなく描き出している。彼はせねばならない、と同時にしてはならない。すんでのところで斬りつけようとするが、どうしても斬りつけることができない。「義理」もさることながら、「忠」はあまりにも強力である。しだいに舞の手ぶりがしどろもどろになってくる。そして将軍一行はこれは怪しいと感づく。彼らがにわかに席を立つちょうどその瞬間、今や死物狂いとなった大名は建物の破壊を命ずる。将軍はやっと剣舞者の剣を免れたが、今度は崩れ落ちる砦の下敷きになって殺される危険に迫られる。この時、さきほどの剣舞者が先頭に立って将軍一行の案内をし、地下の抜け道を通って無事に戸外の広場に落ちのびさせる。「忠」が「義」に勝ったのである。将軍の代弁者は案内者に謝意を述べ、殊勲者として一行とともに東京〔江戸〕に行くことをしきりに勧める。しかしながら案内をしたその武士は崩れ落ちる建物をかえりみ、「それはできません。私はここに留まります。それが私の義務であり、義理であります」と言う。彼は将軍一行と別れて引き返し、崩壊する建物の中に飛びこんで死ぬ。「彼は死によって忠と義理とをふたつながら全うした。死において両者は一致した」。

昔の物語では、義務と「人情」との葛藤は中心的地位を占めていないが、近年はそれが一つの主要なテーマとなっている。近代の小説は、愛や人情を、「義務」や「義理」のために棄てなければならない物語を描いている。ところでこのテーマはできるだけ控えめに取り扱われるどころか、反対にさかんに書き立てられる。日本の戦争映画が西欧人には絶好の反戦宣伝と考えられやすいように、これらの小説はわれわれにはしばしば、自己の心情のおもむくところに従って生活する自由の拡大を望む訴えのように思われる。これらの小説はたしかにこの衝動の存在を立証する。ところが、小説や映画の筋を論議する日本人は、たえずわれわれとは別な意味を看取する。われわれは恋をしているとか、なにかある個人的な願望を抱いているとかいう理由で、主人公に同情するのに、彼らはそのような感情に妨げられて自己の「義務」もしくは「義理」を果たしえなかったという理由で、主人公を弱者であるといって非難する。西欧人はまずたいていは、因襲に反旗をひるがえし、幾多の障害を克服して幸福を獲得することを、強さの証拠であると考える。ところが日本人の見解に従えば、強者とは個人的幸福を度外視して義務を全うする人間である。性格の強さは反抗することによってではなく、服従することによって示されると彼は考える。したがって彼らの小説や映画の筋は、日本では、われわれが西欧人の眼を通して見るさいにそれに与える意味とは、全く別な意味をもつことが多い。

日本人は自分自身の生活、もしくは自分が知っている人びとの生活について判断をくだす場合にも同じようにして評価する。彼らはもし義務の掟と相容れない個人的欲望に心を奪われている人があれば、その人を弱者と判断する。あらゆる種類の事態がこのようにして判断されるのであるが、なかんずく西欧の倫理と最も対蹠《たいしょ》的なのは夫の妻に対する態度である。要は「孝の世界」の周辺に置かれているにすぎないが、両親はその中心を占めている。したがって夫の義務は明らかである。強固な道徳的品性をもつ人間は「孝」に従い、もし母親が妻を離縁するときめれば、その決定を受諾する。彼が妻を愛し、二人の間に子供ができていても同じことであって、それはその人間を「いっそう強い」人間にするにすぎない。日本人の表現に従えば、「孝は妻子を他人と同一視することを要求する場合がある」。そのさいあなたの妻子の取り扱い方は、最良の場合で「仁の世界」に属する。最悪の場合には、妻子はあなたに対してなにひとつ要求することのできない人間になる。結婚生活が幸福に営まれている時にでも、妻はさまざまな義務の世界の中心に置かれることはない。したがって人は妻との関係を高めて、両親や祖国に対する感情と同一水準にあるかのごとく取り扱ってはならない。一九三〇年代に、ある著名な自由主義者が、公衆の面前で、自分は日本に帰ってきて非常にうれしく思うと言い、その喜びの理由の一つとして妻との再会ということをあげたために、世人から悪評を蒙ったことがある。彼は両親に会えるから、富士山が見られるから、日本の国家的使命に献身することができるから喜ばしいと言うべきであった。彼の妻はこれらのものと同一の水準に属さないものであった。

日本人自身、近代になってから、彼らの道徳律を今までのように、異なった水準と異なった世界とを全く無関係な別のものとして分離することを強調するままに放置しておくことにけっして満足していなかったことを示している。日本人の教えの大きな部分は、「忠」を最高至上の徳とすることに当てられてきた。ちょうど政治家が天皇を頂点に置き、将軍ならびに封建諸侯を排除することによって階層制度を単純化したと同じように、彼らはまた道徳の領域においても、下位の徳をことごとく「忠」の範疇の下に置くことによって、義務の体系を単純化する努力をした。かくして彼らは、全国を「天皇崇拝」の下に統一するだけではなく、日本の道徳の原子論的状態《アトミズム》を緩和しようとした。彼らは「忠」を全うすることによって、他のすべての義務を果たしたことになると教えようとした。彼らは「忠」を、地図の上のたんなる一つの領域ではなくて、道徳のアーチの要石《かなめいし》にしようとした。

このような方策の最上の、また最も権威ある表明は、明治天皇が一八八二年〔明治十五年〕に発布した『軍人に賜りたる勅諭』である。この勅諭と教育勅語こそ、日本の真の聖典である。日本の二大宗教のどちらも経典を容認していない。神道には全然経典がないし、日本仏教の諸宗派も、あるいは教外別伝・不立文字ということを教義とし、あるいは経典の代わりに「南無阿弥陀仏」もしくは「南無妙法蓮華経」というような文句をくり返しさえすればよいと教えている。ところが、明治天皇の勅諭と勅語とは真の聖典である。それらはうやうやしく最敬礼し、しわぶき一つしない聴衆の前で、神聖な儀式として捧読される。それらはトーラ torah〔モーセの法律、旧約五書〕と同じ扱いを受け、捧読のたびごとに奉安所から取り出され、聴衆が解散した後で再びうやうやしく奉安所に納められる。勅語・勅諭を捧読する任に当たった人びとは、その中にある文章を読み違えると責を引いて自殺した。軍人勅諭は主として服役中の軍人のために下賜されたものである。軍人はそれを棒暗記し、毎朝十分ずつそれについて黙想した。重要な祝祭日や、新兵の入営、満期兵の除隊、その他これに準ずる場合に、軍人の前で読まれた。それはまた、中学校ならびに青年学校の全生徒に教えられた。『軍人に賜りたる勅諭』は数頁にまたがる文書である。それは注意深くいくつかの項目のもとに排列され、行文は明瞭的確である。にもかかわらず、西欧人には不可解な謎である。西欧人には勅諭の教訓は矛盾しているように思われる。善と徳とが真の目標として掲げられており、西欧人にも理解できるような仕方で説明されている。そしてその後で勅諭は、「公道の理非に踏迷ひて私情の信義を守」ったために不名誉な最後を遂げたいにしえの英雄豪傑の轍を踏んではならないと警告し、それに引き続いて、このようないにしえの英雄豪傑の「例尠《すくな》からぬものを深く警《いまし》めでやはあるべき」と諭している。

ここに述べられている「警め」は、日本人の義務の地図の知識がなければわからない。勅諭全体が、「義理」をできるだけ軽く取り扱い、「忠」をもち上げようとする官辺の努力を示している。全文を通じてただの一度も、「義理」という語が、日本人が日常使いなれている意味で姿を現すことはない。「義理」をあげる代わりに、勅諭は、「大節」（すなわち、「忠」）と、「小節」（すなわち、「私情の信義を守ること」）との別のあることを強調する。

「大節」は十分すべての徳の根拠となりうるものであることを、勅諭は立証しようと努めている。「義とは『義務』を果たすことである」〔己が分を尽すをいふなり〕と言っている。「忠」に満たされた軍人は必ず「誠の大勇」をもっている。「誠の大勇」とは、「常々人に接《まじわ》るには温和を第一とし諸人の愛敬を得むと心掛け」ることである。勅諭の論旨を推し進めてゆくと、このような教えに従いさえすれば、べつだん「義理」に訴える必要はなく、これだけで十分であるということになる。「義務」以外のさまざまな義務は「小節」であって、人はそれらの義務を承認するさいには、最も慎重な考慮を払わなければならない。

されば信義を尽さむと思はゞ*始より其事の成し得べきか得べからざるかを審《つまびらか》に思考すべし朧気《おぼろげ》なる事を仮初《かりそめ》に諾《うべな》ひてよしなき関係を結びて後に至りて信義を立てんとすれば進退谷《きわま》りて身の措き所に苦むことあり悔ゆとも其詮《そのせん》なし始に能々《よくよく》事の順逆を弁《わきま》へ理非を考へ其言《こと》は所詮践《ふ》むべからずと知り其義（勅諭はこのすぐ前の所で、義とは「義務」を果たすことである、と述べている）**はとても守るべからずと悟りなば速に止る（お前たちの私的約束を棄てる）こそよけれ古《いにしえ》より或は小節の信義を立てんとて大綱の順逆を誤り或は公道の理非に踏迷ひて私情の信義を守りあたら英雄豪傑どもが禍に遭ひ身を滅《ほろぼ》し屍の上の汚名を後世《のちのよ》まで遺せること其例尠からぬものを深く警《いまし》めでやはあるべき。

*訳注　このくだりはベネディクトの利用した勅諭の公認英訳では“If you wish to keep your word and to fulfill your gimu” となっている。そしてベネディクトはこの ‘and’ を馬鹿に重視して読み、「私的関

係において約束を守ることと、『義務』を果たすという、かならずしも常に両立しがたい二つの事柄を両立させるためには」の意味であろうと解釈し、その意味の補足を括弧の中に入れて付け加え、"If you wish to keep your word (in private relations) and (also) to fulfill your gimu" というふうにしている。「義理」と「義務」(ここでは「忠」)との間の対立という考え方にこだわりすぎたために犯した誤りである。なお次の訳注およびその次の訳注を見よ。

＊＊訳注　ここでもベネディクトは「言」と「義」とを対立的に考えている。前項訳注参考。

「忠」の「義理」に対する優位についての以上の教えは、さきに述べたごとく、「義理」の語を出さずに書かれているが、日本人はすべて、「義理のために正義(〝ギ〟)を行なうことができなかった」という表現を知っている。そして勅諭はそれを、「其言(すなわち、個人的な義務)は所詮践むべからずと知り其義はとても守るべからずと悟りなば云々*」という言葉に言いかえている。天皇の権威をもって勅諭は、そのような場合には「義理」は「小節」であることを思いおこして、人は「義理」を棄てるべきであると説く。たとえ勅諭の教えに従って「義理」を棄てても、人は依然として「大節」を守ることによって有徳な人間とされる。

＊訳注　前出の訳注で述べたように、ベネディクトはこのところを、「個人的な約束を守ると同時に義務を守ることはできないとわかったならば」の意味に読み違えているのである。だからこそ、「義理のために正義云々」と同一内容を言い表わすものと考えたのである。

「忠」を称揚するこの聖典は、日本の基本的な文書の一つである。しかしながら勅諭の遠まわしの「義理」の非難によって、はたして「義理」が日本人をとらえる力が弱まったかどうかは、容易に断定できない。日本人はしばしば、自己の、また他人の行為を説明し、かつ正当化するために、勅諭の他の箇所――「義とは己が分を尽すをいふなり」、「心だに誠あれば何事も成るものぞかし」――を引用する。しかしながら、しばしばそうすることが適切であると思われる場合があるにもかかわらず、私情の信義を守ることを禁ずる警めを口にすることは稀れなようである。「義理」は今日でも非常な権威をもつ徳であって、「あの男は義理を弁《わきま》えない」ということは、日本における最も手きびしい非難の一つである。

日本の倫理は、「大節」を取り入れたところで、容易に単純化されるものではない。彼らがたびたび誇りとしてきたように、日本人は善行の試金石として使用すべき普遍的な徳をもちあわせていない。たいていの文化においては個々の人間は、たとえば、善意とか、節倹とか、事業の成功とか、ともかくあるなんらかの徳を達成するたびに応じて、自らを尊しとする。彼らはたとえば、幸福とか、他人に対する支配力とか、自由とか、社会的活動とか、ともかくなにかある人生目的を目標に掲げる。ところが日本人はもっと特殊主義的な掟に従う。それが封建時代においてであると、軍人勅諭においてであるとを問わず、日本人が〝タイセツ〟（大節）ということを口にする時でさえも、それはたんに、階層制の上位にある人に対する義務は下位にある人に対する義務に打ち勝つべきである、という意味においてであるにすぎない。彼らはあいかわらず特殊主義的である。西欧人にとっては一般に、忠誠とは忠誠に対する忠誠であるが、彼らの「大節」はこれに反して、ある特定の個人、もしくは特定の主義主張に対する忠誠である。

近代日本人は、すべての「世界」を支配する何かある一つの徳目をあげようとする時には、「誠実」を選ぶのが常であった。大隈伯は日本の倫理を論じ、誠実（〝マコト〟）こそ「最も肝要な教えであって、さまざまな道徳的教訓の基礎はこの一語の中に含まれると言ってよい。わが国古来の語彙の中には、『まこと』の一語を除いてほかには、倫理的概念を表わす言葉がない」と述べた。* 今世紀の初めのころに新しい西欧の個人主義を謳歌した近代の小説家たちもまた、西欧の信条に不満を感じるようになり、誠実（通常〝マゴコロ〟と呼ばれている）を唯一の真の「教義」として賛美することに努めた。

＊ 伯爵大隈重信撰、『開国五十年史』（上下二巻）。Marcus B. Huish による英訳、*Fifty Years of New Japan*, London, 1909. 第二巻、三七頁。

このように誠実ということに道徳的力点を置くことは、軍人勅諭自体の支持するところである。勅諭は歴史的序説で始まっているが、それはワシントン、ジェファーソン、「建国の父祖たち」'Founding Fathers' の名をあげるアメリカの序説に相当するものである。日本ではこの部分は、「恩」と「忠」とに訴えることによって、最高潮に達する。

朕は汝等を股肱と頼み汝等は朕を頭首と仰ぎてぞ其親《したしみ》は特に深かるべき朕が国家を保《ほう》護《ご》して上天《しょうてん》の恵に応じ祖宗の恩に報いまゐらする事を得るも得ざるも汝等軍人が其職を尽すと尽さゞるとに由るぞかし。

その後に五ヵ条の教えが述べられている。(一) 最高の徳は「忠」の義務を果たすことである。軍人はいかほど技芸がすぐれていても、もし「忠」が堅固でなければ、操り人形と選ぶところがない。また「忠」を欠く軍隊は、いざという場合にたんなる烏合の衆となる。だからして、「世論に惑はず政治に拘らず只々一途《いちず》に己が本分の忠節を守り義は山岳よりも重く死は鴻毛よりも軽しと覚悟せよ」。(二) 第二の戒律は、軍隊の階級に即応して礼儀を正しくすることである。「下級のものは上官の命を承ること実は直《ただち》に朕が命を承る義なりと心得」、上級のものは下級のものを懇ろに取り扱わねばならない。(三) 第三は武勇である。まことの武勇は「血気にはやる粗暴な振舞」とはおよそ反対のものであって、「小敵たりとも侮らず大敵たりとも懼れない」ことであると定義されている。「されば武勇を尚ぶものは常々人に接《まじわ》るには温和を第一とし諸人の愛敬を得むと心掛けよ」。(四) 第四の戒律は「私情の信義を守ら」ないようにせよといういましめであり、(五) 第五は節倹の諭しである。「凡《およそ》質素を旨とせざれば文弱に流れ軽薄に趨《はし》り驕奢華美の風を好み遂には貪汚《たんお》に陥りて志も無下に賤くなり節操も武勇も其甲斐なく世人《よのひと》に爪はじきせらるゝ迄に至りぬべし(中略)猶も其悪習の出《いで》んことを憂ひて心安からねば故《ことさら》に又之を訓《おし》ふるぞかし」。

勅諭の最後の一節は以上五つの教えを「天地の公道人倫の常経」と呼んでいる。それらは「我軍人の精神」である。そしてさらに、これらの五ヵ条の「精神」は「誠心《まごころ》」である。「心誠ならざれば如何なる嘉言も善行も皆うはべの装飾《かざり》にて何の用にかは立つべき心だに誠あれば何事も成るものぞかし」。かくしてこの五ヵ条は「行ひ易く守り易」いものとなる。すべての徳と義務とをならべあげた後に、最後に誠心をくっつけるところは、いかにも日本的である。日本人は中国人のように、一切の徳はあわれみの心の命ずるところにもとづくとは考えない。彼らはまず最初に義務の掟を立てて、その後で一番おしまいに、それらの義務を全身全霊をもって、また全力をつくし全知を傾けて遂行すべしという要求を付け加えるのである。

誠実ということは、仏教の一大宗派である禅宗の教えにおいても、同じような意味をもっている。鈴木大拙はそのすぐれた禅概論の中で、次のような師弟の間の問答を掲げている。

僧問　獅子は敵を襲ふとき、それが兎であると、象であるとを問はず、全力を以てする。その力は何ですか、教へて下さい。

師答　至誠の力だ（字義通りには「欺かざるの力」）。至誠、即ち不欺とは「全存在をさらけ出す」といふことであつて、禅語では「全体作用」と言つて、何物も留保せず、何物も伴つて表現せず、何物も無駄にしないことである。かやうにして生活する人を金毛の獅子と言ふ。そのやうな人は雄々しさ、至誠、専心の象徴である。神の如き人である。

この「誠実」という語の特殊な日本的意味については、さきにすでに他のことを述べるついでに言及した。〝マコト〟の意味は、英語の語法において'sincerity'がもっている意味とは異なっている。それは'sincerity'に比してはるかに少ない内容をもつと同時に、またはるかに多くの内容をもっている。この語が西欧のことばにくらべてはるかに意味内容が少ないという一面には、西欧人は常にすぐ気がつき、しばしば、日本人が誰かが誠意がないというのは、たんにその人が彼と意見が一致しないという意味にすぎない、と言っている。この説の中にはある程度の真理が含まれている。というのは、日本で、ある人を「誠実な人」と呼ぶのは、その人が「本当に」その人の心を支配している愛や憎しみ、決意または驚きに従って行動しているかどうか、ということとは無関係であるからである。アメリカ人が'He was sincerely glad to see me'〔彼は私に会ったことを心から喜んだ〕とか、'He was sincerely pleased'〔彼は心から満足した〕というような言葉で言い表わす是認の形式は日本にはない。彼はそのような'sincerity'〔あからさまに感情を言動に表わすこと〕を軽蔑するいろいろな慣用句を持っている。彼らは、「まあ、あの蛙を見てごらん、口を開けると腹の中がまる見えだ」とか、「ざくろみたいに、口を開くと心の中にあるものがすっかり見える」と言って嘲る。「感情を口外する」ことは恥である。それは自己を「さらけ出す」ことになるからである。アメリカでは非常に重要視されているこれらの'sincerity'という語にともなう連想は、日本の「まこと」という語の意味の中には存在しない。さきに述べた日本の少年が、アメリカ人宣教師を誠意がないと言って非難した時、そのアメリカ人が貧乏な少年が裸一貫で渡米するという計画に、「本当に」驚きを感じたかどうかということを考えてみるなどということは、全く彼の念頭には浮かんでこなかった。日本の政治家たちは最近十年間、彼らがたえずしてきたように、米英両国を誠意がないと言って非難したのであるが、彼らははたして西欧諸国は実際に感じていることとうらはらの行動を取っているのかどうかということを、考えてみようともしなかった。彼らが米英両国を非難したのは、両国が偽善者であるという理由からでもなかった。偽善者というのならば、そうたいして非難するには当たらなかった。軍人勅諭が「一の誠心は又五ヵ条の精神なり」と言っているのもそれと同じことであって、他の一切の徳に実効をもたせる徳は、人をして自己の内なる声の命ずるところに従って言動をなさしむる心の純粋さである、ということを意味するのではない。たしかにそれは、人は自分の信念がどんなに他人の信念と異なっていようとも、純粋に自己の信念に従って行動せねばならない、と命じているのではない。

しかしながら「まこと」は日本ではいくつかの積極的な意味をもっている。そして日本人はこの概念の倫理的役割を非常に重視しているのであるから、西欧人は是非とも、日本人がこの語を使用するさいに考えている意味を把握しなければならない。日本人が〝マコト〟について抱いている根本的な意味は、『四十七士物語』の中に遺憾なく例示されている。あの物語の中の「誠実」は、「義理」に付け加えられるプラス記号である。「まことの義理」は「一遍の義理」に対するものであって、それは「永久不滅の亀鑑となる義理」である。今日でも日本人は、「まことがそれを持続させるものである」と言う。この表現の中の「それ」は、文脈によって、日本の道徳律の中に含まれるいかなる戒律、「日本精神」の要求するいかなる態度をも指し示すものである。

戦時中の日本人隔離収容所内における用法も、『四十七士物語』の用法と全く同じであった。そしてそれは、どこまで論理が拡張されるか、またいかにアメリカの用法と反対の意味になりうるか、ということを明らかに示している。日本びいきの一世（日本生まれのアメリカ移民）が、たえずアメリカびいきの二世（二代目）の移民に浴びせかけたおきまりの非難は、二世は「まこと」を欠いているというのであった。一世の言葉の意味は、二世が「日本精神」――戦時中に日本において公式に定義された通りの――を「持続」せしめるような心的特質をもたないということにあった。一世はけっして、彼らの子供たちの親米態度が偽善的である、ということを意味していたのではない。彼らの意味していたところはそれとはまるで違ったものであった。その証拠に、二世が志願してアメリカ軍に加わり、彼らが純粋な愛国心の命ずるところに従って、彼らの第二の祖国を支持しているのであるということが、何びとの眼にも明らかとなった時においても、一世は非難をやめるどころか、いっそう確信をもって誠意がないと言って非難した。

日本人が「誠実」という語を用いるさいの根本的な意味は、日本の道徳律および「日本精神」によって地図の上に描き出された「道」に従う熱意ということである。個々の文脈において「まこと」という語がいかに特殊な意味をもつにせよ、常にそれは、「日本精神」の一般に認められているあるなんらかの側面の称賛、徳の地図の上に立てられている公認の道標の称賛と解釈してまちがいがない。ひとたび「誠実」がアメリカ人の考えているような意味をもたないという事実が納得されたならば、この語はあらゆる日本語の文献において注意すべき、極めて有用な言葉である。というのは、この語で言い表わされている事柄はいつでも、日本人が実際に重点を置いている積極的な徳であると考えてほとんどまちがいないからである。「まこと」は私利を追求しない人間を賞める言葉としてたえず用いられる。このことは、日本人の倫理が、利潤を得ることを非常に悪いことと考えていることの反映である。利潤は――それが階層制度の当然の結果でない場合には――不当な搾取の結果であると判断される。そして、その仕事から利潤を得るために脇道にそれた仲介人は、人の忌みきらう金貸しとなる。そのような人間は常に、「まことのない人間」と言われる。「まこと」はまたたえず、感情に走らない人間に対するほめ言葉として用いられる。このことは、日本人の自己修養の観念を反映するものである。誠実と呼ぶに値する日本人はまた、けんかを売るつもりのない人間を辱めることになるような危険にはけっして近づかない。このことは日本人の、人は行為そのものに対してはもちろんのこと、行為の派生的な結果に対しても責任を負わねばならないとする信条を反映するものである。最後に、「まこと」のある人のみが、「人の頭に立ち」、その手腕を有効に活用し、また心理的葛藤をまぬがれることができる。これら三つの意味、なおそのほか多数の意味は、日本人の倫理の等質性を端的に表明している。これらの意味は、日本では人は、ただ定められた掟を遂行する時にのみ、実効を収めることができ、かつ矛盾葛藤を感じなくともすむという事実を反映するものである。

このように日本人の「誠実」には種々さまざまの意味がある。したがってこの徳は、勅諭や大隈伯の言うように、日本人の倫理を単純化するものではない。それは彼らの道徳の「基礎」をなすものでなければ、それに「魂」を与えるものでもない。それはいかなる数でも、適当にその後に書き添えれば、その数を高次の冪《べき》数にする指数である。小さな2という数字を右肩につければ、9であろうと、159であろうと、bであろうと、xであろうと、全く無差別に自乗数になる。それと同じように「まこと」は、日本人の道徳法典のいかなる条項をも高次の冪数に高める。それはいってみれば、独立した徳ではなくて、狂信者の自らの教義に対する熱狂である。

　日本人が彼らの道徳律にどんな修正を加えようと努力したにせよ、それは依然として原子論的《アトミスティック》であり、徳の原理は依然として、それ自体においては善である。ある行動と、これもまたそれ自体においては善である他の行動との間のバランスを保つことである。彼らの倫理体系は、まるでブリッジ〔一種のトランプ遊戯〕の勝負のようなものである。上手な競技者とは、規則に従い、その規則の範囲内で競技する人である。彼が下手な競技者と区別されるのは、推理の訓練を積んでいて、他の競技者たちの出し札に、それらの札が競技の規則のもとで何を意味するかということについての十分な知識をもって、ついてゆくことができるという点である。彼は、われわれの表現によれば、ホイルに従って*競技する。彼は一手ごとに無限の細目を考慮の中に入れねばならない。起こりうべき偶然はあますところなく競技の規則の中に網羅されているし、点数も前もってあらかじめ定まっている。アメリカ人の言う意味における善き意図ということは、問題外に置かれる。

＊訳注　Hoyle, Edmund (1672～1769). はじめてウィスト（一種のトランプ遊戯）の法則を組織化した人。「ホイルに従って」'according to Hoyle' という表現はトランプのみならず、一般に何事でも「定跡に従って」、すなわち既成の手堅い手法によって行なうことを意味する。

どの国語でも、どんなコンテクストにおいて人びとが自尊を失い、あるいは獲得すると言うかということが、その国民の人生観を理解するうえに多大の助けとなる。日本では「自らを重んずる」ということは、常に自らが注意深い競技者であることを示すことである。それは英語の用語法のように、他人に媚びへつらわないとか、嘘をつかないとか、偽りの証言をしないとかいう、なにかある立派な行為の規準に意識的にしたがうことではない。日本では自重（"ジチョー"）というのは、文字通りには「重々しい自我」ということであって、その反対は「軽佻浮薄な自我」である。「あなたは自重しなければならない」というのは、「あなたはぬかりなくその事態の中に含まれているあらゆる因子を考量し、けっして人から非難されたり、成功のチャンスを減少したりするようなことをしてはならない」という意味である。「自らを重んずること」は往々にして、アメリカでこの言葉が意味している行動と、ちょうど正反対の行動を意味することがある。被雇傭者が「私は自重せねばならない」と言うのは、自分の権利を主張せねばならないという意味ではなくて、雇主に対して、自分が困るようなことを言ってはならないという意味である。「あなたは自重しなければならない」という表現は、政治の方面において用いられる場合もまた、同じ意味をもっていた。それは「重責を荷う人間」は、もし無分別にも「危険思想」にかぶれるようなことがあっては、もはや自らを重しとすることはできない、ということを意味していた。アメリカのように、たとえ思想が危険であるとしても、もし人が自らを重んずるならば、自己の見解と、自己の良心に従って自己の思想を抱くべきである、という意味は含まれていなかった。

「お前は自重しなければならない」という言葉は、親が青年期の子供に訓戒するさいに、たえず口にする言葉である。そしてそれは行儀作法を守り、他人の期待に背かぬように行動することを指し示す。たとえば女の子は脚は正しい位置に置き、身動きせずに坐るように、男の子は身心を鍛錬し、他人の顔色をうかがうことを学ぶように諭される。それは「今こそ将来が決定される大切な時であるから」である。親が子供に向かって、「お前は自重する人間のようには行動しなかった」〔軽はずみなふるまいをした〕というのは、子供の不作法を責めているのであって、子供が自分が正しいと考える事柄のために立ち上がる勇気を欠いたことを責めるのではない。

金貸しに借金を返すことのできない農民は、「私は自重すべきであった」と言う。がしかしそれは、自分の怠惰を責めたり、債権者に対して卑屈な態度を取ったことを責めたりするのではない。それは、そういう窮地におちいる場合を予想してもっと用心深くすべきであった、という意味である。社会的地位の高い人は、「私の自尊心がこれこれのことを要求する」と言うが、それは正直とか廉潔とかいうような、一定の道徳的原理に従って行動せねばならない、という意味ではなくて、彼の家柄を十分考慮しつつその事柄を処理せねばならぬということ、その事柄の中に彼の身分の重みをことごとく投げ入れなければならないということを意味する。

実業家が彼の会社について、「われわれは自重せねばならない」と言うのは、慎重の上にも慎重を、用心の上にも用心を重ねなければならないという意味である。復讐の必要を説く人間は、「自重して復讐する」と言う。がこのことはけっして、敵の頭上に「燃えさかる炭火を積む」*ことや、彼がなんらかの道徳的原則に従う意図をもつことを指すのではない。それは「私はどうしても完全に復讐しないではおかない」というのと同じであって、周到に計画をめぐらし、あらゆる要素を考慮の中に入れて復讐を行なうという意味である。日本語でほかのなによりも強い言い方は、「自重に自重を重ねる」という表現であって、それは n 次の〔無限の〕用心をするという意味である。それはけっして軽率な結論を下さないことを意味する。それは、目標に到達するために、ぎりぎりに必要な分量以上の努力も、以下の努力も費やさないように、さまざまな方法と手段を比較考量することを意味する。

＊訳注　ローマ人への手紙、第一二章、二〇節、「もしあなたの敵が飢えるなら、彼に食わせ、かわくなら、彼に飲ませなさい。そうすることによって、あなたは彼の頭に燃えさかる炭火を積むことになるのである」。つまり、「敵の頭の上に燃えさかる炭火を積む」というのは、恨みを徳で返すことを意味する。

これらすべての自重の意味は、人生を、細心の注意をもって、「ホイルに従って」〔定跡に従って〕行動すべき世界と見る日本人の人生観と符節を合わせている。彼らは自重ということを以上のように定義しているので、意図は善かったのだということを理由にして、失敗のアリバイを申し立てることは許されない。一挙手一投足がさまざまな結果をともなうのであって、人はそれらの結果を考慮せずに行動してはならない。人に恩恵を施すことはまことに結構なことであるが、あなたはあなたの恩恵を受ける人が、「恩を着せられた」と感じるであろうということを、あらかじめ予見せねばならない、あなたは用心しなければならない。他人を批評しても一向さしつかえないが、批評するからには、あなたは相手の恨みの一切の結果を引き受ける覚悟をしてかからねばならない。あのアメリカ人宣教師が若い画家から、彼を嘲笑したと非難された場合において、宣教師は別に悪意があってしたのではないと言ってみたところで、なんの弁解にもならない。宣教師は盤上の彼の一手がどういう意味をもつかということを十分考慮しなかったのである。それは日本人から見れば、まるで訓練ができていないことになるのであった。

このように、慎重と自重とを全く同一視するということの中には、他人の行動の中に看取されるあらゆる暗示に油断なく心を配ること、および他人が自分の行動を批判するということを強く意識することが含まれている。彼らは、「世間がうるさいから自重せねばならない」とか、「もし世間というものがなければ、自重しなくともよいのだが」などと言う。こういう表現は、自重が外面的強制力にもとづくことを述べた、極端な言い方である。正しい行動の内面的強制力を全然考慮の中に置いていない表現である。多くの国ぐにの通俗的な言いならわしと同じように、これらの言い方も事実を誇大に表現しているのであって、現に日本人は時によっては、自分の罪業の深さに対して、ピューリタンにくらべてもけっしてひけを取らないくらいに強烈な反応を示すことがある。とはいうものの、やはり右の極端な表現は、日本人がおよそどういうところに重点を置いているかということを正しく指摘している。すなわち、日本人は罪の重大さよりも恥の重大さに重きを置いているのである。

さまざまな文化の人類学的研究において重要なことは、恥を基調とする文化と、罪を基調とする文化とを区別することである。道徳の絶対的標準を説き、良心の啓発を頼みにする社会は、罪の文化（guilt culture）と定義することができる。しかしながらそのような社会の人間も、たとえばアメリカの場合のように、罪悪感のほかに、それ自体はけっして罪でないなにかへまなことをしでかした時に、恥辱感にさいなまれることがありうる。たとえば、時と場合にふさわしい服装をしなかったことや、なにか言いそこないをしたことで、非常に煩悶することがある。恥が主要な強制力となっている文化においても、人びとは、われわれならば当然だれでも罪を犯したと感じるだろうと思うような行為を行なった場合には煩悶する。この煩悶は時には非常に強烈なことがある。しかもそれは、罪のように、懺悔や贖罪によって軽減することができない。罪を犯した人間は、その罪を包まず告白することによって、重荷をおろすことができる。この告白という手段は、われわれの世俗的療法において、また、その他の点に関してはほとんど共通点をもたない多くの宗教団体によって利用されている。われわれはそれが気持ちを軽くしてくれることを知っている。恥が主要な強制力となっているところにおいては、たとえ相手が懺悔聴聞僧であっても、あやまちを告白してもいっこうに気が楽にはならない。それどころか逆に、悪い行ないが「世人の前に露顕」しない限り、思いわずらう必要はないのであって、告白はかえって自ら苦労を求めることになると考えられている。したがって、恥の文化（shame culture）には、人間に対してはもとより、神に対してさえも告白するという習慣はない。幸運を祈願する儀式はあるが、贖罪の儀式はない。

真の罪の文化が内面的な罪の自覚にもとづいて善行を行なうのに対して、真の恥の文化は外面的強制力にもとづいて善行を行なう。恥は他人の批評に対する反応である。人は人前で嘲笑され、拒否されるか、あるいは嘲笑されたと思いこむことによって恥を感じる。いずれの場合においても、恥は強力な強制力となる。ただしかし、恥を感じるためには、実際にその場に他人がいあわせるか、あるいは少なくとも、いあわせると思いこむことが必要である。ところが、名誉ということが、自ら心中に描いた理想的な自我にふさわしいように行動することを意味する国においては、人は自分の非行を誰一人知る者がいなくても罪の意識に悩む。そして彼の罪悪感は罪を告白することによって軽減される。

アメリカに移住した初期のピューリタンたちは、一切の道徳を罪悪感の基礎の上に置こうと努力した。そして現代のアメリカ人の良心がいかに罪の意識に悩んでいるかということは、すべての精神病医の承知しているところである。しかしながらアメリカでは、恥が次第に重みを加えてきつつあり、罪は前ほどにははなはだしく感じられないようになってきている。アメリカではこのことは道徳の弛緩と解されている。この解釈には多分の真理が含まれているが、しかしそれはわれわれが、恥には道徳の基礎というような重任を果たす資格がないと考えているからである。われわれは恥辱にともなう烈しい個人的痛恨の情を、われわれの道徳の基本体系の原動力とはしていない。

日本人は恥辱感を原動力にしている。明らかに定められた善行の道標に従いえないこと、いろいろの義務の間の均衡をたもち、または起こりうべき偶然を予見することができないこと、それが恥辱（〝ハジ〟）である。恥は徳の根本である、と彼らは言う。恥を感じやすい人間こそ、善行のあらゆる掟を実行する人である。「恥を知る人」という言葉は、ある時は'virtuous man'〔有徳の人〕、ある時は'man of honor'〔名誉を重んずる人〕と訳される。恥は日本の倫理において、「良心の潔白」、「神に義とせられること」、罪を避けることが、西欧の倫理において占めているのと同じ権威ある地位を占めている。したがってその当然の論理的帰結として、人は死後の生活において罰せられるなどということはない。日本人は——インドの経典の知識をもっている僧侶たちを除けば——この世で積んだ功罪に応じて異なった状態に生まれ変わるという思想を全く知らない。また彼らは——十分教義を理解したうえでキリスト教に帰依した人びとを除いては——死後の賞罰、ないしは天国と地獄というようなことを認めない。

日本人の生活において恥が最高の地位を占めているということは、恥を深刻に感じる部族または国民がすべてそうであるように、各人が自己の行動に対する世評に気をくばるということを意味する。彼はただ他人がどういう判断を下すであろうか、ということを推測しさえすればよいのであって、その他人の判断を基準にして自己の行動の方針を定める。みんなが同じ規則に従ってゲームを行ない、お互いに支持しあっている時には、日本人は快活にやすやすと行動することができる。彼らはそれが日本の「使命」を遂行する道であると感じる場合には、ゲームに熱中することができる。彼らが最も手痛い心の痛手を受けるのは、彼らの徳を日本特有の善行の道標のそのまま通用しない外国に輸出しようと試みる時である。彼らは「善意」にもとづく「大東亜」の使命に失敗したのであるが、中国人やフィリピン人が彼らに向かって取った態度に対して、多くの日本人の感じた憤りは偽らざる感情であった。

国家主義的動機にもとづいてではなく、留学や業務上の目的でアメリカに渡来した個々の日本人もまたしばしば、道徳がそれほど固苦しく定められていない世界で生活しようとするさいに、彼らが今まで受けてきた周到な教育の「破綻」を痛感した。彼らは、自分たちの徳はどうも輸出向きにはできていない、と感じた。彼らの論点は、文化を変えることは困難だというような一般的な事柄ではない。彼らが言おうとしていることはそれ以上のことであって、彼らはときおり、日本人がアメリカの生活にはまりこむことが非常に困難であるのに反して、彼らの知り合った中国人やシャム人はさほど困難を感じない、という事実を指摘する。彼らの見るところでは、日本人特有の問題は、彼らは、一定の掟を守って行動しさえすれば、必ず他人が自分の行動の微妙なニュアンスを認めてくれるに違いない、という安心感をたよりとして生活するように育てられてきたということである。外国人がこれらの礼節を一切無視しているのを見て、日本人は途方に暮れる。彼らはなんとかして、西欧人が生活の基準にしている、日本人の場合と同様に綿密な礼節を見つけ出そうとする。そしてそんなものがないことがわかった時、ある日本人は腹が立ったと言い、ある日本人は愕然としたと言っている。

道徳的にそれほど厳しくない文化において遭遇した以上のような経験を、誰よりもよく描いているのは、ミス・三島の自叙伝『わが狭き島国』である。* 彼女はなんとかしてぜひアメリカの大学に留学しようと企てた。そして、アメリカの大学の奨学生にしてもらうことによってアメリカ人から「恩」を受けることに反対する彼女の保守的な家族の者をやっと説き伏せて、ウェルズリ大学に入学した。先生も学友も非常に親切にしてくれた、と彼女は述べている。だがそのためにいっそう彼女はつらく感じた。「日本人の誰もがそうであるように、私も自分の行状は全く非のうちどころがないと考えていたが、その誇りは無残にも傷つけられた。私はこの国ではいったいどうふるまったらよいのかいっこうに見当のつかない自分自身に対して、また私のそれまで受けてきたしつけをあざわらうかのごとく思われた環境に対して、憤りを感じた。この漠然とした、しかしながら根深い怒りの感情のほかには、もはやなんの感情も私の中に残らないようになった」。彼女は自分を、「この別な世界ではなんの役にもたたない感覚と感情とをもった、どこか他の遊星から落ちてきた生物であるかのように感じた。あらゆる動作をしとやかにし、あらゆる言葉づかいを礼儀にかなうようにすることを要求する私の日本流のしつけが、この国の環境の中で——そこでは私は、社会的にいって、右も左も全くわからなかったのであるが——私を極度に神経過敏に、かつ自意識的にした」。彼女の緊張が解け、彼女にさしのべられる好意を快く受け容れられるようになるまでには、二、三年の歳月がかかった。アメリカ人は彼女のいわゆる「洗練されたなれなれしさ」をもって生活している、と彼女は断定した。ところが、「なれなれしさはぶしつけなこととして、三歳の時にすでに私の心の中で圧し殺されてしまった」。

＊ Mishima, Sumie Seo, *My Narrow Isle*, 1941, p. 107.〔なお原著にはミス・三島とあるが、三島は結婚後の名前である――訳者〕

ミス・三島は彼女がアメリカで知り合いになった日本の娘たちと、中国の娘たちとを比較対照しているが、彼女の評語は、アメリカの生活が両国の娘たちに、いかに異なった影響を与えたかということを示している。中国の娘たちは「たいていの日本の娘たちには全くみられない落ち着きと社交性とをもっていた。これらの上流の中国娘たちは、一人残らずほとんど王者のごとき優雅さをもち、世界の真の支配者であるかのごとき趣きがあって、私には世界中で最も洗練された人たちのように思われた。この偉大な機械とスピードの文明の中にあっていささかの動揺をも見せない、彼女たちのものおじせぬ態度と堂々たる落ち着きぶりは、私たち日本の娘のたえずおどおどした、過度に神経質な態度といちじるしい対照をなしていた。これは社会的背景になにかある根本的な差異のあることを物語るものであろう」。

ミス・三島は、他の多くの日本人と同じように、まるでテニスの名手がクロッケーの試合に出た時のような感じがした。彼女のすぐれた技倆は、まるで役にたたなかった。彼女は今まで習い覚えてきた事柄が、とうてい新しい環境に持ち込むことのできないものであることを感じた。彼女が受けてきた訓練は無益であった。アメリカ人はそんなものはなくとも結構うまく生活していた。

たとえほんのわずかでも、一度、アメリカに住んで、この国のそれほど固苦しく煩瑣でない行動の規則を受け容れた日本人には、かつて彼らが日本で送ったあの窮屈な生活を、再びくり返すなどということはとうてい考えられないことである。彼らは昔の生活を、ある時には失われた楽園として、ある時には「桎梏《しっこく》」として、ある時には「牢獄」として、またある時には盆栽を植える「小さな植木鉢」として述べている。盆栽仕立ての松の根が植木鉢の中に閉じこめられていた間は、その結果は美しい庭園に美観をそえる芸術品であった。ところが、ひとたびじかに大地に移し植えられた盆栽の松は、けっして二度ともとへかえすことはできない。彼らは、自分たちはもはやとうてい、あの日本の庭園の装飾にはなりえないと感じる。彼らは二度と昔の要求に応ずることはできない。これらの人びとこそ、最も尖鋭な形で日本人の徳のジレンマを経験した人びとである。

第十一章　修　養

　ある文化の自己訓練は常に他の国から来た観察者には無意味なことと思われがちである。訓練の方法それ自体はよくわかるが、なぜあのような苦労をせねばならないのか。なぜわざわざ酔狂にも、鉤からぶらさがったり、一心不乱に臍をにらんだり、全然金銭を使わなかったりするのか。なぜこれらの苦行のどれか一つに専念し、局外者には真に重要であり、訓練の必要があると考えられる衝動を統御することを要求しないのか。観察者が自己訓練のための特別な方法を教えない国に属し、それらの方法に非常な信頼を置いている国民のただなかに身を置く場合には、誤解の可能性は最高度に達する。

　アメリカでは、自己訓練のための特別な、伝統的な方法は比較的未発達の状態にある。アメリカ人は、自分の生涯において実現しうる事柄についての見当をつけた人間は、もしその必要があればひとりで勝手に、自分の選んだ目標に到達するために自己を訓練すると考えている。自己訓練をするかしないかは、その人の願望、良心、あるいはヴェブレン*のいわゆる「技術的本能」'an instinct of workmanship'のいかんによって違ってくる。彼はフットボールの選手として競技に参加するために厳格な規律に服したり、音楽家になる修行をするために、あるいはまた事業に成功するために一切の娯楽を断念したりする。彼は自分の良心にかんがみてよこしまな行ないや軽はずみな行ないをすることをつつしむ。しかしながらアメリカでは、特別な訓練法としての自己修養そのものは、算術のように、個々の場合における応用ということを全く度外視して、それだけを別個に学ぶべきものとはされていない。もしそういう修行がアメリカで行なわれているとすれば、それはヨーロッパから来たなにかある宗派の指導者か、インドで工夫された方法を伝授するスワーミ〔ヒンズー教教師〕たちによって教えられているものである。サンタ・テレーサ（Saint Theresa）や、「十字架の」聖フアン（Saint John of Cross）**の説き、実践したような、瞑想と祈禱とを内容とする宗教的修行でさえ、アメリカではほとんど跡を絶ってしまっている。

*訳注　Veblen, Thorstein (1857～1929), アメリカの著名な経済学者。
**訳注　Santa Teresa de Jesus (1515～1582), および Juan de la Cruz もしくは Juan de Yepezy Alvarez (1542～1591), ともにスペインのカルメル教団に属する神秘主義者。

ところが日本人は、中学の試験を受ける少年も、剣術の試合に出場する人も、あるいは、またたんに貴族としての生活を送るにすぎない人でも、試練を受けるさいに必要な特定の事項を覚えるだけではなく、それとは全く別個な自己訓練をする必要があると考えている。どんなに試験勉強をしたところで、どんなに剣術の腕が達者であっても、またどんなに礼儀作法にそつがなくても、彼は書物や竹刀を傍におき、社交界にお目見えすることをしばらく中止して、特殊な修行をせねばならない。むろん日本人のすべてがすべてまで、神秘めいた修行に服するのではない。しかしながら、そういう修行をしない人びとでさえ、自己訓練に関する言いまわしや、その慣行に対して、人生における一定の位置を認めている。どの階級に属する日本人も自他の行動を、一般に行なわれている、特殊な自制と克己の方法に関する彼らの観念にもとづくところの一連の概念によって判断する。

彼らの自己訓練の概念は大別すると、能力を授けるものと、それ以上のものを与えるものとに分けることができる。この「それ以上のもの」を、私は練達と呼ぶことにする。両者は日本では劃然と区別され、人間の心性のうちに異なった結果を生み出すことを目的とし、異なった根拠をもち、異なった外的徴標によって識別される。第一の種類、すなわち、能力を培う修行については、すでに多くの事例を述べた。十分間の小休止のおりに少しうとうとするだけで、六十時間は不眠不休の平時の演習に参加した部下の兵士たちについて、「あいつらは教えなくとも眠ることは知っています。必要なことは眠らない訓練をすることです」と言ったあの陸軍士官は、われわれには極端な要求のように思われるが、たんに一人前の兵士として必要な能力を養うことを目的としていたにすぎない。彼は、意志がほとんど無限に陶《とう》冶《や》の可能性をもつ肉体を支配せねばならない。肉体それ自体は、もし人がそれを無視したならば、必ず損失を蒙らねばならないような健康の法則をもたない、とする日本的な精神統御法のあまねく認められている原理を述べていたのである。日本人の「人情」の理論全体がこの仮定の上にもとづいている。人生の真に重大な事柄が問題となるさいには、肉体の要求は、いかにそれが健康に欠くべからざるものであっても、またそれ自体としてはいかに是認され、入念に培い養われるとしても、徹底的に蔑視せねばならない。いかなる自己訓練をしてでも、人は日本精神を発揮するようにせねばならない。

しかしながら、日本人の見解をこのような表現で言い表わすことは、彼らの仮定を誤解せしめるおそれがある。というのは普通のアメリカの用語法では、「いかなる自己訓練をしても」'at the price of whatever self-discipline' ということは、「いかなる自己犠牲を行なっても」'at the price of whatever self-sacrifice' ということとだいたい同じ意味になるからである。それはまたしばしば、「どんなに自分の欲望を抑制しても」という意味になる。アメリカ人の訓練というものについての考え方は——それが外部から押しつけられたものであろうと、われとわが行動を監視する良心として心の中に投げ入れられたものであろうと——人は幼少のころから、自ら進んで受けるかあるいは権威によって強いられる訓練によって社会化されねばならない、というのである。これは抑圧である。当の人間は、このように自分の願望が制限されることを不快に感じる。彼は犠牲を払わなければならない。そのために彼の心の中にはどうしても反抗的な感情が呼びさまされる。このような見方は、ただたんにアメリカの多くの専門の心理学者たちの見解であるにとどまらない。それはまたおのおのの世代が、家庭で両親に育てられるさいの哲学でもある。さればこそ、心理学者の分析がわれわれの社会においては、多分の真理をもつのである。子供は一定の時間がくれば「寝なければならない」。しかも彼は両親のそぶりから、寝ることが一種の抑圧であることをさとる。数えきれないほど多くの家庭において子供は毎晩、さんざん駄々をこね、はでな立ち回りを演じて、彼の不満の意を表わす。彼はすでに、睡眠をどうしても「しなければならない」ことと考える、訓練を受けた幼いアメリカ人であって、とうてい敵することはできないと知りつつ歯向かってみるのである。彼の母親はまた彼がどうしても食べ「なければならない」ものを定める。それはオートミールであることもあるし、ほうれんそうであることもあるし、パンであることもあるし、オレンジ・ジュースであることもあるが、アメリカの子供は、彼が食べ「なければならない」食べものに逆らうことを覚える。彼は「からだによい」食べものは、おいしい食べものではないときめてかかる。こういうしきたりはアメリカにあって日本にはなく、またたとえばギリシアのような、二、三のヨーロッパの国ぐににも見られない習慣である。アメリカでは大人になるということは、食べものの抑制から解放されることを意味する。人は大人になれば、からだによい食べものではなくて、おいしい食べものを食うことができる。

しかしながら、このような睡眠や食べものについての観念は、西欧人の自己犠牲の概念全体にくらべればとるにたりない些々たるものである。親は子供のために多大の犠牲を払い、妻は夫のためにその生涯を犠牲にし、夫は一家の生計を立てるために自己の自由を犠牲にするというのが、まず標準的な西欧人の信条である。アメリカ人には、自己犠牲の必要を認めない社会が存在するなどということは思いもよらないことである。ところが実際にそういう社会が存在する。そしてそのような社会においては人びとは、親は人情として当然子供を可愛がり、女は他のいかなる生活よりも結婚生活にはいることを望み、一家の生計を立てる人間は猟師なり、植木職なり、自分の好きな仕事をしているのだという。どうして自己犠牲ななようなことを口にする必要があろうか。社会がこういう解釈を強調し、人びとがそのような解釈にしたがって生活することを許容している場合には、自己犠牲の観念はほとんど全く認められない。

アメリカでは人があのような「犠牲」を払って他人のためにしている事柄のすべてが、他の文化では相互交換と考えられている。それは後で返済される投資か、あるいは以前に人から受けた価値に対する返礼である。そのような国においては、父子の関係でさえこのように取り扱われる。父親が息子のために息子の幼少時にしてやることを、息子は父親のために父の晩年に、あるいは父の死後にする。あらゆる実務上の関係がまた一種の民間契約であって、それはしばしば同じものを等量だけ返済することを保証すると同時に、通常当事者の一方に庇護の義務を、他方に奉仕の義務を負わせる。こうして双方が利益を得ることを好都合と考えることはあっても、当事者のどちらにも自分の果たす義務を犠牲とは考えない。

日本人の他人への奉仕の背後にある強制力は、むろんこの相互義務であって、それは人から受けたものに対して等量の返済をすることを要求するとともに、階層的関係に立つ者同士が相互にその責任を果たし合うことを要求する。したがって自己犠牲の道徳的地位は、アメリカの場合と非常に違っている。日本人は従来、常に、特にキリスト教宣教師の自己犠牲の教えに対して反対の態度を取ってきた。彼らは、有徳の人間は他人のためになすことを、自己の願望の抑圧と考えてはならないと主張する。ある日本人は私にこう言った。「われわれがあなたがたのいわゆる自己犠牲を行なうのは、われわれがそうすることを欲するからか、あるいはそうすることが正しい行ないであるからである。われわれはけっして残念には思わない。われわれが実際に他人のためにいかに多くのことを犠牲にするとしても、われわれはそうすることによってわれわれが精神的に高められるとも、またその『報い』を受けるべきであるとも思わない」。日本人のように、精緻を極めた相互義務を生活の中軸としている国民が、自分たちの行動を自己犠牲とすることは当たらないと考えるのは当然である。彼らは極端な義務を果たすが、伝統的な相互義務の強制力のゆえに、彼らは個人主義的な、競争ということを基調とする国ぐににおいてややもすれば起こりがちな、自己憐愍《れんびん》と独善の感情を抱かなくともすむ。

したがってアメリカ人は、日本において一般に行なわれている自己訓練の習慣を理解するためには、われわれの「自己訓練」'self-discipline' の観念に、いわば一種の外科手術を施さなければならない。われわれはわれわれの文化においてこの概念の周囲にこびりついている「自己犠牲」'self-sacrifice' と「抑圧」'frustration' という付加物を切り捨てなければならない。日本では人は上手な競技者となるために自己訓練をする。そして日本人の態度は、ブリッジをする人間と同じであって、全然犠牲の意識をともなわずに訓練を受ける。むろん訓練は厳格である。だがしかしそれは事柄の本質に根ざしたことであって、厳格なのが当りまえである。生まれながらの幼児は幸福であるが、「人生を味わう」能力をもたない。精神的訓練（もしくは自己訓練、〝シューヨー〟〔修養〕）を積んではじめて人は充実した生活をし、人生の「味をかみしめる」能力を獲得する。この表現は通常 'only so can he enjoy life.〔かくしてはじめて人生を楽しむことができる〕と訳されている。自己訓練は「腹〔自制力の宿る所〕を造る」。それは人生を拡大する。

日本における「能力」を養う自己訓練の根拠は、それが処世態度を改善するという点にある。訓練の当初には人はとうてい辛抱ができないと感じるかもしれないが、その感じはまもなく消えてゆく、と彼らは言う。それはおしまいには訓練が楽しみになるから――あるいは訓練を抛棄してしまうからである。丁稚は立派に商売の役にたつようになり、少年は〝ジュードー〟〔柔道〕(〝ジュージュツ〟)を覚え、嫁は姑の要求に合致するようになる。訓練の最初の段階においては、新しい要求に慣れない当の人間が、このような〝シューヨー〟〔修養〕を避けたがるのも無理はない。そういう場合には、彼らの父親は彼らに向かって、「お前はなんという間違った料簡を起こすのだ、人生を味わうためにはどうしても多少の訓練が必要だ。もしそれを投げ出して全然修行をせずにいると、後で必ず不幸な目に遭うぞ。もしそのような結果におちいり、世間の人からとやかく言われるようになっても、私はもうお前をかばってやらないよ」と言って説諭する。彼らがたびたび用いる表現を借りて言えば、修養は「身から出た錆」をみがき落とす。修養は人をとぎすまして鋭利な刀にする。そしてそれこそむろん、彼がそうなりたいと願うところのものである。

日本人はこのように自己訓練が自分の利益になることを強調するのであるが、このことは、彼らの道徳律がしばしば要求する極端な行為が真に重大な抑圧となること、またそのような抑圧が攻撃的衝動をかもし出すことが全然ないということを意味するものではない。このような区別は、遊戯やスポーツの場合ならば、アメリカ人にも理解できる。ブリッジの選手権保持者は腕をみがくためになさねばならなかった自己犠牲について不平を言わない。彼はその道の達人となるために費やさねばならなかった時間を「抑圧」とはみなさない。にもかかわらず医師の言うところによれば、大きな賭金を賭けた勝負をする時や、選手権試合の時に必要な多大の注意が、まま胃潰瘍や過度の身体的緊張の一因となることがある。同じことが日本にも起こる。しかしながら、相互義務の観念が強制力として働いているために、また自己訓練は自分の利益になると確信しているために、日本人には、アメリカ人にはとても我慢ができないと思われる多くの行為が、容易なことのように思われる。彼らは上手にふるまうことに、アメリカ人よりもはるかに周到な注意を払い、言いわけをすることが少ない。彼らはわれわれほど頻繁に生活の不満を他に転嫁しない。またわれわれほど頻繁に自己憐憫の情にひたることもない。それは彼らは、それが何に起因するかは別として、アメリカ人のいわゆる人並みの幸福 'average happiness' というものをもたないからである。彼らは「身から出た錆」に対して、アメリカ人の間で通常行なわれているよりもはるかに周到な注意を払うように訓練されている。

「能力」を養う自己訓練のほかに、またその上に立つものとして、さらに「練達」の平面がある。日本のこの後の種類の訓練方法は、日本人でそれについて書いた人たちの著書を読んでも西欧人にはあまりよく理解ができないし、西欧人でこの問題を専門に研究している人びとは往々にしてそれを見下す態度を取ってきた。彼らは時にはそれを「常軌を逸した奇習」

と呼んでいる。あるフランスの学者は、それは全く「常識を無視したもの」であり、訓練に重きを置くあらゆる宗派の中で最も有力な禅宗は、「厳粛なノンセンスのかたまり」であると書いている。しかしながら、日本人がこれらの訓練方法によって達成しようとする目的はけっして不可解なものではない。そしてこの問題を追究することは、日本人の精神統御法を明らかにするうえに少なからぬ助けとなる。

　日本語の中には、自己訓練の達人が到達すると考えられている心境を言い表わす種々さまざまの言葉がある。これらの言葉の中のあるものは俳優について用いられ、あるものは宗教信者について、あるものは剣客について、あるものは演説家について、あるものは画家について、あるものは茶の湯の宗匠について用いられる。これらの言葉はいずれも同一の一般的意味をもっているのであるが、私はその中の一つである〝ムガ〟〔無我〕という語だけを取り上げることにする。この語は上流階級の人びとの間で栄えている禅宗で用いられている語である。この語の表わす練達の境地は、それが世俗的な経験であると、宗教的経験であるとを問わず、意志と行動との間に「髪の毛一筋ほどの隙間もない」ときの体験のことである。放出される電流は陽極から陰極へ一直線に進んでゆく。練達の域に達しない人びととの場合には、意志と行動との間にいわば一種の絶縁壁が立ちはだかる。日本人はこの障壁を「観る我」、「妨げる我」と呼ぶ。そして特別な訓練によってこの障壁が取り除かれた時に達人は「いま私がしている」という意識を全然もたないようになる。回路は開かれ電流は自由に流れる。行為は努力なしに行なわれるようになる。それは「一点的」‘one pointed’[*]となる。

行為は行為者が心の中に描いた形と寸分違わぬ形で実現される。

*訳注　この 'one pointed' という語は、鈴木大拙先生の 'Essays in Zen Buddhism' の中で用いられている語で、大拙先生の説明によると、梵語の「エーカーグラ」ekagra（楞伽経などに出てくる）の訳語として撰ばれた由、主客未分、心が一点に集中されている状態を表わす。通常仏教の方では「一縁」、「一心」などと訳されている。

日本ではごく普通の人間でさえ、この種の「練達」の域に達しようと努力する。英国の仏教研究の権威者であるサー・チャールズ・エリオットは、ある女学生について次のような話を伝えている。

彼女は東京のさる有名な宣教師の所にやってきて、クリスチャンになりたい旨を告げた。理由を尋ねると、彼女は飛行機乗りになりたくてしようがないからです、と答えた。飛行機とキリスト教との間にいったいどういう関係があるのか説明してごらんと言われて、飛行機乗りになるにはまず非常に落ちついた、事に当たって取り乱さない心をもたなければならない、そしてこのような心は宗教的訓練によってはじめて獲得されるということを人から聞かされました、ところで宗教の中でおそらく最もすぐれた宗教はキリスト教であると思いましたので、教えを乞いに伺いました、と答えた。*

* Eliot, Sir Charles, *Japanese Buddhism*, p. 286.〔London, 1935. ——訳者〕

日本人はたんにキリスト教と飛行機とを結びつけるだけにとどまらない。彼らは「落ちついた、事に当たって取り乱さない心」を養う訓練を、教育学の試験を受ける時にも、演説をする時にも、政治家として活躍するにも、欠くべからざるものと考えている。一点集中の態度を養う訓練は、ほとんどいかなる事業を行なう場合にも、争うべからざる利益をもたらすものと考えている。

多くの文明がこの種の訓練法を発達させているが、日本の目標と方法とは全く独自の顕著な性格をもっている。このことは、日本の修行法の多くがインドの瑜伽《ヨーガ》と呼ぶ修行に由来するものであるだけに、なおさら興味深いことである。日本の自己催眠や、精神集中や、五官制御の方法は今なおインドの慣行との親縁関係を示している。同じように、心をむなしくすること、身体を不動に保つこと、同一の文句を何万遍もくり返すこと、ある一定の象徴に注意を集中することに力点が置かれている。インドで用いられる術語でさえ、今なお認めることができる。しかしながら、共通なのはわずかに以上のこの派のだいたいの骨組みだけであって、そのほかにはその日本版はインドのものと共通点をほとんどもっていない。

インドの瑜伽《ヨーガ》派は、極端な禁欲苦行を行なう宗派である。それは輪廻《りんね》からの解脱《げだつ》を得る一つの方法である。人間にはこの解脱、すなわち涅槃以外に救いはない。そして人間のゆくてをさえぎる障害は人間の欲望である。欲望はそれを餓死せしめ、それを侮蔑し、われとわが身を責めさいなむことによってのみ、除去することができる。このような手段によって人は聖者となり、霊性と、神仏との合一とをかち得ることができる。瑜伽行は肉の世界を棄て、はてしなくくり返される人間の未来から逃れる方法である。それはまた霊的能力を把える方法である。苦行が極端であればあるほど、目標への行路は速やかになる。

このような哲学は日本には見られない。日本は一大仏教国であるにかかわらず、いまだかつて輪廻と涅槃の思想が、国民の仏教的信仰の一部分となったことはない。これらの教えは、少数の僧侶たちが個人的に受け容れることはあっても、民衆の風習や民衆の思想に影響を及ぼしたことは一度もない。日本では獣や虫を、人間の魂の生まれ変わりだからという理由で、殺さぬようにするというようなことはない。また日本の葬式や出生にともなう儀式は、輪廻思想の影響を全然受けていない。輪廻説は日本的な思想の型ではない。涅槃の思想もまた、一般民衆に全然理解されていないばかりでなく、僧侶自らがそれに手を加えて、結局なくしてしまっている。学問のある僧侶たちは、〝サトリ〟〔悟り〕を開いた人間は、すでに涅槃の境地にあるのである、涅槃は今ここに、時間のただなかにある、また人は松の木の中にも、野生の鳥の中にも「涅槃を見る」、と断言する。日本人は昔から常に、死後の生活の空想には興味をもたなかった。彼らの神話は神がみの物語は伝えているが、死者の生活のことは述べていない。彼らは仏教の死後における因果応報の思想さえ棄ててしまった。どんな人間でも、最も身分の低い農民でさえ、死ねば仏になる。仏壇に祭られている家族の位牌を表わす言葉がまさに、「仏さま」である。このような言葉づかいをする仏教国はほかにはない。そして平凡なごく普通の死者について、このように大胆な言い方をする国民が、涅槃の達成などというような困難な目標を中心に描いていないということは、十分了解しうるところである。なにをしたところでどのみち仏になるものならば、人間はなにもわざわざ一生涯肉体を苦しめて、絶対的停止の目標に到達しようと努力する必要はない。

同様に日本に見られないのは、肉体と精神とは相容れないという教義である。瑜伽《ヨーガ》行は欲望を除去する方法である。そして欲望は肉体の中に宿る。ところが日本人はこのような教えをもっていない。「人情」は悪魔に属するものではない。そして官能の楽しみを味わうことは生活の知恵の一部分となっている。唯一の条件は、官能は人生の重大な義務の前には犠牲にせねばならない、ということだけである。この信条は日本人の瑜伽行の取り扱い方において、論理的にぎりぎりの極限まで推しつめられている。自虐的苦行がことごとく取り除かれているばかりでなく、日本におけるこの教派は禁欲主義的ですらない。隠遁生活をする「悟り」を得た人びとでさえ、世捨て人と呼ばれてはいたけれども、妻子とともに、風光明媚な場所に居を構えて、安楽に暮らすのが普通であった。妻帯し、ついで子供の生まれることは、彼らの聖者たることと少しも矛盾しないと考えられていた。あらゆる仏教の宗派の中で最も通俗的な宗派〔浄土真宗〕では、僧侶はどんな形にせよ妻をめとり、子供をもうける。日本はいまだかつて霊と肉とは相容れないものであるという説を、容易に受け容れたことがない。「悟り」を開いた人びとの聖者たるゆえんは、瞑想によって修行の功を積むことと、その簡素な生活とに置かれていた。それは汚い衣服を身にまとったり、自然の美に対して眼を閉じたり、琴三味線の妙音に対して耳を塞いだりすることではなかった。日本の聖者たちは風雅な詩歌を作り、茶の湯を楽しみ、月見や花見をして日を送った。現に禅宗のごときはその信徒に向かって、「三種の不足、即ち、衣・食・眠の不足」を避けることを命じている。

瑜伽《ヨーガ》行の最後の信条、すなわち、瑜伽行の教える神秘主義的修行法は行者を忘我入神の境にいざない、宇宙と合一せしめる、という信条もまた日本には見られない。未開民族、マホメット教の修道僧、‘dervish’ インドの瑜伽行者、中世のキリスト教徒の別を問わず、世界中どこでも神秘主義的修行法の行なわれてきた所では、修行者たちは、その信仰こそ異なれ、ほとんど異口同音に、「神と一つ」になると言い、「この世のものならぬ」法悦を経験すると言ってきた。日本人は神秘主義的修行法をもっているが、神秘主義はもたない。このことは彼らが恍惚状態におちいることはない、という意味ではない。彼らもまた、忘我の境地に達することがある。しかしながら彼らは、恍惚状態ですら、それを「一点集中」の態度を養う訓練法とみなしているのである。彼らはそれを入神の状態とは言わない。禅宗の人たちは、他の国の神秘主義者たちのように、恍惚状態におちいっている間は五官は活動停止の状態にある、ということも言わない。彼らはこの方法によって、「六官」が異常に鋭敏な状態に達するという。第六官は心の中に宿っている。そして訓練によってこの第六官が尋常の五官を支配するようになるのであるが、しかし味覚・触覚・視覚・嗅覚・聴覚も、恍惚状態におちいっている間にそれぞれ特殊の訓練を受ける。音なき足音を聞き、その足音が一つの場所から他の場所へ動いてゆくのを、正確に追ってゆくことができるようになること、あるいはまた、三昧境を中断することなく、食べ物のうまそうな匂い——そういう匂いをわざとさせるのである——を識別することが、参禅者たちの修行の一つとなっている。嗅ぐこと、視ること、聴くこと、触れること、味わうことが「第六官を補助する」。そして人はこの三昧境において、「あらゆる感官を鋭敏にする」ことを学ぶのである。

こういうことは、超感覚的経験を重んずる宗教としては、まことに異例である。三昧境においてすらそのような禅の修行者は自己の外に脱れ出ようとはせず、ニーチェが古代ギリシア人について述べた言葉のごとく、「あるがままの自己に留まり、おのれの市民としての名をそのままに保持」しようとする。日本の偉大な仏教指導者たちの言説の中には、このような見解を明瞭に述べた言葉が多く見いだされる。なかんずくすぐれているのは、現在もなお禅宗の中で最大の、かつ最も有力な宗派である曹洞宗を開いた十三世紀の高僧道元の言葉である。彼は彼自身の「悟り」についてこう述べている。「私はただ垂直の鼻の上に眼が水平についているのを知っただけのことである。（中略）（禅の体験の中には）なにひとつ不思議なことはない。時は自然に過ぎてゆく。日は東から昇り、月は西に沈む*」。禅について書かれた書物はまた、三昧の経験が、人間的能力を訓練する以外に、他のなんらかの能力を授けるということを認めていない。ある日本の仏教徒は、「瑜伽《ヨーガ》行は瞑想によってさまざまな超自然的能力が獲得できると主張するが、禅はそんな馬鹿げた主張はしない」と書いている**。

* Nukariya, Kaiten, *The Religion of the Samurai*, London, 1913, p. 197.

** 同書、一九四頁。

日本はこのように、インドの瑜伽行の根底となっている仮定を、完全に抹殺してしまっている。古代ギリシア人を思い起こさせるほど、繊細さに対する強い愛をもっている日本人は、瑜伽行を、人間を完全にする自己訓練、人間とその行為との間に髪の毛一筋のすきまもない「練達」を獲得する手段と解している。それは力を有効に用いるようにする訓練である。それは自らの力をたのみとする態度を養う訓練である。それが与える功徳は現世的な功徳であって、人はそれによっていかなる事態にのぞんでも、過不足なく、ちょうど適度の努力を用いて対処しうるようになり、また修行を積まなければ気まぐれで、たえずぐらつく自分の心を統御し、外部からの身体的危難によっても、また内部からの激情によっても、度を失わないようになる。

このような訓練が僧侶のみならず、武士にとってもまた有益なものであることはいうまでもない。事実、禅を自分たちの宗教としたのは、ほかならぬ武士たちであった。神秘主義的修行法が、その極致において神秘的体験を授けられるということを目当てとせずして行なわれ、武士が一騎打ちの戦闘の訓練法として利用しているところは、日本においてほかにはまず見当たらない。ところが日本では、禅が力を得始めた最初の時期から常にそうであった。十二世紀の日本の禅宗の開祖栄西が著した大著は、「禅を普及することによって国を護るの論」〔『興禅護国論』〕と名づけられた。そして禅は武士や、政治家や、剣客や、大学生たちに、彼らが全く世俗的な目標に到達するために訓練を授けてきた。サー・チャールズ・エリオットが述べているように、中国の禅宗史の中には、禅がその後、日本に渡っていって、軍事的訓練の一手段となることを暗示するような事実は全然なかった。「禅は茶の湯や能楽と同様に、全く日本的なものとなった。十二世紀及び十三世紀の動乱時代に、経典の中にではなく、人間の心の直接体験の中に真理を見いだすこの瞑想的神秘的な教えが、僧院という避難所の中で、世のあらしを避けて出家した人びとの間で流行するということは、想像しえたことであろうが、まさかそれが武士階級の愛好する生活原理として受け容れられようとは思われなかった。ところが事実そうなったのである」[*]。

＊ Eliot, Sir Charles, *Japanese Buddhism*, p. 186.

仏教と神道との両者を含めて、日本の多くの宗派は、瞑想や、自己催眠や、恍惚状態などの神秘的修行法に非常な力点を置いてきた。ところで、それらの宗派の中のあるものは、このような訓練の結果を神の恩寵の証左であると主張し、その哲学の根底を〝タリキ〟〔他力〕つまり「他人の力にすがること」、すなわち恵み深い神の力にすがることの上に置いている。これと反対にある宗派では、禅がその最もきわだった例であるが、〝ジリキ〟すなわち自らの力のみをたのみとする。これらの宗派は、可能的な力は自己の中にのみ存在する、そして自らの努力によってのみ、それを増大することができると教える。日本の武士たちはこれこそ彼らの性分にぴったり合った教えであると感じた。そして彼らは僧侶として活動する時にも、政治家として活動する時にも、あるいはまた教育者として活動する時にも――これらの職能はすべて武士によって果たされたのである、――禅の修行法を剛健な個人主義を支える支柱として利用した。禅の教えははなはだ具体的であった。「禅は人が自己の中に発見することのできる光明だけを追求するのである。禅はこの追求の妨げとなるいかなるものをも容赦しない。道の障害をことごとく取り除け。(中略)もし途中で仏に逢えば、仏を殺せ。もし祖師に逢えば、祖師を殺せ。聖者〔阿羅漢〕に逢えば、聖者をことごとく殺せ。それこそ救いに到達する唯一の道である」[*]。

＊ E. Steinilber-Oberlin, *The Buddhist Sects of Japan*, London, 1938, p. 143. に引用されている言葉。

真理を探求する人間は、仏陀の教えであろうと、経典であろうと、神学であろうと、一切の間接的なものを受け容れてはならない。「三乗十二分教は皆これ不浄を拭う反古紙である」。それらを研究して利益がないこともないが、しかしそれらは自己の魂の中の電光一閃とはなんの関係もない。しかもこの電光一閃のみがさとりを与えるのである。これはある禅の問答集の中に出てくる話であるが、弟子が禅僧に法華経の解説を求める。僧は実にみごとな解説をしてやる。ところがその説明を聴いていた弟子は、がっかりしたような様子で、「おやおや、私はまた禅僧は経典や、理論や論理的説明の体系などは、軽蔑しておいでのことと思っておりましたのに」と言った。僧が答えて言うには、「禅は何も知らないということではなくて、知ること〔悟り〕はあらゆる経典、あらゆる文献の外にあると信ずることである。お前は知ること〔悟り〕を欲するとは言わなかった。ただ経典の説明を聴きたいと言っただけではないか」[*]と。

＊ E. Steinilber-Oberlin の前掲書、一七五頁。

禅の教師たちが授けた伝統的な訓練は、弟子に「悟る」方法を教えることを目的とするものであった。訓練は肉体的である場合もあれば、精神的である場合もあったが、いずれにせよ最後は学習者の内面的意識においてその効力が確認されねばならない。剣術家の禅の修行はこのことのよい例証となる。むろん剣客は剣の正しい使い方を学び、またそれをたえず練習せねばならない。しかしながら、いくら剣術がうまくなっても、それはたんなる「能力」の領域に属する事柄である、彼はその上にさらに「無我」になることを学ばねばならない。彼はまず最初は、たいらな床の上に立たされ、彼の身体を支えるわずか数センチの床の表面に精神を集中するように命ぜられる。彼の足場であるこのごく狭い面積がだんだんと高められてゆき、ついに彼は、一メートルの柱の上に、まるで中庭に立った時と同じように楽々と立つことができるようになる。少しもあぶなげなしにその柱の上に立てるようになった時、彼は「悟り」を得る。もはや彼の心は、目まいを感じさせたり、転落の恐怖を抱かせたりして、彼を裏切るようなことはなくなる。

　この日本の柱の上に立つ修行は、あの誰もが知っている西欧の中世の聖シメオン派*の柱行者の苦行を意図的な自己訓練に変形したものである。それはもはや苦行ではなくなっている。それが禅の修行であろうと、農村で一般に行なわれている習慣であろうと、日本におけるあらゆる種類の肉体的訓練が皆この種の変形をへている。世界の多くの場所において、氷のように冷たい水の中に飛びこんだり、山中の瀑に打たれたりすることが、ある場合には肉体を克服するために、ある場合には神の慈悲を得るための、またある場合には恍惚状態を招来するための、ごく普通の苦行となっている。日本人の愛好する寒行は、夜明け前に身を切るように冷たい瀑の中に立ちあるいは坐ること、もしくは、冬の夜に三度、冷水を浴びることであった。ところがその目的は、もはや苦痛を感じないようになるまで、意識的自我を訓練することであった。求道者の目的は、妨げられることなく瞑想を継続することができるように、自己を訓練することであった。水の冷たさも、寒い未明の身震いも意識の上にのぼらないようになった時、その人は「達人」の域に達したことになるのであった。そのほかにはなんの報いも求めなかった。

*訳注　Saint Simeon, 三世紀から四世紀にかけての修道僧、北シリアの出身。三十年間、柱の上で暮らしたという。その柱は段々高めてゆき、最初は六フィートであったのが、おしまいには六十フィートの高さになったという。その柱の上から説教した。

精神的訓練もまた、これと同様に、自得されねばならなかった。教師につくことはあっても、教師は西欧的な意味で「教える」ことはできなかった。なんとなれば、弟子が自己以外の源泉から学び取ったものは、なんの価値もないものであったからである。教師は弟子と討論することがあるかもしれないが、やさしく親切に弟子を指導して、新しい知識の領域に誘導してやるということはなかった。弟子を最も乱暴に扱う教師が最も助けになる教師と考えられていた。師匠がいきなりだしぬけに、弟子が口の所へ持ってゆこうとしている茶飲み茶碗を叩きこわしたり、足をすくってひっくり返したり、如意で弟子の手の指の関節の所を打ったりすると、弟子はその衝撃を受けたはずみに、突然まるで電流に打たれたように悟りを開くことがあった。それは彼の自己満悦を打ち砕くのであった。僧侶の言行を記した書物はこの種の挿話でみちみちている。

弟子に必死になって「悟り」を開こうと努力させるために最も愛用される方法は〝コーア

ン〟〔公案〕であった。これは文字通りには「問題」という意味である。こういう問題が千七百種もあるといわれている。そして禅僧の逸話集を見ると、一つの公案を解くために七年の歳月を費やした人間のごときは、物の数ともしていない。公案は合理的解答を得ることを目的としたものではない。「隻手の声を聞く」というのがある。また「生まれぬさきの母ぞ恋しき」*というのがある。さらにほかの例をあげると、「死屍を背負い歩いている者は誰か」とか、「わしの方に向かって歩いてくる者は誰か」とか、「万法〔万物〕は一に帰する、一はどこに帰するか」というのがある。このような禅の公案が、十二世紀、もしくは十三世紀以前の中国において用いられていた。そして日本は禅宗といっしょに、これらの手段を採用したのである。ところが、公案は中国大陸では絶滅してしまったが、日本では「練達」の修行の最も重要な要素の一つになっている。禅の入門書では公案は非常に重要視して取り扱われている。「公案は人生のジレンマを包蔵している」。公案を考えている人間は、「窮地に追いつめられた鼠」のように、進退両難の行きづまりに逢着すると、彼らは言う。彼はあたかも「熱鉄丸を呑み込もうとする」人間に似ている。彼は「鉄塊〔禅書には、鉄牛〕に咬みつこうとする蚊」である。彼はわれを忘れて、なおいっそうの努力を重ねる。最後に彼の心と公案との間に立ちはだかっていた「観る我」の障壁が取りはずされる。電光の閃きのように速かに、両者――心と公案と――が融合する。彼は「悟り」を開く。

＊訳注　上の句は「闇の夜になかぬ烏の声きけば」である。いわゆる「父母未生以前本来面目」のこと。

このような極度に緊張した心的努力の描写を読んだ後で、禅僧の言行録をひもといて、これほどの努力を費やして得られた偉大な真理をさがし求めると、いささか拍子抜けの感じがする。たとえば南嶽《なんがく》*は、「わしの方に向かって歩いてくる者は誰か」〔恁麼《いんも》来物是誰〕という問題を八年間、考え抜いた。その結果、ついに彼は了得した。彼の言葉は、「ここに一物があるという正にその瞬間に、全体が逃げてしまう」〔説似一物、即不中〕**というのであった。しかしながら、禅の啓示には一定の全般に通ずる型がある。それは次の数行の問答によってうかがい知ることができる。

僧問　いかにすれば生死の輪廻を免れることができましょうか。
師答　お前を束縛している者（すなわち、この輪廻に縛りつけている者）は誰か。

彼らが学ぶのは、有名な中国の表現を借りて言えば、それまで彼らは「牛に騎《の》って牛を覓《もと》め」ていたのだということである、と彼らは言っている。彼らが学ぶのは、「必要なのは網や罠ではなくて、そういう道具で捕らえる魚や獣である」ということである。このことを西欧流の表現に言いかえれば、彼らはジレンマの両角は、***ともに本質とはかかわりのないものであるということを学ぶ。彼らはもし心眼が開かれさえすれば、目前にあるありあわせの手段によって、目標に到達することができるということを学ぶ。どんなことでも可能である、しかも自己以外の何人《なんぴと》の助けをも借りずに。

＊訳注　六祖大鑑慧能禅師の法嗣、金洲の人、唐玄宗天宝三年（七四四）、六十八歳で示寂、大慧禅師と謚

される。その法脈から臨済・潙仰《いぎよう》の二宗が出ている。
**訳注　禅語字彙によれば、「這箇《しやこ》本分底の事は一言でも言えば即ち当たらず」の意味。
***訳注　仮言的・選言的三段論法（その代表的なものはジレンマ、すなわち両刀論法）において、小前提によって肯定または否定される事項を「角」と呼ぶ。

公案の意義はこれらの真理探求者が発見する真理にあるのではない。それらの真理は全世界いたるところの神秘主義者の発見する真理となんら選ぶところがない。公案の意義はそれが、日本人が真理の探求ということをどんなふうに考えているか、ということを示す点にある。

公案は「門を敲《たた》くの瓦子《がし》」と呼ばれている。「門」は、眼前にある手段だけではたして十分だろうかと取り越し苦労をし、自分の行動をあるいは褒め、あるいは非難する無数の人びとが監視の眼を光らせていると妄想する、暗愚蒙昧《あんぐもうまい》な人間性の周囲にめぐらされた壁についている。この壁はすべての日本人が非常に切実に感じるあの〝ハジ〟（恥辱）の壁である。瓦が門を打ち砕き、門が開かれるやいなや、人は自由の天地に解放され、瓦を投げ棄ててしまう。もはやそれ以上、公案を解くことはしない。学習は完了し、日本人の徳のジレンマは解決されたのである。彼らは必死の勢いで袋小路にぶつかっていった。「修行を積むために」彼らは「鉄牛を咬む蚊」になった。その結果、ついに彼らは、袋小路は存在しないこと――「義務」と「義理」との間、「義理」と「人情」との間、「正義」と「義理」との間にもまた、袋小路のないことを知った。彼らは一条の血路を見いだした。彼らは自由の身となり、はじめて十二分に人生を「味わう」ことができる。彼らは「無我」の境地に達する。彼らの「練達」の訓練は首尾よく目的が果たされたのである。

禅仏教研究の泰斗である鈴木〔大拙〕は、「無我」を、「いま私がしているという意識の全くない三昧境《さんまいきょう》」、「無努力」と説明している。* 「観る我」は排除される。「人は我を失う」すなわち、もはや自己の行為の傍観者ではなくなる。鈴木の言うところによれば、「意識が目覚めるや否や、意志は行為者と傍観者との二つに分裂する。そして必ず矛盾相剋が起こる。なんとなれば、行為者（としての我）は、（傍観者としての我の）拘束から免れることを欲するからである」。したがって、「悟り」において弟子は観る我の存在しないこと、「未知の、もしくは不可知の量としての霊的実体の存在しないこと」** を発見する。あるものはただ、目標と、その目標を達成する行為とだけである。人間の行動を観察する研究者は、この表現を少しく改めれば、そのままそれを日本文化の特性を指し示す言葉とすることができる。子供の間に、日本人は、自分の行為を観察し、他人がなんと言うであろうかということを基準にしてその是非を判断するように、徹底的に訓練される。彼の観る我はおそろしく傷つきやすい。霊の三昧境に没入する時、彼はこの傷つきやすい自我を排除する。彼はもはや、「いま私がしている」と感じなくなる。その時彼は、これで自分は心の修養ができたと感じる。それは剣術を学ぶ人が、自分はもうこれで、びくびくしないで一メートルの柱の上に立つ訓練ができたと感じるのと同様である。

* Suzuki, Professor Daisetsu Teitaro, *Essays in Zen Buddhism*, vol. 3, p. 318 (Kyoto, 1927, 1933,

1934).

＊＊ Sir Charles Eliot, *Japanese Buddhism*, p. 401. に引用されている語句。

画家も、詩人も、演説家も、武士も、同じようにこの「無我」の訓練を利用する。彼らが習得するのは無限ではなくて、有限な美を明瞭に妨げられることなく知覚することであるが、あるいは目標に達するために「過不足なく」、ちょうど適度の量の努力を用いることができるように、手段と目的とを調和させることである。

全然訓練を受けたことのない人でさえ、一種の「無我」の経験をすることがある。能や歌舞伎劇を見物する人が、舞台に引き入れられてすっかり我を忘れてしまう時にもまた、観る我を失うと言われる。彼は手に汗を握る。彼は「無我の汗」を感じる。目標に近接する爆撃機の搭乗員も、いよいよ爆弾を投下するという前に、「無我の汗」をかく。彼は「自分がしている」ということを意識しない。彼の意識からは傍観者としての自我は全く影をひそめてしまう。ほかのことには一切気を取られずに、一心に敵機の動勢をうかがう高射砲の射手もまた同様に、「無我の汗」をかくと言われ、観る我を失っていると言われる。こういう状態に置かれている人は、以上のいずれの場合においても、最上のコンディションにあると考えられている。

このような考え方は、日本人が自己監視と自己監督とを、いかに重圧と感じているかということを能弁に物語っている。彼らは、こういう掣肘がなくなった時に自由になり、思う存分の働きができる、と言う。アメリカ人は観る我を自己の内にある理性的原理とみなし、危機に臨んでも抜かりなくそれに注意を払いつつ行動することを誇りとするのであるが、これに反して日本人は、魂の三昧境に没入し、自己監視が課する掣肘を忘れる時、今まで頸のまわりに縛りつけられていた重い碾臼《ひきうす》が落ちたような感じがする。さきに述べたように、彼らの文化は彼らの魂に、慎重に行動せねばならないということを、たえず口やかましく説き聞かせる。ところで日本人はこれに対して、こういう重荷をかなぐり捨てたところに、いっそう有効な働きをなしうる人間意識の平面がある、と宣言することによって対抗してきたのである。

日本人がこの信条を表明している最も極端な——少なくとも西欧人の耳にはそう響く——表現は、「死んだつもりになって」という表現であって、彼らは「死んだつもりになって生きる」人間を非常に高く評価する。この表現を文字どおりに西欧語に翻訳すれば、まず「生ける屍」というところであろうが、西欧語ではどこの国の言語でも、この「生ける屍」という言葉は、嫌悪の表現である。この表現によってわれわれは、ある人間の自我が死滅し、この地上にただ厄介物として残されている彼の肉体から離れてしまったことを言い表わす。もはやその人間の中には、全く生命力が残されていない。ところが日本人は、「死んだつもりになって生きる」という表現を、「練達」の平面において生きるという意味で用いる。それはきわめてありふれた日常的事柄に関して誰かを励ます言葉としてよく用いられる。中学校の卒業試験を苦に病んでいる少年を激励する際に、人はよく「死んだつもりになって受けてごらん、楽々と合格するよ」と言う。重大な商取引を行なっている人間を激励する場合にも、よくその人の友人が「死んだつもりになってやりたまえ」と言う。重大な精神的危機に遭遇し、それから先いったいどうしたらよいのか、見当のつかないようなはめにおちいった時にも、人は「死んだつもりになって」生きる決心をしてその窮地から脱出するのが常である。終戦後、貴族院議員に選ばれたかの偉大なキリスト教指導者賀川〔豊彦〕は、その自伝小説の中で次のように言っている。「まるで悪魔に魅せられた人間のように、彼は毎日自分の部屋で泣き暮らした。彼の発作的な咽び泣きはヒステリーに近かった。苦悩は一ヵ月半も続いたが、ようやく最後に生命が勝利を得た。（中略）俺は死の力を身につけて生きていこう。（中略）俺は死んだつもりになって戦いの中へ飛びこんでいこう。（中略）彼はクリスチャンになる決心をした」*。戦争中、日本の軍人はよく、「私は死んだつもりになって生き、皇恩に報いる覚悟である」と言った。そしてこの言葉は、出征前に自分の葬式をとり行なったり、自分の身体を「硫黄島の土にする」と誓ったり、「ビルマの花とともに散る」覚悟を定めたりする、そういう行動を一括して指していたのである。

* Kagawa, Toyohiko, *Before the Dawn*, p. 240.〔New York, 1924. ——訳者〕

「無我」の根底にあると同じ哲学が、この「死んだつもりになって生きる」態度の根底にも潜んでいる。この状態にある時、人は一切の自己監視を、したがってまた一切の恐怖心や警戒心を棄てる。彼は死せる者、すなわち、もはや正しい行動方針ということについて思い煩う必要を超越した者となる。死者はもはや「恩」を返すのではない。死者は自由である。したがって、「私は死んだつもりになって生きる」という表現は、矛盾相剋からの究極的解放を意味する。それは次のようなことを意味する。「私の活動力と注意力とは、なんの束縛も受けずに、まっしぐらに目的の実現に向かって進んでゆけるようになった。もはやさまざまな不安の重荷をもった観る我は、私と私の目標との間に立ちはだかっていない。観る我とともに、今までの私の努力の妨げとなっていた緊張と努力の意識、および意気消沈におちいる傾向もまたなくなった。もうこれからは私にはどんなことでもできる」。

西欧流の言い方をすれば、日本人は「無我」の習慣や、「死んだつもりになって生きる」習慣において、意識を排除するのである。彼らのいわゆる「観る我」、「妨げる我」とは、人間の行為の是非善悪を判断する監視者のことである。西欧人と東洋人との心理の差異が実に明瞭にうかがわれるのは、われわれアメリカ人が良心*をもたぬ人間と言うのは非行に当然ともなうべき罪の意識をもはや感じなくなった人間のことであるが、これに反して日本人が同様の表現（「無心」、「無念無想」など）を用いる際には、それはもはや固くならず、妨げられないようになった人間を意味するという事実である。アメリカでは悪人の意味であり、日本では善人、修行を積んだ人間、その能力を最大限に活用しうる人間の意味である。それは最も困難な、献身的な無私の行為をなしうる人間の意味である。アメリカ人に善行を行なうことを要求する強大な強制力は罪の意識である。良心が麻痺してしまってもはや罪を感じえない人間は、反社会的な人間になってしまったのである。日本人は問題をまるで違ったふうに解釈する。彼らの哲学に従えば、人間はその心の奥底においては善である。もし衝動がそのままただちに行為となって現れうるならば、人間はやすやすと徳行を行なうことができる。そこで彼は「練達」の修行を積んで、〝ハジ〟（恥辱）の自己監視を排除しようとする。そうなった時にはじめて、彼の「第六官」は障害を取り除かれる。それは自意識と矛盾相剋からの究極的解放である。

＊訳注　英語の conscience（良心）は元来 consciousness（意識）の意味であることに注意。

日本人の自己訓練の哲学は、日本文化の中で生きている、個々の日本人の生活体験から切り離して考察する限り、不可解な謎である。彼らが「観る我」に帰属せしめているこの〝ハジ〟（恥辱）の意識が、いかに重く日本人の上にのしかかっているかということは、すでに述べたとおりであるが、彼らの精神統御法の哲学の真の意味は、日本の子供の育て方を述べないうちは、依然として不明である。どの文化においても、伝統の道徳的掟は次々に新しい世代に、たんに言葉によるだけではなく、年長者の自分の子供に対するあらゆる態度によって伝えられてゆく。そして局外者には、その国の子供の育て方を研究せずに、ある国の人びとが人生の重大事としている事柄を理解することはほとんど不可能なことである。日本の子供の育て方を見ることによって、われわれがこれまで成人だけを取り上げて述べてきた、日本人が国民全体として抱いている、人生に関する仮定の多くがいっそう明らかになる。

第十二章　子供は学ぶ

日本の幼児は、思慮に富む西欧人がおそらく想像すると思われる仕方とは、異なった仕方で育てられる。アメリカの親たちは、その子供を、日本の生活にくらべて遥かに慎重さと克己とを要求することの少ない生活に備えて訓練するのであるが、それにもかかわらず彼らは嬰児《えいじ》に、嬰児が生まれ落ちたその瞬間から、その小さな願望がこの世における最高至上のものでないことを思い知らせる。われわれは一定の時間を定めて授乳し、一定の時間に寝かしつける。授乳の時間や、寝る時間の来ない前にどんなにむずかっても、嬰児は時間の来るまで待っていなければならない。ややのちになると母親は、指を口にくわえたり、そのほかの身体の部分に触れたりすることを禁止するために、嬰児の手を叩く。母親はしばしばどこかへ姿を消して見えなくなる。そして母親が外出する時には、嬰児は家に留まっていなければならない。まだほかの食べ物よりも乳が恋しい時に乳離れをさせられ、あるいは、もし人工栄養の子供ならば、哺乳瓶を手離さなければならない。身体によい一定の食べ物がきめられていて、どうしてもそれを食べなければならない。きめられたとおりのことをしなければ罰せられる。アメリカでさえこのとおりなのだから、一人前の人間になった時に自分の願望を抑え、あれほど注意深く、几帳面に、厳格な道徳を実践しなければならなくなる日本の乳幼児は、さだめしこれに倍する厳しいしつけを受けることであろう、とアメリカ人が想像するのは全く当然なことである。

ところが日本人のやり方は、それとは全然相違する。日本の生活曲線は、アメリカの生活曲線のちょうど逆になっている。それは大きな底の浅いU字型曲線であって、赤ん坊と老人とに最大の自由と我儘とが許されている。幼児期を過ぎるとともに徐々に拘束が増してゆき、ちょうど結婚前後の時期に、自分のしたい放題のことをなしうる自由は最低線に達する。この最低線は壮年期を通じて何十年もの間継続するが、曲線はその後再び次第に上昇してゆき、六十歳を過ぎると、人は幼児とほとんど同じように、恥や外聞に煩わされないようになる。アメリカではわれわれはこの曲線を、あべこべにしている。幼児には厳しいしつけが加えられるが、このしつけは子供が体力を増すにしたがって次第にゆるめられてゆき、いよいよ自活するにたる仕事を得、世帯をもって、立派に自力で生活を営む年ごろに達すると、ほとんど全く他人の掣肘を受けないようになる。われわれの場合には、壮年期が自由と自発性の頂点になっている。年とって耄碌《もうろく》したり、元気が衰えたり、他人の厄介者になったりするとともに、再び拘束が姿を現しはじめる。アメリカ人には、日本のような型に従って組織された生活は、想像してみることさえ困難である。そのような一生はわれわれには全く事実と相反するように思われる。

しかしながら、アメリカ人も日本人もともに、その生活曲線を以上のように定めることによって、事実上、おのおのの国において、個人が壮年期に思う存分に活躍して、彼の文化に参加する道を確保してきたのである。アメリカではわれわれはこの目的を確保するためには、壮年期に個人の選択の自由を増大することが肝要であると考えている。ところが日本人は、個人に加えられる束縛を最大限に達せしめることが必要であると考えている。この時期に人間は、その体力も、金もうけをする能力も頂点に達するという事実にもかかわらず、彼は自分の生活を自分の好きなようにして過ごす権利を認められない。彼らは束縛が絶好の精神的訓練（「修養」）であり、自由によっては達成することのできない結果を生み出すものであると固く信じている。このように日本人は、最も活動的な、生産的な時期に達した男女に最大の束縛を加えるのであるが、このことはけっしてこのような束縛が、一生を通じて加えられることを示すものではない。幼年期と老年期とは「自由な領域」である。

このように子供に対して真に寛容な国民は、子供をほしがる傾向が非常に強い。日本人が正しくそのとおりである。彼らが子供をほしがる第一の理由は、アメリカの親たちがそうであるように、子供を愛することは楽しいことであるからである。しかしながら、日本人が子供をほしがるのは、それだけの理由ではなく、アメリカでは遥かに小さい比重しかもたない、他のさまざまの理由にもとづくのである。日本の親たちが子供を必要とするのは、たんに情緒的に満足を得るためばかりではなく、もし家の血統を絶やすようなことになれば、彼らは人生の失敗者となるからである。すべての日本男子は息子を得なければならない。彼は自分の死後、毎日、仏壇の位牌の前で拝んでもらうために息子を必要とする。彼は家系を末代永遠に伝えてゆくために、また家門の誉れと財産とを維持するために、息子を必要とする。伝統的な社会的理由によって、父親が息子を必要とすることは、弱年の息子が父親を必要とする度合とほとんど変わるところがない。ゆくゆくは息子が父親の代わりになるが、このことは父親を押しのけることとはならず、むしろ父親を安心させると考えられている。何年かの間、父親が「家」の管理者の役目を務める。その後は息子が引き受ける。もしかりに父親が息子に家督を譲り渡すことができないとすれば、彼が管理者の役目を務めてきたことは無駄になってしまう。このように根深い連続性の意識があるために、すっかり成人した息子が父親の厄介になることに、そのような状態がアメリカにくらべて遥かに長く続く場合においてすら、西欧諸国で一般にそうであるように、恥ずべきこと、不面目なことという感じがともなわない。

女もまた子供をほしがるが、それもやはり情緒的満足を得るためばかりでなく、女は母親となることによってはじめて、地位を獲得することができるからである。子供をもたぬ妻の家庭内の地位はきわめて不安定なものであって、たとえ離縁されないとしても、さきざき姑となって、息子の結婚について発言権をもち、嫁に対して権力を揮う日の到来することを楽しみにして待つわけにはゆかない。彼女の夫は、家系を絶やさぬために、男の子を養子に貰うであろうが、それでもなお彼女は、日本人の観念に従えば、敗者である。日本の女たちは多産者であることを期待されている。一九三〇年代前半の平均出生率は、千人につき三十一・七人であったが、これは東ヨーロッパの多産な国ぐににくらべてみても高い率である。アメリカでは一九四〇年度の出生率は、千人につき十七・六人であった。さらに、日本人の母親は早く子供を産み始める。そして十九歳の女は他のどの年齢の女よりも余計に子供を産む。

分娩は日本では性交と同様に、ひそかに行なうべきものとされている。陣痛に苦しむ女は大声を出してわめいてはならない。それは子供の生まれることを隣り近所に広告することになるからである。赤ん坊のためにあらかじめ、新しい敷き蒲団と掛け蒲団とを備えた小さな寝床が用意される。生まれ出る子供の寝床は別に新しく作らないと縁起が悪い。新品を買い調える余裕のない家庭でも、蒲団の布地と綿とを洗濯し、仕立て直して、「新しく」する。小さな蒲団は大人の蒲団のように固くなく、またずっと軽い。だから赤ん坊は自分の寝床に寝た方が、寝心地がよいと言われている。しかしながら、彼らが心の奥底で感じている、嬰児の寝床を別にする理由は、今なお、新しい人間には新しい寝床を与えねばならないという、一種の共感呪術（sympathetic magic）にもとづくと考えられている。嬰児の寝床は母親の寝床のそばに引き寄せられるが、嬰児が、母親といっしょに寝るのは、自分で母親といっしょに寝たいというそぶりを示すことができる程度に、大きくなってから後のことである。まず満一歳にもなれば、嬰児は両手を差し出して、自分の要求を告げ知らせる、と彼らは言っている。そうなれば、嬰児は母親の蒲団の中で、母親に抱かれて眠る。

生まれてから三日間は、嬰児は授乳されない。それは日本人は本当の乳が出るまで待つからである。その後は嬰児は、いつでも時を選ばず、乳を飲むために、もしくはおもちゃにして楽しむために、乳房をふくむことを許される。母親の方もまた子供に乳を与えることを楽しみにする。日本人は授乳は女の最も大きな生理的快楽の一つであると信じている。そして嬰児は容易にこの母親の楽しみにあずかることを覚える。乳房は栄養を与えるばかりではない。それは喜びと楽しみを与えるものである。生まれてから一ヵ月の間は、嬰児は彼の小さな寝床に寝かされるか、あるいは母親の腕に抱かれるか、いずれかである。三十日ほどたった頃に土地の神社に連れてゆき宮参りをするが、宮参りがすんではじめて、生命は嬰児の身体のうちにしっかり根をおろし、もういくら外へ連れて出歩いても大丈夫になるというふうに考えられている。一ヵ月を過ぎると、嬰児は母親の背中におんぶされる。二重にした帯で、子供の腋の下とお尻の所を支え、帯を母親の肩にかけて前に廻し、腰の前の所で結ぶ。寒い日には、赤ん坊の身体をすっかりおおうようにして、ねんねこを着る。その家庭の年上の子供が——男の子も、女の子も——赤ん坊をおんぶすることもあるが、彼らは遊ぶ時にも赤ん坊をおんぶしたままで、ベースに向かって駈け出したり、石蹴りをすることさえある。特に農家や貧しい家庭では子供に子守りをさせることが多い。そしてこのように「日本の嬰児は人中で暮らすので、じきに利口そうな、興味ありげな顔つきになる。そして自分を背中におんぶしている年上の子供たちの遊戯を、遊んでいる当人と同じように楽しんでいるような様子を示す」*。日本の、嬰児を四肢を拡げた姿勢で背中にくくりつける風習は、太平洋諸島その他の所で一般に行なわれている赤ん坊をショールで肩に掛けて持ち運ぶ風習と、多分に共通点をもっている。それは子供を受動的にする。そしてこんなふうにして持ち運びされる嬰児は、日本人もまたその通りなのであるが、大きくなってから、どんなところでも、どんな姿勢でも眠ることのできる能力を獲得する傾向がある。しかしながら帯で負う日本の習慣は、ショールや袋の中に入れて持ち運びする習慣のように完全な受動性を養わない。嬰児は「自分をおんぶしてくれる人の背中に、子猫のようにすがりつくことを覚える。（中略）帯で背中に縛りつけてあるのだから、それだけで大丈夫、落ちる心配はない。ところが赤ん坊は、（中略）自分でいろいろ骨折って楽な姿勢を取るようにする。そして間もなく、まるで肩に縛りつけた包みのようにではなく、非常に巧みに、負う人の背中に乗るすべを覚え込む**」。

* Bacon, Alice Mabel, *Japanese Women and Girls*, p. 6.〔1905. ――訳者〕

** 前掲書、一〇頁。

母親は働く時には嬰児を寝床の上に置き、外を歩く時には背中に背負って連れてゆく。母親は嬰児に話しかけ、鼻唄を歌って聞かせ、いろいろな儀礼的動作をさせる。母親は自分が誰かに挨拶を返すおりに、赤ん坊の頭と肩とを前の方へ動かして赤ん坊にもおじぎをさせる。嬰児はいつも仲間に入れられる。毎日午後、母親は嬰児を風呂に入れ、膝の上に乗せて嬰児とたわむれる。

三、四ヵ月間は嬰児はおしめをつける。それは非常に重苦しい布製のおしめであって、日本人の中にときおりがに股の人がいるのは、おしめのせいだと言っている。赤ん坊が三ヵ月か四ヵ月になると、母親は下のしつけを始める。母親は頃を見はからって嬰児を戸外に連れてゆき、嬰児の身体を手で支える。母親は通常、低い単調な口笛を吹きながら、子供が用を足すのを待つ。そして子供はこの聴覚刺激の目的を悟るようになる。日本では赤ん坊が——中国の場合もそうであるが——非常に早くこうして用を足すことを覚え込むということは、万人のひとしく認めるところである。お洩《も》らしをした場合には、中には嬰児のお尻をつねる母親もありはするが、たいていはただ叱るだけで、その覚えの悪い赤ん坊を、今までよりも頻繁に戸外へ連れていって支えるようにする。便の出しおしみをする場合には、浣腸をしたり、下剤をかけたりする。母親たちは、こういうしつけをするのは、赤ん坊を気持ちよくしてやるためであって、用便の習慣がつけば、もうあの厚ぼったい、不愉快なおしめをしなくともよくなる、と言う。なるほど日本の赤ん坊はおしめを不快に感じているに相違ない。それはただ重苦しいからというだけではなくて、濡らしたたびごとにおしめを替えることを命ずる習慣がないからである。だがしかし、まだ赤ん坊には、用便のしつけと、不愉快なおしめがはずされることとの間の連関がわからない。彼はただ容赦なく押しつけられる、免れることのできない日課を経験するだけである。なおそのうえに、母親はできるだけ自分の身体から離すようにして赤ん坊の身体を支えねばならず、また強くしっかり摑んでいなければならない。嬰児がこのような容赦ないしつけを通じて学ぶ事柄が、やがて成人してから、日本文化のもっと複雑微妙な強制に従う素地を作るのである。*

* Geoffrey Gorer もまた *Themes in Japanese Culture*, Transactions of the New York Academy of Science, vol. 5, pp. 106-124, 1943 の中で日本人の用便のしつけの役割を強調している。

日本の赤ん坊は、普通は歩くよりも先に口がきけるようになる。這うことは従来常によくないこととされてきた。赤ん坊は満一歳になるまでは、立ったり歩いたりさせてはならないという考えが伝統的にあって、以前は母親は、赤ん坊がそういう試みをするのを、一切禁止することにしていた。ところが、ここ十数年の間、政府は政府発行の廉価な非常に多くの人びとに読まれる『母親の雑誌』〔「母子手帳」のことか〕で、歩行は奨励さるべきであると教えてきた。そして今ではその方が遥かに一般的になっている。母親は嬰児の腋の下のところに紐を輪にして結びつけるか、あるいは手で身体を支えるかする。しかしそれでもなお、嬰児は歩くよりも先に話をする傾きがある。大人はしょっちゅう赤ん坊と話をして、赤ん坊を興がらせることを好むが、その嬰児のおしゃべりは、彼らが単語を用い始めるとともに、しだいにはっきりした目的をもつようになる。日本人は嬰児の言語の習得を偶然の模倣にまかせておかない。彼らは赤ん坊に単語を教え、文法を教え、敬語を教える。そして赤ん坊も大人もともにその遊戯を楽しむ。

日本の家庭では、子供は歩けるようになると、いろいろないたずらをしでかすおそれがある。指で障子に穴をあけたり、床のまん中に切ってある囲炉裏に落ちたりする。がそれだけにとどまらない。日本人はおおげさに、家がこわれると言う。敷居の上を踏むことは「あぶない」ことであって、絶対に禁止されている。日本の家屋は、むろん地下室を持たず、根太で地面から持ち上げられている。たとえそれが子供であっても、敷居の上を踏むと家全体がゆがむ、と本気に考えている。それだけではなく、さらに子供は畳の合わせ目のところを踏んだり、そこに坐ったりしないようにすることを覚えなければならない。畳は大きさが一定していて、部屋は「三畳の間」とか「十二畳の間」とかいうふうに呼ばれる。子供たちはしばしば、昔は侍が床の下に潜んでいて、畳の合わせ目のところから刀を突き上げて、部屋の中にいる人を突き刺したものである、という話を聞かされる。厚い柔らかな畳のみが安全を保ってくれるのであって、畳の合わせ目のところの隙間は危険である。母親が幼児をたしなめる時に始終用いる、「あぶない」という言葉と、「いけない」という言葉の中には、このような感情が織り込まれているのである。第三の、常に用いられる訓戒の言葉は、「汚い」という言葉である。日本の家の整然とかたづいており、掃除の行き届いていることは有名なものであって、幼児はそれを重んずるように諭される。

日本の子供は、たいていは次の子が生まれる直前まで乳離れしない。ところが近ごろになって、政府発行の『母親雑誌』〔母子手帳〕は、嬰児は八ヵ月で離乳させた方がよい、と説いてきた。中流階級の母親の中には、しばしばその通りに実行している人がいるが、それはまだまだ日本人一般の習慣となるにはほど遠い。授乳は母親の大きな楽しみである、とする日本人の感情にいかにもふさわしいことであるが、徐々に新しい習慣を採用しつつある人びとは、哺乳期間の短縮を、子供の幸福のために忍ぶ母親の犠牲と考えている。「長いあいだ乳を飲む子供は身体が弱い」という新説を承認した人びとは、離乳させない母親を自制心がないと言って非難する。「あの人は離乳させることができないと言っているが、なに、それはその決心がつかないだけのことさ。あの人はいつまでもお乳を飲ませていたいのだ。あの人は自分が楽しんでいるのだ」と言う。このような態度だからして、八ヵ月で離乳する風習が一般に普及していないのも当然である。さらにもう一つ、離乳の遅れる実際的な理由がある。日本人は離乳したての幼児のための特別な食べ物を用意するしきたりをもっていない。早く離乳した嬰児は重湯《おもゆ》を飲まされるが、たいていは母乳からいきなり一足飛びに普通の大人のたべ物に移る。牛乳は日本人の食事の中には含まれていない。また彼らは幼児にたべさせる特別な野菜の用意をしない。こういう実情であるから、「長いあいだ乳を飲む子供は身体が弱い」と教える政府の指導が、はたして正しいかどうか、疑いを抱く者のいるのも無理はない。

子供は、自分に話しかけられることばが理解できるようになったのちに、離乳するのが普通である。それ以前から、彼らは食事時には、母親の膝に抱かれて家族の食卓に向かって坐り、少しずつたべ物を口に入れてもらうのであるが、離乳後は、こうして彼らのたべるたべ物の量が多くなる。子供によってはこの時期に、なかなか母乳以外のものをたべようとせず、さんざん手を焼かす者がある。そしてこのことは、次の子が生まれたために離乳させられた場合には、容易に理解できる事柄である。母親はしばしばお菓子をやって買収し、お乳をせがむのをやめさせる。時には乳首に胡椒を塗る母親もある。だがしかし、どの母親もひとしく用いる手段は、乳をほしがると、まだほんの赤ちゃんであることを証明することになると言って、子供をからかうことである。「いとこの誰々ちゃんを見てごらん。あの子はほんとに大人だこと。あなたと同じように小さいのに、おっぱい頂戴なんて言いませんよ」とか、「ほら、あの子が見て笑ってますよ。だってあなたはもうお兄ちゃんだのに、まだおっぱいをほしがるんだもの」と言う。二つになっても、三つになっても、四つになっても、まだ母親の乳房をねだる子供は、年上の子供が近づいてくる足音を聞くと、急に乳房を離して、そしらぬふりをすることがよくある。

このように子供をからかい、早く大人になることを催促するのは、離乳の場合だけに限ったことではない。子供が自分に向かって言われることばの意味を理解しうるようになってからのちは、どんな場合にも、この手段がよく用いられる。男の幼児が泣くと、母親はその子に向かって、「あなたは女の子じゃないのよ」とか、「あなたは男よ」とか言う。あるいはまた、「ほらあの子を見てごらん、泣いてなんかいませんよ」と言う。来客が赤ん坊を連れてきた時なんかには、母親は自分の子供の目の前で、よそから来た子供をさんざ可愛がってみせ、「この赤ちゃんをお母さんの子に貰ってしまおう。お母さんはこんなお利口な、よいお子さんがほしいの、あなたはもう大きくなってるくせに、お馬鹿さんばかりしてるんだもの」と言う。するとその母親の子供は、母親に飛びかかってゆき、往々にして母親を拳固で続けさまに打ちながら、「いやだい、いやだい。もう赤ちゃんなんかほしくないよ。僕はお母さんの言うことを聞くよ」と言って泣き叫ぶ。一歳か二歳の子供が騒いだり、なにかをすなおにすぐ聴き入れなかったりした場合には、母親は男の来客に向かって、「この子をどこかへ連れていって下さいな。うちじゃもうこんな子はいらないんです」と言う。来客はその狂言に一役買って出る。彼は子供を家の外へ連れ出しにかかる。子供は泣き叫び、母親に救いを求める。彼はまるで気がふれたようになる。母親はもう十分からかいのききめがあったと見てとると、態度を和らげて、子供を自分の手に取り戻し、まだ激しく泣きじゃくっている子供に、もうこれからはおとなしくすると誓わせる。この小さな狂言は、時には五、六歳になった子供に対しても演じられる。

からかいはさらに別な形を取ることがある。母親は夫の傍に行き、子供に向かって、「私はあんたよりはお父さんの方が好き。お父さんはお利口だから」と言う。子供はすっかりやきもちを焼き、父と母との間に割りこもうとする。母親は、「お父さんはあんたのように、家中どなって歩いたり、部屋の中を走り回ったりなさらないもの」と言う。子供は躍起になって、「嘘だい、嘘だい、坊やだってそんなことはしないよ。坊やはいい子なんだもの。ね、だからお母さん、坊やを可愛がってくれるでしょう」と言う。これでよしというところまで狂言が進むと、両親は互いに顔を見あわせてにっこり笑う。彼らは男の子だけではなく、女の子をもこんなふうにしてからかうことがある。

このような経験は、成人した日本人に顕著に認められる、嘲笑とつまはじきに対する恐怖心を培う肥沃な土壌となる。いくつになれば幼児は自分がからかわれていることがわかるようになるか、ということを断定することは不可能であるが、とにかくおそかれ早かれからかわれていることを知るようになる。そうすると今度は、嘲笑されているという意識と、一切の安全なもの、慣れ親しんでいるものを失うのではないかという、子供のはなはだしい恐怖とが一つになる。大人になってからのちに、他人の嘲笑を受けた時にも、この幼児期の恐怖がどこかにこびりついて残っている。

このようなからかいが、二歳から五歳にかけての子供の心の中に大恐慌をひき起こすのは、それは家族が本当に安全を保証し、子供の我儘放題の許される安息所になっているからである。父親と母親との間には、肉体的にも感情的にも、完全な分業が行なわれているので、両親が子供の眼に競争者として映ずることはめったにない。母親もしくは祖母が家事を担当し、子供の訓育をする。母親も祖母もともに、鞠躬如《きつきゆうじよ》として父親に仕え、父親を崇め奉っている。家庭の階層制における席次は明確に定まっている。子供はすでに、年長者が特権を与えられていること、男は女のもたない特権を、兄は弟のもたない特権をもっていることを知っている。しかしながら子供は、幼児期には、家族の誰からも寛大に扱われる。男の子の場合にはなおさらそうである。男の子にとっても、女の子にとってもひとしく、母親はいつでも、またどんなことでも、願いを叶えてくれる人であるが、三歳の男児の場合には、彼はその猛烈な怒りでさえ、思う存分母親にぶちまけることができる。父親に対しては反抗を示さないが、母親や祖母に対しては、癇癪玉を爆発させて、両親にからかわれた時に感じた一切の感情、また「よそにやってしまう」と言われたことに対する鬱憤《うつぷん》をぶちまけることがある。むろん幼い男の子のすべてが癇癪持ちであるとは限らない。しかし、村落でも、上流階級の家庭でも、癇癪は三歳から六歳までの間の子供の通性とみなされている。幼児は母親を続けさまに拳で打ち、泣き叫び、乱暴の限りを尽くし、そのあげくに、母親の大切な、きれいに結い上げた髪の毛をめちゃめちゃにしてしまう。母親は女であり、彼は年は三つであっても、間違いなく男である。彼は母親に対しては、思う存分に攻撃を加えることさえできる。

父親に対しては子供はひたすら恭順の態度を示す。父親は子供にとっては、高い階層的地位を代表するりっぱな模範であって、しょっちゅう用いられる日本語の表現を借りて言えば、子供は「しつけとして」、父親にふさわしい敬意を表現するすべを学ばなければならない。父親は西欧のほとんどの国の父親よりも、子女の訓育に口出しをすることが少ない。子供の訓育は女の手にゆだねられている。父親は自分の意志を幼児に伝えたい時には、たいていはただ黙って睨みつけるか、あるいは簡単な訓戒を与えるかするだけである。そして、そんなことはめったにないことなので、子供は即座に父親の言うことを聞く。父親は子供が歩けるようになってからも長い間、ときおり子供を抱いたり、背負ったりして歩き回る（この点は母親も同様である）。そしてこの年ごろの幼児のために、父親はときおり、アメリカの父親ならば普通は母親に任せているような育児上の務めを果たすことがある。

子供は祖父母に対しては、我儘放題のふるまいをすることができる——もっとも祖父母は同時にまた、尊敬の対象にもなってはいるけれども。祖父母は子供を訓育する役目は担当しない。両親の子供の育て方のだらしなさに業を煮やして、祖父母が自分でその役目を引き受けることもなくはないが、それは非常な軋轢《あつれき》を生ずる原因になる。祖母は通常、四六時中子供の傍にいる。そして父方の祖母と母親との間の子供をめぐる張り合いは、日本の家庭ではごく普通のことになっている。子供の立場からすれば、両方から機嫌を取ってもらうことになる。祖母の立場からすると、祖母は嫁を抑えつけるためにしばしば孫を利用する。子供の母親である嫁にとっては、姑の気に入るようにすることが、人生における最大の義務であるからして、祖父母がどんなに自分の子供を甘やかしても、異議を申し立てることができない。祖母は、母親がもうあげませんと言ったすぐ後で、子供に菓子を与える。そして「おばあちゃんのお菓子は毒じゃありませんよ」、と当てこすりを言う。多くの家庭において、祖母は母親が手に入れることのできないような品物を子供に与える。また母親よりも多く、子供の遊び相手になってやる暇をもっている。

兄や姉たちもまた、弟妹の機嫌にさからわないようにと教えられる。日本人は、次の子が生まれた時に幼児が、われわれのいわゆる「鼻を挫かれた」'nose being put out of joint'〔誰かに自分が今まで占めていた地位から押し除けられること〕状態におちいることの危険を、十分わきまえている。除け者にされた子供は容易に、新たな赤ん坊と、自分が新来者のために母親の乳房と母親の寝床とを断念せねばならなくなった事実とを、関連させて考えるようになる。新しい赤ん坊が生まれる前に、母親は子供に向かって、今度坊やには、「うその」赤ちゃんではなくて、本当の生きたお人形ができるのよ、と言って聞かせる。子供はまた、今度から坊やはお母さんとではなくて、お父さんといっしょにねんねするのよ、と言い聞かされ、しかもそれがいかにも特権であるかのように言いくるめられる。子供は新しい赤ん坊のためのいろいろな準備に興味をひきつけられる。子供は通例、新しい赤ん坊が生まれると、心《しん》から興奮し、喜ぶが、その興奮と喜びはやがてさめはてる。がしかし、そのことは十分予期されていたことであって、とり立てて憂慮すべきことではないと考えられている。

除け者にされた子供は、赤ん坊を抱き上げ、赤ん坊をどこかへ連れてゆこうとする。そして母親に向かって、「この赤ちゃんをどこかへやってしまおうよ」と言う。母親は、「いいえ、これはうちの赤ちゃんよ。坊やも赤ちゃんよ。だからね、みんなで可愛がってやりましょうよ。赤ちゃんは坊やが好きなのよ。坊やも赤ちゃんのお守りのお手伝いをして頂戴」と答える。時にはこういう小さないさかいが、かなり長期にわたって、何度もくり返されることがあるが、母親たちはそれをあまり気にかけていないように見える。子供の多い家庭では、こういう事態を救う一つの対策が、自動的に出現する。それは子供たちが一人おきに、特に親密な紐帯によって結びつけられることである。一番年上の子供は三番目の子供の、また二番目の子供は四番目の子供の、お気に入りの守りとなり、保護者となる。弟妹たちも一人おいて上の兄や姉によくなつく。子供が七、八歳になるころまでは、子供たちの男女の違いということは、この風習にほとんどなんの差異をも生じない。

日本の子供たちは誰でも皆おもちゃを持っている。父や母が、また多くの親戚知人が、子供のために人形と、人形に附属する一切の品物を、あるいは手製で作り、あるいは買い与える。そして貧しい人たちの間では、おもちゃに一銭の費用をもかけない。幼児は人形やそのほかのおもちゃを使って、ままごと遊びや、お嫁さんごっこや、お祭りごっこをして遊ぶ。遊びを始めるに先立って、どうするのが「正しい」大人のやり方かということを、徹底的に議論し合う。そして時には、どうしても議論のまとまらない問題を、母親の所へ持っていって、裁きをつけてもらう場合もある。喧嘩が始まると母親はよく、ノブレス・オブリージュ

(noblesse oblige)に訴え、大きな子供に対して、小さな子の言うことを聞いてやるように言い聞かせる。その際によく用いられる表現は「負けるが勝ちと言うでしょう。だから小さい子に負けてやりなさいな」という言葉である。母親の言葉の意味は、そして三歳の児童もすぐにその意味を察しうるようになるのであるが、大きな子が小さい子に自分のおもちゃを譲ってやれば、幼児は間もなくそれに飽いてしまって、ほかのものに気を移す、そうすれば母親に諭された子供は、いったん手放した自分のおもちゃを取り戻すことができる、というのである。あるいはまた、母親の意味するところは、これから子供がしようとしている主人と家来の遊びで、仮に不人気な役を引き受けたとしても、それがみんなが面白く遊ぶことができ、自分もまたその楽しみにあずかることができるのだから、けっして損ではないというのである。「負けるが勝ち」という論理は、大人になってからのちも、日本人の生活においておおいに尊重される論理である。

訓戒とからかいの手段のほかに、子供の訓育において重要な地位を占めている手段は、子供の気を紛らし、子供の注意を目的物からほかに転ぜしめる方法である。日本人は時を選ばず子供に菓子を与えるが、それすら一般に注意転換の手段の一部をなすものと考えられている。子供が就学年齢に近づくとともに、さまざまな「治療」法が利用される。幼児が癇癪持ちであったり、なかなか言うことを聞かなかったり、騒いでしかたがなかったりする場合には、母親はその子を神社やお寺に連れてゆく。母親は、「さあ、いっしょにお参りして、治してもらいましょう」という態度を取る。それはまるで楽しい遠足のようになることが多い。治療を行なう神官もしくは僧侶は、厳かな調子で子供と話をし、子供の生まれた日と、悪いところとをたずねる。それから彼は奥に退いて祈禱をし、やがて戻ってきて、病気の癒されたことを告げる。時には、子供が腕白であったのは虫がいたからで、その虫を取ってあげたから、もうこれでおとなしくなると言う場合もある。彼は子供にお祓いをし、すっかり病気から解放して帰宅させる。日本人はこの方法で「暫くはききめがある」と言う。日本の子供が受ける最も厳格な罰でさえも、「くすり」とみなされている。それは子供の皮膚の上にもぐさという粉末を、小さな円錐形に盛り上げて、それを燃やすのである。その痕は一生残る。お灸は古くから東アジア一帯にひろく行なわれている療法であって、日本でも伝統的に、いろいろな病気を癒すために用いられた。お灸は癇癪や強情をも治すことができる。六、七歳の少年は、こんなふうにして、母親や祖母から「治療」を受ける。難症の場合には二度用いられることもあるが、子供の腕白を治すために、お灸が三度用いられることはめったにない。お灸は、たとえばアメリカで「そんなことをすると平手打ちをくわせますよ」と言うのと、同じ意味において罰であるのではない。しかしながら平手打ちなどとは比べものにならぬほど、烈しい苦痛を与える。そして子供はいたずらをすると必ず罰せられる、ということを悟るようになる。

手に負えない子供を処理する以上の手段のほかに、必要な身体上の技能を教えるさまざまな慣習がある。その場合、教え手が自分の手で子供の身体を持って、その動作をさせるということに、非常な力点が置かれる。子供はなされるがままになっていなければならない。子供が二歳になる前に、父親は子供の脚を折り曲げて、正座の姿勢――膝を折り曲げ、足の甲を床の方に向けて坐る――を取らせる。子供にとっては、最初は、後ろにひっくりかえらないようにすることが、なかなか困難である。正座のしつけの欠くべからざる要素として、身動きをしてはならないということを、やかましく言われるだけに、なおのことそうである。彼はもじもじしたり、姿勢を崩したりしてはならない。坐り方を覚える方法は、身体の力をすっかり抜いて受身になっていることである、と日本人は言う。そしてこの受動性は、父親が子供の脚を持って正しい位置に置いてくれるということによって、なおいっそう強められる。覚えなければならない姿勢は、坐り方だけではない。さらに寝方がある。日本の婦人が寝相を慎むことは、アメリカの婦人が裸体を見られるのを恥ずかしがるのと同じくらいにはなはだしい。日本人は、政府が外国人の承認を得る運動の一環として、それを恥ずべきこととしてやかましく言うようになるまで、裸で入浴しているところを人に見られることを、少しも恥と感じなかったが、寝姿を人に見られることを恥じる感情は非常に強烈である。男の子はどんな寝方をしても構わないが、女の子は両足をきちんと揃え、身体をまっすぐ伸ばして寝なければならない。これが男の子のしつけと、女の子のしつけとを区別する、最初の規則の一つである。日本における他のほとんどすべての要求がそうであるように、この要求もまた、下層階級よりも上流階級の方が厳格である。杉本夫人〔鉞子〕は自分が経験した武士の家庭のしつけについて、次のように述べている。「物心ついて以来、私は常に夜は小さな木枕の上に、静かに横になるように気をつけた。（中略）侍の娘は、どんな場合にも、たとえ眠っている時にでも、身心を取り乱してはならぬと教えられた。男の子は『大』の字なりに、手足を投げ出して寝てもさしつかえないが、女の子は慎しみ深い、上品な『き』の字なりに、身体を曲げて寝なければならなかった。それは『自制の精神』を表わすのである」[*]。私は日本の婦人たちから、彼女たちの母親や乳母が、夜寝かしつける時に、彼女たちの手足をちゃんと揃えてくれた、という話を聞かされた。

＊ Sugimoto, Etsu Inagaki, *A Daughter of the Samurai*, Doubleday Page and Company, 1926, pp. 15, 24.

伝統的な書道の教授の際にもまた、師匠は子供の手を取って字を書かせた。それは子供に「感触を悟らせるため」であった。子供は字を書くことはおろか、まだ読むことさえできない先に、統制のある律動的な手の運び方を感得した。現代のように大勢の生徒を同時に教育するようになってからは、この教授法は前ほど目につかなくなったが、それでもなおときおり行なわれている。おじぎの仕方も、箸の使い方も、弓の射方も、赤ん坊の代わりに枕を背中に結びつけて負う負い方も、すべて子供の手を取って動かし、また子供の身体を持って正しい姿勢を取らせるという方法によって教えられる。

上流階級の場合を除き、子供は学校に行く前から近所の子供といっしょになって自由に遊ぶ。村落では子供は三つにならないうちから、小さな遊び仲間を作る。また町や都市においても、子供は乗物の通るところであろうが、通らぬところであろうが、人通りの多い街頭で、傍で見ていてひやひやするほど自由奔放に遊んでいる。彼らは特権を与えられた人間である。商家の店先をうろついて大人の話を立ち聞きしたり、石蹴りや手まりつきをしたりする。彼らは村の社に集まり、氏神様に安全に守られながら遊びたわむれる。学校に行くまでは、また学校に行くようになってからのちも二、三年の間は、男の子も女の子もいっしょになって遊ぶ。しかしながら同性の子供同士、とりわけ同じ年齢の子供同士の間に、最も親密な交わりが結ばれる場合が多い。このような同一年齢の集団（〝ドーネン〟）は、特に農村においては、終生続くものであり、他のすべての集団よりも永続きする。「スエ」村では、「性的関心が減退してゆくにつれて、同年の寄り合いが、人生に残された真の楽しみとなる。スエ村の人たちは、『同年は女房よりも縁が深い』と言っている」*。

＊ Embree, John F., *Suye Mura*, p. 190.

このような学齢前の児童の遊び仲間は、お互いに非常に無遠慮である。彼らの遊戯の多くは、西欧人の眼から見ると、卑猥なことを臆面もなくやっている。子供たちが性に関する知識をもっているのは、大人が平気で淫らな会話のやりとりをするからでもあり、また日本の家族が狭い家の中でいっしょになって暮らしているからでもある。さらに母親は、子供を風呂に入れるさいに、子供と遊びたわむれながら、よく子供の陰部、ことに男の子の陰部のことを口にする。日本人は、それがよくない場所で、よくない仲間とともに行なわれる場合を除いては、子供の性的遊戯を咎めない。手淫も危険なこととは考えられていない。さらにまた子供の遊び仲間は、非常に無遠慮に、互いに悪口――大人になったのちならば、侮辱となるような悪口――を言い合い、自慢――大人になったのちならば、深刻な恥辱感をひき起こすような自慢——をし合う。日本人は穏やかな微笑を眼にたたえながら、「子供は恥を知らないものだからね」と言う。そして「だからこそあのように幸福なんだ」と付け加える。これは幼児と成人との間の根本的な相違である。なんとなれば、大人について「あいつは恥を知らない」と言えば、その人が全くの破廉恥漢である、ということになるからである。

この年ごろの子供たちは、お互いの家庭と財産の悪口を言い合い、なかんずく自分の父親の自慢をする。「僕のお父さんは君のうちのお父さんよりも強い」とか、「僕のお父さんは君のうちのお父さんよりも賢い」というのが、彼らのよく用いる言いぐさである。彼らはそれぞれ自分の父親の肩を持って、なぐり合いをすることもある。このような行動は、アメリカ人には、ほとんど心に留めるに値しない事柄というふうに思われるのであるが、日本ではそれは、子供たちが自分の周囲でかわされるのを耳にする会話と、はなはだしい対照をなすものである。大人はすべて、自分のことは卑しめ、他人のことを尊敬するのであって、自分の家を指す場合は「拙宅」、他人の家を指す場合は「ご尊宅」と言い、自分の家族を指す場合は「拙家」、他人の家族を指す場合は「ご尊家」と言う。日本人はいずれも、幼児期の数年間は——子供の遊び仲間が形づくられるころから、小学校の三年、すなわち子供が九歳になるころまでの間は——こういう自己本位の主張に専念するということを一致して認めている。ある時にはそれは、「僕が殿様になるから、君は家来になれ」、「いやだい、家来になんかなるものか。僕が殿様になるんだ」というふうな形をとり、ある時にはそれは、自分の自慢をし、他人をこきおろす形をとる。「子供はなんでも言いたい放題のことが言える。大きくなってゆくにつれ、彼らは自分の言いたいことを言うことが許されないということを知る。そうなると、彼らは人から尋ねられるまでは、自分の意見を述べることはさしひかえ、またもう自慢はしなくなる」。

子供は家庭において、超自然的なものに対する態度を学ぶ。神官や僧侶は子供に「教える」ことはしない。そして一般に子供が組織的に宗教に触れるのは、ときおりお祭に行って、参詣者一同とともに神主にお祓いの水を振りかけてもらう場合に限られる。なかには仏教の礼拝式に連れていってもらう子供もあるが、これもまた普通は、なにか特別の祭の行なわれる場合である。子供が不断の、かつ最も根強い宗教的経験をするのは、常に、自分の家の仏壇と神棚とを中心にして行なわれる家庭礼拝である。なかでもひときわ目立つのは家族の位牌を祀る仏壇であって、その前には花や、ある種の木の枝や、香が供えられる。毎日そこへ食べ物が供えられる。そして家族の中の年長者が、一家に起こった一切の出来ごとを先祖に報告し、また、毎日仏壇の前で頭を下げて拝む。夕方には小さな灯明が灯される。人びとはよく、よそへ行って泊るのは、このような眼に見えない存在が家を見守っていてくれるという安心感がなく、不安だから嫌だという。神棚は普通は伊勢神宮のお札を祀ってある簡単な棚である。そのほかにいろいろな供え物をここに置くこともある。それからさらに、台所には煤《すす》にまみれた竈《かまど》の神があり、また雨戸や壁に多数のお札が貼りつけてある場合もある。これらはすべてお護りであって、家内の安全を保つ。村では鎮守の宮が同様に安全な場所である。それは慈悲深い神がみが鎮座して守護しているからである。母親たちは子供を安全なお宮で遊ばせることを好む。子供が経験する事柄のうちには、なにひとつとして子供に、神がみを恐れさせたり、あるいは、その行為を、人間を裁く、もしくは人間を監視する神がみの意に叶うようにさせたりするものはない。神がみは、神がみから受ける恩恵のお礼として、丁重にもてなすべきものである。神がみはほしいままに権力をふるうものではない。

少年を慎重な日本人の大人の生活の型にはめこむという、重大な仕事が本当に始まるのは、子供が学校に行きだしてから二、三年たったのちのことである。そのころまでは、子供は身体を統御するすべを教わる。そして手のつけられない暴れん坊である場合には、彼の腕白は「治療」され、彼の注意は紛らされる。彼は穏やかに諭され、またからかわれる。しかしながら我儘は許され、母親に向かって暴力をふるうことさえ許されていた。彼の小さな自我は助長されてきた。はじめて学校に上がった当座も、たいした変化は生じない。最初の三年間は男女共学である。そして先生は、男の先生も女の先生も変わりなく、子供を可愛がり、子供の一人になりきる。しかしながら家庭でも、学校でも、今までよりも多く、「困った」事態に足を踏み入れることの危険が強調される。子供はまだ幼くて、「恥」を感じるところまでいっていないが、自分が「困る」ようなはめにおちいることを避けるように教えなければならない。たとえば、あの狼がいもしないのに、「狼だ、狼だ」と叫んだ物語の中の少年は、「人をかついだのである。もしあなたがたがそんなことをすれば、もう誰もあなたがたを信用しないようになる。それはまことに困ったことである」。多くの日本人は、彼らが間違いをしでかした時に、最初に彼らを嘲笑したのは、学校友だちであって、先生や両親ではなかった、と言っている。事実、この時期における年長者の仕事は、自ら子供に対して嘲笑を浴びせかけることではなくて、人から嘲笑を蒙るという事実と、世間に対する「義理」に従って行動せねばならないという道徳的教訓とを、徐々に結びつけてゆくことである。子供が六歳のころには、忠犬の献身的な忠義立ての形で説かれていた義務が――前に引用した、あの感心な犬が主人の「恩」に報いる話は、六歳の児童の読む読本の中に出てくる物語である――、今やしだいに、種々さまざまな拘束となってゆく。年長者は子供に向かって、「これこれのことをすれば、世間の人の笑いものになる」と言い聞かせる。規則は個々独立し、それぞれの場合に応じて定められている。しかもその多くは、われわれならばエティケットと呼ぶ事柄に関するものである。これらの規則は、自分の意志を、しだいに増大してゆく、隣人、家族、ならびに国家に対する義務に服従せしめることを要求する。子供は自己を抑制せねばならない。彼は自分が債務を担っていることを認めねばならない。彼は徐々に、もしも負債を返そうと思うならば、用心深く世を渡らなければならない債務者の地位に移ってゆく。

この地位の変化は、あの幼児期のからかいの型を、新たに、しかも真剣な形で、拡張してゆくことによって、成長期の少年に教えられる。子供は八、九歳にもなると、家族の者から本当に排斥をくうことがある。先生が彼が不従順、もしくは不遜なふるまいをしたことを報告し、操行に落第点をつけると、家中の者が彼に背を向ける。店屋の主人から、なにかいたずらをしたといって非難されると、それは「家名を辱めた」ことになる。家族は一団となってその子供に非難攻撃の鋒先を向ける。私が知り合いになった二人の日本人は、十になる前に、父親から、二度と家の敷居をまたぐなといって追い出されたことがあるが、さて恥ずかしくて親類の家へ行くわけにもゆかない。彼らは教室で先生から罰をくったのである。この二人はどちらも納屋で暮らした。そして母親に見つけられ、やっと母親のとりなしで家に戻ることができた。小学校の上級の子供は、〝キンシン〟〔謹慎〕、すなわち、悔い改めのために家に閉じこもって、あの日本人の固定観念になっている、日記をつけるという仕事に専念させられることがある。いずれの場合にも、家族の者は、今やその少年を世間における彼らの代表者とみなすという態度をとる。そして少年が世人の非難をこうむったという理由で彼を責める。彼は世間に対する「義理」に背いたのである。彼は家族の支持を当てにするわけにはゆかない。また同年の支持を当てにすることもできない。彼の学校友だちは過ちを犯した彼を仲間はずれにする。そして彼は謝罪をし、今後を誓うのでなければ、再び仲間に入れてもらうことはできない。

ジェフリ・ゴアラが論じているように、「特筆に値することは、以上のことが、社会学的に見てきわめて稀有な程度にまで、徹底して行なわれているということである。大家族制、もしくはその他の部分的社会集団が活動している社会の大多数においては、ある集団の成員の一人が、他の集団の成員から非難や攻撃を受けた場合には、その集団は一致団結して保護にあたるのが常である。引きつづき自己の集団の是認が与えられている限り、万一の場合、もしくは襲撃を受けた場合には、全面的な支持を得られるに相違ないという確信をもって、自己の集団以外のすべての人びとに対抗することができる。ところが日本では、ちょうどその逆になっているように思われる。すなわち、自己の集団の支持を得ることができるという確信をもちうるのは、他の集団から是認が与えられている間に限られるのであって、もし外部の人びとが不可とし、非難したならば、当人が他の集団にその非難を撤回させることができるまでは、あるいは、撤回させることができない限りは、彼の属する集団は彼に背を向け、彼に懲罰を加える。こういう仕組みになっているために、『外部の世間』の是認ということが、おそらく他のいかなる社会においても比類を見ないほどの重要性をおびている」*。

* Gorer, Geoffrey, *Japanese Character Structure*, The Institute for International Studies, 1943, p. 27.（謄写版刷）

女の子のしつけも、このころまでは、本質的には男の子のしつけと変わりがない。ただし枝葉の点では多少の差異がある。女の子は家庭内で男の兄弟よりも多くの拘束をうける。用事も多くさせられる——もっとも、小さな男の子もまた、子守りをさせられることがありはするが。そして、なにか物をもらう場合にも、またなにかと心にかけて大切にされるという点においても、いつも貧乏くじを引かされる。女の子はまた、男の子の特性である癇癪を起こさない。しかしながら彼女は、アジアの少女としては驚くほど自由であった。まっかな着物を着て、男の子といっしょに表で遊び、男の子と喧嘩をした。しかもなかなか負けていずに自分の目的を最後まで押し通す場合が多かった。彼女もまた、幼児のころは「恥を知らなかった」。六歳から九歳までの間に、男の兄弟とだいたい同じように、まただいたい同じ経験をしながら、段々と世間に対する「義理」を覚えてゆく。九つになると、学級は女子組と男子組とに分かれ、男の子らは新しくできた男の子同士の団結を重視するようになる。彼らは女の子を除外し、女の子に口をきいているところを人に見られることをいやがる。女の子の方もまた、母親から、男の子とつきあってはいけない、と言い聞かされる。この年ごろの少女は何かにつけてじきにすね、自分の中に立てこもりがちで、教えにくくなると言われている。日本の婦人たちは、それが「子供らしいたわむれ」の終わりである、と言っている。女の子の幼年期は、男の子の生活から閉め出しをくうことによって、終わりを告げる。今後幾年、幾十年の年月のあいだ彼女たちがたどるべき道として定められた道は、もはや「自重に自重を重ねる」ことをおいてほかにはない。この教訓はいつまでも、婚約が成立した時にも、また嫁いでからのちも続く。

しかしながら、男の子の方は、「自重」と世間に対する「義理」とを覚えただけではまだ、日本の成年男子が負担せねばならぬ義務をことごとく習得したことにはならない。日本人の言によれば、「男の子は十歳ごろから、名に対する義理を学ぶ」。それはもちろん、侮辱を憤ることは徳である、ということを学ぶという意味である。彼はまた、どういう場合に敵に直接攻撃を加え、どういう場合に間接的手段を用いて汚名をすすぐべきか、という規則を学ばねばならない。私は名に対する「義理」を学ぶということは、侮辱的言動を加えられた場合に必ず相手を攻撃することを学ばねばならない、という意味ではないと思う。すでに幼い時分から、母親に対して甚だしい暴力をふるうことを許され、また同年輩の子供たちと争うことによって、種々雑多な誹謗と抗弁の決着をつけてきた少年たちが、十になってから今さら攻撃することを学ぶ必要はほとんどない。そうではなくて、名に対する「義理」の掟は、少年が十歳以降その条項の適用を受けるようになるとともに、彼らの攻撃を一定の公認の型に流し込み、彼らにそれを処置する特定の方法を提供するのである。前に述べたように、日本人はしばしば他人に対して暴力を行使する代わりに、この攻撃を自分自身に向けることがある。学童もまた、その例外ではない。

六年制の小学校を終えたのち、さらに学業を継続する少年——その数は人口の約一五パーセントである、ただし男の方の比率はもう少し大きい——の場合には、そろそろ名に対する「義理」を果たさなければならなくなる時期が、中等学校入学試験の激烈な競争と、あらゆる科目におけるあらゆる生徒の席次争いとに突然遭遇する時期と、たまたま一致する。彼らは段々に経験を積み重ねてきたうえで、こういう事態に臨むのではない。競争は小学校でも、家庭でも、できるだけ避けるようにされており、ほとんど無きに等しい状態になっている。それが突然遭遇する全く新しい経験であるだけになおのこと、競争ははなはだしくなり、気がかりなものとなる。席次の競争と、誰それはえこひいきをされているのではないかという猜疑とが盛んに行なわれる。しかしながら、日本人の追懐談の中で大きく取り扱われるのは、この競争のことではなくて、むしろ、中等学校の上級生か下級生をいじめる習慣である。中等学校の上級生は下級生を顎で追い使い、手をかえ品をかえしていじめる。彼らは下級生に、ばかばかしい、屈辱的な芸当をさせる。こういう目に遭った下級生は、十中八、九まで非常な恨みを抱くようになる。日本の少年はそのような事柄を、けっして面白半分の気持ちで受け取らないからである。上級生の前で四つん這いをさせられたり、卑しい走り使いをさせられたりした下級生は、自分をいじめた相手に対して憎しみを抱き、復讐を計画する。即座にしかえしをすることができないだけに、なおのこと復讐に熱中する。復讐は名に対する「義理」であって、彼はそれを徳行と考える。時には家庭的縁故を利用して、何年もたったのちに、自分をいじめた相手が、せっかくありついている職から解雇されるようにしむける場合もある。また時には、柔道や剣術の腕を磨き、卒業後、都市の街頭で、公然と相手に恥をかかせる場合もある。がしかし、ともかくも、いつかはしかえしをするのでなければ、「なにかまだし残したことのあるような感じ」がする。そしてこの感じこそ、日本人の意趣返しの核心をなすものである。

中等学校に進まない少年たちは、軍隊教育において同じような経験をすることがある。平時には、青年は四人に一人の割合で兵隊に取られた。そして、二年兵の初年兵いじめは、中等学校や、それ以上の学校の下級生いじめなどよりもはるかに極端なものであった。将校は全然それにはかかわりがなかった。また下士官も、特別な例外を除いては、関係しなかった。日本人の掟の第一の個条は、将校に訴え出ることは、自己の面目を失うことになる、というのであった。それは兵隊たちの間だけで片がつけられた。将校はそれを、兵隊を「鍛える」一方法として容認していたが、関与はしなかった。二年兵は、前の一年間に積もりに積もった数々の遺恨を、今度は初年兵の方へ持ってゆき、初年兵を辱めるいろいろ巧妙な方法を案出して、その「鍛錬」のほどを示した。徴集兵はしばしば、軍隊教育を受けて出てくると、すっかり人間が変わったようになり、「真の猪突的国家主義者」になると言われてきたが、この変化は、彼らが全体主義的国家理論を教えられるからではなく、またたしかに天皇に対する「忠」を吹き込まれるからでもない。屈辱的な芸当をさせられる経験の方が、はるかに重大な原因になっている。家庭生活において日本流のしつけを受けてきた、そしてアムール・プロプル（amour-propre）〔自尊〕ということにかけてはおそろしく真剣な青年は、そのような事態に置かれるとすっかり理性を失い、獣的になりやすい。彼らはなぶりものにされることに堪えられない。彼らが排斥と解釈するこれらの事態が、今度は彼らを辛辣な拷問者にする。

近代日本の中等学校や軍隊において見られるこれらの事態が、あのような性格を帯びるのは、嘲笑や侮辱に関する古くからの日本の習慣に起因するものであることは、いうまでもない。中等ならびに上級の諸学校や軍隊が、そういう事態に対する日本人の反応をはじめて造り出したのではない。日本では伝統的な名に対する「義理」の掟が、目下のものをいじめる習慣を、アメリカよりもはるかにはなはだしい苦痛を与えるものにしているということは、容易に理解しうるところである。さらに、先輩にいじめられる集団は、やがて順送りに次の被害者の群れに虐待を加えるようになるのであるが、それにもかかわらずなお、いじめられた少年は、なんとかして自分を実際にいじめた当人にしかえしをしようとして一心になるということもまた、古くからの型に一致している。鬱憤を他の人間に転嫁することは、西欧の多くの国ぐににおいてはたえずくり返される風習であるが、日本ではそうではない。たとえば、ポーランドでは、新米の徒弟や若い収穫夫はひどくいじめられるが、その恨みは虐待を加えた当の人間に向かって晴らすのではなく、次の代の徒弟や収穫夫にぶちまけられる。むろん、日本の少年もまた、こんなふうにして腹癒せをするが、彼らが第一に関心をもつことは、直接復讐をすることである。いじめられた人間は、いじめた人間に復讐をなしとげた時に、「いい気味だ」と感じる。

日本再建に当たって、自国の将来を慮る指導者たちはよろしく、後期青春期が過ごされる諸学校や軍隊における虐待と、少年たちに馬鹿げた芸当をさせる習慣とに、特別の注意を払うべきである。彼らはよろしく、上級生と下級生との差別を撤廃するために愛校心を強調し、「なつかしい同学のえにし」を強調すべきである。軍隊においても、よろしく初年兵虐待を禁止すべきである。かりに二年兵が初年兵に対して、かつてあらゆる階級の日本の将校が行なったように、スパルタ的訓練をしいるとしても、そのような強制は日本では侮辱とはならないが、初年兵いじめは侮辱である。もし学校においても軍隊においても、年上の少年が年下の少年に、犬のようにしっぽを振らせたり、蟬のまねをさせたり、ほかのものが食事をしている間中、逆立ちをさせたりすれば、必ず処罰するということにすれば、それは天皇の神性の否定や、教科書から国家主義的な内容を除去することよりも、日本の再教育という点で、さらにいっそう効果のある変化となるであろう。

女は名に対する「義理」の掟を学ばないし、男の子のように、中等学校や軍隊教育という近代的経験をしない。彼女たちはまたそれに類似した経験もしない。彼女たちの生涯は、男の子の生涯にくらべると、遥かに変化が少ない。物心のついた当初から、彼女たちは、何事によらず男の子が先であって、男の子は女の子には与えられない心遣いや贈物を与えられるという事実を承認するようにしつけられてきた。彼女たちが尊重せねばならない処世規律は、彼女たちに公然と自己主張をする特権を認めていないとはいうものの、赤ん坊の頃や幼年時代には、彼女たちも男の子とともに日本の幼児の特権的な生活を楽しんできた。とくに彼女たちは、幼い少女であったころは、まっかな色の着物を着せられた。大人になればもうそんな色の着物は、第二の特権的時期の始まる六十の年齢に達し、再びそれを着ることが許されるようになるまでは、着ることができなくなる。家庭内では、彼女たちも男の兄弟と同じように、反目しあう母親と祖母の双方から機嫌を取られることがある。さらにまた、弟や妹は、姉に向かって、家族の誰にでもそう言うのであるが、「一番」仲好しになってくれと言ってせがむ。子供たちは彼女に、仲好しのしるしにいっしょに寝させてくれと頼む。そして彼女はしばしば、祖母から貰ったものを、二歳の幼児に分けてやることがある。日本人は一人で寝ることを好まない。そして子供の蒲団が夜、お気に入りの年長者の蒲団にくっつけて敷かれることがある。「誰々が私と一番仲好し」の証拠が、二人の寝床をいっしょにくっつけることであることが非常に多い。女の子は、九つか十になって、男の子の遊び仲間から除外される時期においてさえも、その代償を与えられる。彼女たちは新しい髪の結い方をしてもらって悦に入る。そして十四歳から十八歳にかけての娘の髪の結い方は、日本では一番念入りなものである。彼女たちは木綿物の代わりに絹物を着ることを許される年齢、すなわち、容色を引き立てる着物を着せるためにあらゆる努力が払われる年齢に到達する。こんなふうにして女の子もある程度の満足は与えられる。

女の子はさまざまな拘束に従わねばならないが、その義務を履行する責任は、まさしく女の子自身の上に置かれているのであって、ほしいままに権力を振り回す親の手に握られているのではない。両親が親権を行使するのは、子供に体罰を課することによってではなく、娘は立派に命ぜられたとおりのことをするのであろうという、平静な揺るぎなき期待をもつことによってである。次にあげる例は、そのようなしつけ方の一つの極端な例であるが、比較的寛大な、子供の特権を認める子弟教育の特性をなすところの、非権力主義的な圧力というものが、およそいかなる性質のものであるかということを、いかにもよく示しているものであって、じゅうぶん引用の価値がある。六つの年から、幼い稲垣鉞子〔杉本夫人の旧姓〕は、ある学殖豊かな儒学者から漢文の素読を教えられた。

二時間のお稽古の間、先生は手と唇とを除いては、微動だになさらなかった。そして私は先生に面して、畳の上に、先生と同じように正しい、不動の姿勢を取って坐っていた。一度、私は身動きをしたことがあった。それはお稽古の中途であった。どういうわけか、私はじっとしていられなくなって、微かに身体を動かし、折り曲げた膝を正しい角度からほんの少し脇の方へずらした。微かな驚きの影が先生の面上を横切った。それから静かに本を閉じ、穏やかに、しかし厳かな態度で、こうおっしゃった。「お嬢さん、きょうはどうも勉強に身がはいらないようですね。部屋に帰って、とくとくお考えなさい」。私の小さな心は、恥ずかしさのあまり、絶え入るばかりであった。私にはどうにもしようがなかった。私はまず孔子様の画像に、ついで先生に丁寧におじぎをした。そしてうやうやしくその部屋を退出し、おずおずとお父様のところへ、いつもお稽古のすんだ時にしていたように、報告しにいった。お父様は、まだ時間が来ていなかったので、お驚きになった。そして何気なくおっしゃった、「馬鹿に早く勉強が終わったんだね」というお言葉は、まるで死を告げる鐘の音のように響いた。あの時のことを想い出すと、今でも、傷痕が疼《うず》くように、胸が痛む。*

* Sugimoto, Etsu Inagaki, *A Daughter of the Samurai*, Doubleday Page and Company, 1926, p. 20.

さらに杉本夫人は別な個所で、祖母について次のように書いているが、その中に日本の最も特徴のある親の態度の一つが簡潔に言い表わされている。

祖母は静かに落ち着いて、誰もが祖母の考えどおりに行動するものと期待していた。叱ったり、議論したりすることはなかったけれども、祖母の真綿のように柔らかな、しかも非常に強靭な期待が、常に彼女の小家族を、彼女に正しいと思われる進路に保っていた。

この「真綿のように柔らかな、しかも非常に強靭な期待」が、それほどの効果を収めることのできる一つの理由は、訓練がおのおのの技術、おのおののわざについて、いちいちまことに行きとどいてなされるからである。教えられるのは習慣であって、たんに規則だけではない。幼児期における箸の使い方や部屋にはいる時の作法にしろ、ややのちに習う茶道や按摩の仕方にしろ、動作は文字どおり大人の手の指導の下に、自動的になるまで、くり返しくり返し実演される。大人は、それを用いる時節が到来すれば、子供は正しい習慣を「ひとりで、覚える」であろう、とは考えない。杉本夫人は、彼女が十四の年に婚約したのち、夫のために陰膳をすえたことを述べている。彼女はそれまでにまだ一度も未来の夫に会ったことはなかった。彼はアメリカに滞在し、彼女は越後にいた。にもかかわらず、幾度となく、母と祖母との監督の下に、「私は兄さんが私たちに松雄の好物だという料理を自分の手で作った。夫の膳を私の膳の隣りに置き、いつも私よりも先に御飯をよそうようにした。このようにして私は、私の未来の夫に喜びを与えるようにたえず心を配ることを学んだ。祖母や母はいつも、まるで松雄が眼の前にいるかのような、口の利き方をした。そして私も、夫が実際にその部屋の中にいるかのように、服装や立居ふるまいに気をつけた。このようにして、私はしだいに、夫を尊敬し、私自身の、彼の妻としての地位を尊敬するようになっていった」*。

男の子もやはり、実例と模倣とによって念入りな習慣の訓練を受ける。もっともそれは女

* *A Daughter of the Samurai*, p. 92.

の子のしつけほど厳しいものではないけれども。習慣を「学んだ」後は、一切言いわけは受けつけられない。しかしながら、青年期以後、彼は彼の生活の一つの重要な分野においては、大部分彼自身の自発性に任される。年長者は彼に求愛の習慣を教えない。家庭は公然と性愛を表現する行動の一切禁止されている世界である。そして、彼が九つか十になった時からこのかた、縁故のない男児と女児との隔離が、極端に行なわれてきた。日本人の理想は、男の子が本当に性に興味をもつ以前に、両親が彼のために結婚の取りきめをすることである。したがって、男の子は女の子に接する態度において、「内気」であることが望ましい。田舎では、この点についてさんざんにからかうふうがあって、それが少年を「内気」にしている場合が多い。それでも少年たちはなんとかして学ぼうとする。昔は、そして最近でも日本の辺鄙な村では、多くの娘が、時には大多数の娘が、嫁入り前に妊娠した。このような結婚前の経験は、人生の重大な仕事の部類には入らない「自由な領域」であった。両親はこういう事件を眼中におかずに、縁談を取りきめるものとされていた。しかしながら今日では、須恵村である日本人がエンブリー博士に語ったように、「雇い女でさえ、処女を保たなければならない、ということを知るだけの教育は受けている」。中等学校に進む少年が受ける訓育もまた、異性との交際は、どんな種類の交際でも、一切厳禁している。日本の教育も世論もともに、両性間の結婚前の親密な交わりを防止するように努めている。日本の映画を見ても、彼らは若い婦人になれなれしいそぶりを見せる青年は、「不良」青年であって、「良い」青年は、愛らしい少女に対して、アメリカ人の眼から見れば、そっけない、いな、むしろ礼を失するような態度を取る青年である、と考えている。女になれなれしくするということは、その青年が「遊び歩いた」こと、すなわち、芸者や、娼婦や、カフェの女の尻を追い回したことを意味する。芸者屋は色事を覚える「一番良い」方法である。「芸者はいろいろな事を教えてくれる。人は打ち寛ぎ、ただ見ていさえすればよい」。彼は自分のぶざまさを、人前に曝け出しはしまいか、と恐れる必要はない。またその芸者と性的関係を結ぶことは予期されていない。だが日本の青年の中で、芸者屋に行くだけの余裕のあるものはそう多くない。多くの青年はカフェに行って、男が女をなれなれしく扱うさまを見覚える。しかしながらそのような観察は、彼らが他の分野において当然受けるものと予期するようになっている訓練とは類を異にするものである。男の子はぶざまさの恐れを長い間持ち続ける。性行為は、信用の置ける年長者に親しく手を取って指導してもらうことなしに、なにか新しい種類の行動を覚えなければならない、彼らの生活のごく少数の領域の一つである。格式のある家庭では、若夫婦が結婚する時に、「枕草紙《まくらぞうし》」とさまざまな姿態を詳しく描いた絵巻物とを与える。そして、かつてある日本人が言ったように、「本を見て覚えることができる。それはちょうど庭造りの規則を覚えるのと同じやり方である。父親は日本風の庭園の造り方を教えはしない。それは年を取ってから自分で覚える道楽である」。本を見て覚える事柄として、性行為と造園術の二つをくっつけていることは興味がある。もっともたいていの日本の青年男子は、本以外の方法で性行為を覚えるのであるが。いずれにせよ、彼らは大人から微に入り細を穿《うが》つ指導を受けて覚えるのではない。このような訓練上の差異が、青年の心の中に、性は年長者が指揮統轄し、またそのために骨折って青年の習慣を訓練する人生の重大な仕事とは無関係な、別個の領域であるという、日本人の信条を深く刻みつける。それは青年が、多分に当惑の恐れを抱きながら、しだいに精通してゆく、自己の欲情満足の領域である。この二つの領域は異なった掟をもっている。男子は結婚後まったくおおっぴらに、よそで性的快楽に耽ることがあるが、そうすることは少しも妻の権利を侵害したり、結婚生活の安定を脅かすことにはならない。

妻はこれと同じ特権をもっていない。彼女の義務は夫に対して貞淑であることである。もし夫以外の男と情を通じようとすれば、こっそり人眼につかぬようにせねばならない。しかもかりに誘惑を受けたとしても、ひそかに情事を行ないうるだけの生活をしている婦人は、日本では比較的少数しかいない。神経過敏におちいっている、もしくは落ち着きを失っていると目される婦人は、「ヒステリー」だと言われる。「最も頻繁に見受けられる婦人の障害は、その社会生活ではなくて、性生活にかかわりをもっている。多くの精神異状症、また大多数のヒステリー（神経過敏、落ち着きなさ）は、明らかに性的和合の欠如にもとづくものである。女は夫が与えてくれるだけの性的満足に甘んじていなければならない」*。須恵村の農民たちは、女の病気の大部分は、「子宮に始まり」頭に上ってゆくと言っている。夫がほかの女にうつつをぬかして、少しも自分を顧みてくれない時には、妻は日本人が一般に容認している手淫の習慣に訴えることがある。そして下は農村から上は高貴な人びとの家庭に至るまで、婦人はこの目的のために作られた伝統的な道具を秘蔵している。さらに田舎では、妻は子供を生んだ後ならば、かなり奔放にエロティックな言動をすることが許される。母親になる前は、一言も性に関する冗談口はきかないが、母親になった後は、そしてだんだん年を取るにつれて、男女混淆の宴席での彼女の談話には、そういう冗談がふんだんに出てくるようになる。彼女はまた、淫らな唄に合わせて腰を前後に動かし、非常に無遠慮な性的舞踊をして座興を添える。「こういう余興は、必ず爆笑を誘う」。須恵村ではまた、徴集兵が満期になって戻ってくる時には、村中総出で村はずれまで迎えに出るが、そのおりには男装した女連が淫らな冗談を飛ばし、若い娘たちをてごめにするふりをした。

＊ Embree, J. E., *Suye Mura*, p. 175.

このように日本の婦人は、性的な事柄に関しても、ある種の自由が許されている。しかも、生まれが賤しければ賤しいほど、ますます多く自由が認められる。彼女たちはその生涯の大部分を通じて、多くの禁制を守らなければならないが、彼女たちが性的な事柄に通じているということを否定することを要求する禁制はない。それが男の気に入る場合には、彼女たちは淫猥になる。同様に、それが男の気に入る場合には、全く色気抜きになる。女盛りの年ごろになると、禁制をかなぐり棄て、もしそれが生まれの賤しい女であるならば、男にひけを取らぬくらいに淫らになることがある。日本人は、西欧の「純潔な婦人」と「淫婦」というような、一定不変の性格を目あてとするのではなく、それぞれの年齢、それぞれの場合にふさわしい行動を取ることを目的としているのである。

男の方にもまた、おおいに慎まねばならない領域とともに、はめをはずしてよい場合がある。男の友だちとともに、とりわけ芸者を座に侍らせて、酒を飲むことが、男の最も好む楽しみである。日本人は酔うことを楽しむ。そして、酒を飲んでも取り乱してはならない、と命ずる掟はない。彼らは盃に二、三杯のサケを飲むと、もう固苦しい姿勢を崩してくつろぐ。そしてお互いにしなだれかかり、非常になれなれしくすることを好む。酒に酔っても、少数の「つきあいにくい人間」は喧嘩早くなるかもしれないが、そういう連中を除いては、乱暴を働いたり喧嘩を吹きかけたりすることはめったにない。飲酒のような「自由な領域」を除いては、人はけっして期待に反した――と日本人は言うのであるが、――ふるまいをしてはならない。誰かが生活の重要な面において、期待に反したふるまいをしたということとは、「馬鹿」という言葉を別にすれば、日本人が用いる、呪詛の言葉に最も近い言葉である。

　従来すべての西欧人が描いてきた日本人の性格の矛盾は、日本人の子供のしつけ方を見れば納得がゆく。それは日本人の人生観に二元性を生み出す。そしてそのどちらの側面も無視することができない。彼らは幼児期の特権と気楽さとの経験から、その後にさまざまな訓練を受けたのちもなお、「恥を知らなかった」ころの気楽な生活の記憶を保持する。彼らは未来に天国を描く必要はない。彼らは天国を過去にもっている。彼らが、人は生来善であり、神がみは慈愛深く、日本人であることはたぐいなく望ましいことであるなどと説くのは、彼らの幼年時代を別な言葉で表現しているのである。幼児期の経験は、彼らがその倫理を、すべての人間の内に「仏種」〔仏となる可能性〕があるとか、人間は誰でも死ぬと同時に〝カミ〟〔神〕になるというような、極端な解釈の上にもとづかしめることを容易にする。それは彼らに、自分の言いぶんをどこまでも主張する傾向と、ある種の自信を与える。それは彼らの、しばしばどんな仕事にでも、たとえそれが彼らの能力を遥かに越える難事業と思われる場合においても、進んでぶつかってゆく態度の根底となっている。それはまた彼らの、自国の政府に対してさえ反対の立場を取って闘い、自殺によって自己の立場のあかしを立てることを辞さない態度の根底となっている。時にはまたそれは彼らに集団的誇大妄想狂におちいる可能性を与える。

六、七歳以降しだいに、用心深くふるまい、「恥を知る」責任が課せられるようになり、しかもそれは、もしその責任を果たさなければ自分の家族のものから擯斥されるという、最も強力な強制力によって支持される。この圧力はプロシア的な紀律の圧力ではないが、免れることのできないものである。こういうふうに発展してゆく素地は、特権的な幼児期からすでに、あの執拗にくり返されるどうしても免れることのできない用便の習慣と正しい姿勢のしつけによって、また両親が子供を捨ててしまうと言ってからかうことによって準備されてきた。こういう幼時の経験が、「世間の人びと」に笑われ、見捨てられるぞと言い聞かされる時に、子供が自分に課せられたはなはだしい拘束を甘んじて受け容れる素地を作る。彼は幼いころにはあれほど遠慮なく表に現していた衝動を押さえつけるが、それはそれらの衝動がよくないからではなくて、もう今は不適当になったからである。彼は今や、真剣な生活に足を踏み入れつつあるのである。しだいに幼時の特権が否認されてゆくにつれて、彼は段々と大人の楽しみを許されるようになる。だがしかし、あの幼児期の経験はけっして本当に消えてなくなるのではない。彼の人生哲学において、彼はそれらの経験をおおいに頼りとする。彼が「人情」を是認する態度を取るのは、とりもなおさず幼時の経験に復帰するのである。彼は成年期を通じて、その生活の「自由な領域」において、それを再び体験する。

一つの顕著な連続性が子供の生活の前期と後期とを結びつけている。それは仲間に承認されるということに非常な重要性が置かれているということである。子供の心に植えつけられるのはこの点であって、絶対的な徳の標準ではない。子供時代の前期においては、やっとどうやら、母親にねだることのできる年ごろになると、母親は彼を彼女の寝床に入れてくれた。彼は自分と兄弟姉妹とがもらうお菓子を見くらべて、自分は母親に何番目に愛されているかを判断した。彼はのけものにされると、敏感にそれに気づき、姉に向かってさえ、「お姉さんは坊やを一番可愛がってくれる?」と尋ねた。後期においては、子供はしだいに多く個人的な満足を放棄することを要求されるが、約束される報いは「世間の人びと」に承認され、受け容れられるようになるということであり、罰は「世間の人びと」の笑いものになるということである。これはむろん、子供のしつけをするに当たって、たいていの文化が頼りとする強制力であるが、日本においてはそれが他に類例がないくらい重きを置かれている。「世間の人びと」に見捨てられるということがどんなことかということは、すでに両親の、子供を捨ててしまうと言って脅かすあのからかいによって、子供の脳裡にまざまざと焼きつけられている。彼の一生を通じて、仲間はずれにされることは、暴力よりもなお恐ろしいことである。彼は嘲笑や排斥の脅威に対して、たんにそれを頭の中に思い浮かべたにすぎない場合においてさえも、異常に敏感である。また実際、日本の社会の中では、私生活の秘密を守ることはほとんど不可能であるからして、「世間」が彼のすることなすことをほとんど逐一知っており、もし不可と認めれば彼を排斥する可能性があるということは、けっして妄想ではない。第一、日本の家屋の構造――音響がつつ抜けになる、また昼間は明け放たれる薄い壁〔戸障子〕――からして、塀と庭とを設けるだけの余裕のない人びとの場合には、私生活をはなはだしくあけっぱなしのものにする。

日本人が使用する二、三の象徴が、子供の訓育の不連続性にもとづく、彼らの性格の両面を明らかにするうえに助けとなる。最も早い時期に築き上げられる側面は「恥を知らぬ自我」であって、彼らはその「恥を知らぬ自我」をどの程度に保存しているかということを調べるために、自分の顔を鏡に映して眺める。彼らの言うところによると、鏡は「永遠の純潔さを映し出す」。それは虚栄心を養うのでもなければ、「妨げる我」を映すのでもない。それは魂の奥底を映し出す。人間はそこに自己の「恥を知らぬ自我」を見なければならない。人は鏡の中に、彼の魂の「門」である彼自身の眼を見る。そしてこのことが「恥を知らぬ自我」として生きる助けとなる。この目的のためにいつも肌身離さず鏡を持って歩く人びとのいることが、よく述べられている。なかには、仏壇の中に、自分の姿を眺め、自分の魂を省みるための特別な鏡を置いた人さえいたそうである。彼は「自分自身を祀り上げ」、「自分自身を拝んだ」。それはたしかに異例であった。がしかし、この人間のしたことは、日本人が普通に行なっていることを、ほんの一歩推し進めただけであって、家庭の神棚にはどこの家でも、鏡が礼拝の対象として祀ってあるのである。戦争中、日本のラジオは自分たちで金を出し合って鏡を買い、教室に備えつけた女学生を賞め賛える歌をわざわざ作って放送したことがある。それは虚栄心の現れであるとは少しも考えられていなかった。それはたえず彼女たちの心の奥底にある平静な目的に身を献げることとして述べられた。鏡を見ることは、彼女たちの精神の気高さを証明する外面的な行事であった。

日本人の鏡についての感情は、まだ子供の心の中に「観る我」が植えつけられなかった時期に、その端を発しているのである。彼らは鏡の中に「観る我」を見るのではない。そこに映し出される彼らの自我は、かつて幼児期においてそうであったように、「恥」という指導者をまたずして、おのずから善良である。彼らが鏡に与えているのと同じ象徴的意味がまた、「練達」の自己訓練に関する彼らの考え方の根底となっている。彼らは「観る我」を除去し、幼児の直接性に復帰するために、倦まずたゆまず自己を訓練する。

このように、特権的な幼児期の生活が、日本人にさまざまな影響を及ぼしているのであるが、それにもかかわらず、恥が道徳の基礎となるその後の時期の拘束は、ただたんに特権の剝奪というふうには感じられていない。前に述べたように、自己犠牲という概念は、日本人がしばしば攻撃してきたキリスト教的な概念の一つであって、彼らは、自分たちは自己を犠牲にしているのだ、という考えを拒否する。極端な場合においてさえも、日本人は「忠」、もしくは「孝」、もしくは「義理」の負債を支払うために、「自ら進んで」死ぬのだと言う。

そしてこのことは自己犠牲の範疇にはいるとは考えていない。そのように進んで死に赴くことによって、自己の欲する目的を達することができるのだ、と彼らは言う。もしそうでなければ、それは「犬死に」になる。ところで「犬死に」とは、彼らにとっては、無価値な死ということであって、英語の 'dog's death' のように、社会のどん底に零落して死ぬということを意味するのではない。それほど極端ではない一連の行為で、英語では self-sacrificing〔自己犠牲〕と呼ばれているものもまた、日本語ではむしろ「自重」の範疇に属する。「自重」は常に自制を意味するのであるが、自制は自重と全く同様に大切なものである。大事は自制することによってのみ達成することができる。アメリカ人は目的達成の必要条件として、自由ということを強調するが、生活体験を異にする日本人は、それだけではけっして十分ではないと考えてきた。彼らは、自制によって自我をいっそう価値あるものにするという考えを、彼らの道徳律の主要な信条の一つとして容認している。でなければどうして、いつなんどき束縛を脱して暴れ出し、正しい生活を台なしにしてしまうかもしれないさまざまな衝動を蔵している危険千万な自我を統御することができようか。ある日本人が述べているように――

何年もかかってこつこつと木地の上にかぶせる上塗りの漆の層が厚ければ厚いほど、出来上がった漆器は高価なものになる。民族についても同じことが言える。（中略）ロシア人に関して、「ロシア人をひっ掻《か》いてみると、韃靼《だったん》人が出てくる」と言われているが、日本人についても同じように正当に、「日本人をひっ掻き、漆を削り落としてみると、海賊が出てくる」と言えるであろう。しかしながら、忘れてならないことは、日本では漆は高価な製作品であり、手工業の補助手段であるということである。漆にはインチキなところは少しもない。それは瑕を覆い隠すための上塗りではない。それは少なくとも、それが美化する木地と同じ価値をもっている。*

* Nohara Komakichi, *The True of Japan*, London, 1936, p. 50.

西欧人の目を驚かす日本人男子の行動の矛盾は、彼らの子供時代の訓育の不連続性から生じるのであって、「上塗り」をされたのちもなお、彼らの意識の中に、彼らが自分の小さな世界における小さな神様であった時代、思う存分に駄々をこねることさえできた時代、どんな願いでも叶えられるように思われた時代の深い痕跡が残る。このように深く心の中に二元性が植えつけられているために、彼らは大人になってから、ロマンティックな恋愛にうつつを抜かすかと思うと、急に掌をかえすように家族の意見に無条件に服従する。快楽に耽り、安逸を貪るかと思うと、極端な義務を果たすためにどんなことでも進んで行なう。慎重の必要を説くしつけが彼らを行動においてしばしば臆病な国民にしているが、しかしまた彼らは時には猪突的と見えるまでに勇敢である。彼らは階層制度にもとづいて服従が要求されるような事態においては、いちじるしく従順な態度を示すが、それでいて、なかなか上からの統制には従わない。彼らは非常に慇懃であるが、それにもかかわらず、依然として傲慢不遜《ごうまんふそん》な態度を留めている。彼らは軍隊で狂信的な訓練に服するが、それでいて不従順である。彼らは熱烈な保守主義者であるが、それでいて、中国の慣習や西欧の学問の採用において相次いで示してきたように、目新しい生活様式に心をひかれる。

性格の二元性は緊張を生じる。そしてその緊張に対して日本人は人によってそれぞれ異なった反応をするのであるが、実はそれは、なんでも自分の欲するままにふるまい、まだそれが容認された幼児のころの経験と、その後の生活の安穏を約束する束縛とを融和させるという、同一の重要問題に対して、各人がそれぞれ自分なりの解答をすることにほかならない。多くの人びとがこの問題の解決に困難を感じる。ある人びとは道学者のように自分の生活を規則ずくめに律することに汲々とし、自発的行動を取ることを極度に恐れる。自発性が架空の幻想ではなく、彼らがかつて実際に経験したものであるだけに、その恐怖はいっそう大きい。彼らはお高くとまり、彼らが自分のものとした規則を墨守することによって、まるで自分が権威をもって人に命令しうる人間になったかのように考える。ある人びとは人格分裂におちいる。彼らは彼らの心の中にせき止めている彼ら自身の反抗心に恐れを抱き、うわべは柔和な態度を装って、それを蔽い隠す。彼らはしばしば、彼らの本当の感情を意識することを防ぐために、つまらない瑣事に没頭する。彼らは訓練によって教えこまれた、彼らにとっては実は全く無意味な日常の務めをただ機械的に遂行する。さらにまたある人びとは、いっそう深く幼児期の生活に捕らえられているために、大人になってから、なにかある務めを果たさなければならない場合に遭遇すると、身を磨り減らすような不安を感じる。そして、もはや人に頼ってはならない年ごろであるにもかかわらず、ますます多く他人に依存しようとする。彼らは失敗すれば、それは権威に対する反逆となると感じる。そこで一挙手一投足が彼らをはなはだしい動揺におとしいれる。きまりきった手順によって機械的に処理することのできない不慮の局面は、彼らにとっては非常な恐怖である。*

* これらの事例は、戦時隔離収容所の日本人に対して、ドロシア・レイトン博士が施行し、フランシス・ホウルタが分析したロールシャッハ検査にもとづく〔ロールシャッハ検査というのはスイスの精神病学者ロールシャッハが始めた検査法で、被験者に黒白または彩色を施した、でたらめな、しかし左右相称の図形を示して解釈を求め、その解釈によって性格を判断しようとするもの〕。

以上は、擯斥《ひんせき》や非難を過度に心配する場合に、日本人のおちいりやすい特有な危険である。過度の圧迫を感じない場合には、彼らはその生活において、生活を楽しむ能力と同時に、子供のころの訓育によって植えつけられた他人の感情を害さないようにする用心深さを示す。これはなかなかたいしたことである。彼らは幼児期に自己の主張を押し通す態度を学んだ。心を責めさいなむ罪の意識は覚醒せしめられなかった。その後、さまざまな束縛が加えられるようになったが、それは仲間のものとの連帯性を保つためであって、義務は相互的である。ある種の事柄に関しては、他人に自分の希望を阻まれることがあるけれども、なお依然として思いのままに衝動的生活を営むことのできる「自由な領域」が定められている。日本人は昔から常に、無邪気な楽しみ——桜の花や、月や、菊や、初雪を眺めたり、家の中に虫籠《むしかご》を吊るして虫の「歌」を聞いたり、和歌や、俳句を詠んだり、庭いじりをしたり、生け花や、茶の湯に耽《ふけ》ったり――をすることで有名であった。こういう楽しみは、非常な不安と反抗心とを抱いている国民の行状とは思えない。彼らはまた、浮かぬ顔をしながら楽しみをするのでもない。日本がまだあの不祥な「使命」に乗り出さない以前の幸福な時代には、日本の農村の人びとは、現代のどの国民にくらべてもひけを取らないくらいに陽気に、かつ快活に余暇を楽しむことができた。そして仕事をする時は、どの国民よりも勤勉に仕事にいそしんだ。

しかしながら日本人は、自らに多大の要求を課する。世人から仲間はずれにされ、誹謗を受けるという大きな脅威を避けるために、彼らはせっかく味を覚えた個人的な楽しみを棄てなければならない。彼らは人生の重大事においては、これらの衝動を抑制しなければならない。このような型に違反するごく少数の人びとは、自らに対する尊敬の念すら喪失するという危険におちいる。自らを尊重する（「自重」する）人間は、「善」か「悪」かではなくて、「期待どおりの人間」になるか、「期待はずれの人間」になるか、ということを目安としてその進路を定め、世人一般の「期待」にそうために、自己の個人的要求を棄てる。こういう人たちこそ、「恥を知り」、無限に慎重なりっぱな人間である。こういう人たちこそ、自分の家に、自分の村に、また自分の国に名誉をもたらす人びとである。こういうふうにして醸し出される緊張は非常に大きなものであって、日本を東洋の指導者とし、世界の一大強国としたような、ああいう高邁な大望となって現れる。しかしながら、このような緊張は個人には重い負担である。人はしくじりをしないように、また多大の自己犠牲を忍んで行なう一連の行為において、誰からも自分の行ないをけなされないように、気を配らなければならない。時には、こらえにこらえた鬱憤を爆発させ、極度に攻撃的な行動をする場合もある。彼らがそのような攻撃的態度にかり立てられるのは、アメリカ人のように、自分の主義主張や自由が脅かされた時ではなくて、侮辱、もしくは誹謗されたと認めた時である。その時、彼らの危険な自我は、もし可能ならばその誹謗者に向かって、そうでなければ自分自身に向かって爆発する。

日本人は彼らの生活様式のために高い代価を支払ってきた。彼らは、アメリカ人が、呼吸する空気と同じように全く当然なこととして頼りきっている単純な自由を、自ら拒否してきた。今や日本人は、敗戦以来、〝デモクラシー〟de-mok-ra-sie を頼りとしているのであるが、われわれは、全く純真に、かつ天真爛漫に、自分の欲するままにふるまうことが、どんなに日本人を有頂天にさせるものであるかということを想い起こさなければならない。この喜びを誰よりもよく言い表わしているのは杉本夫人であって、杉本夫人は、彼女が英語を学ぶために入学した東京のミッション・スクールで、なんでも好きなものを植えてよい庭園を貰ったおりの感銘を書き記している。先生は生徒の一人一人に、一片の荒れたままの土地と、なんでも生徒の望むとおりの種とを与えた。

この何を植えてもよい庭園は私に、個人の権利という、今までに経験したことのない、全く新しい感情を味わわせてくれた。(中略)そもそも、そのような幸福が人間の心の中に存在しうるということ自体が、私にとっては驚異であった。（中略）今までに一度だって、しきたりに背いたことのない、家名を汚したことのない、親や、先生や、町の人たちの顰蹙《ひんしゆく》を買ったことのない、この世の中の何物にも害を加えたことのない私が、好き勝手にふるまう自由を与えられたのである。*

* *A Daughter of Samurai*, pp. 135–136.

ほかの生徒たちはみんな花を植えた。ところが、彼女が植えることにしたのは——なんと、じゃがいもであった。

この馬鹿げた行為によって私の得た、無鉄砲な自由の感情は、誰にもわからない。（中略）自由の精神が私の門戸をノックした。

それは新しい世界であった。

私の家には、庭の一部分に、自然のままに放置されているように見える場所があった。（中略）ところが、いつも誰かが松の木の手入れをしたり、生垣を刈り込んだりしていた。また毎朝、爺やが飛石を掃き清め、松の木の下を掃除した後で、林の中から集めてきた松葉を注意深く撒き散らした。

この擬装された自然は、彼女にとっては、彼女がそれまでしつけられてきた、擬装された意志の自由の象徴であった。しかも日本のいたるところにそのような擬装が充ち満ちていた。日本の庭園に半ば地中に埋めてある巨石は、いずれも慎重に選択し、運搬してきたものであって、地下に小石を敷きつめ、その上に据えられる。石の配置は、泉水、建物、植え込み、立木などとの関係を慎重に考慮して定められる。菊もまた同じように、鉢植えにされ、毎年、日本のいたるところで催される品評会に出品するために手入れをされるのであるが、その見事な花弁は一枚一枚、栽培者の手で整えられ、またしばしば、生きている花の中に、小さな、目につかない針金の輪〔輪台という〕をはめこんで、正しい位置に保たれる。

この針金の輪を取り除く機会を与えられた時の杉本夫人の興奮は、幸福な、また純粋無雑なものであった。今まで小さな鉢の中で栽培され、その花弁をひとつひとつ念入りに整えられてきた菊は、自然に帰ることの中に、純粋な喜びを見いだした。しかしながら、今日の日本人の間では、「期待はずれの」行動をし、「恥」の強制力に疑惑を抱く自由は、彼らの生活様式の微妙な均衡を覆すおそれがある。彼らは新しい局面のもとで、新しい強制力を習得せねばならないであろう。しかも変化は高価につく。新しい仮定を作り上げ、新しい道徳を樹立することは、容易なわざではない。西欧諸国は、日本国民が西欧の道徳を一見してただちに採用し、真に自己のものにすることができると考えてはならないし、また日本は結局、より自由な、より寛容な倫理を打ち建てることはできないのだと考えてもならない。アメリカに住む二世たちは、すでに日本の道徳の知識も実践も失ってしまっている。彼らの血の中にはなにひとつとして、彼らに、彼らの両親の出身国である日本の慣習を厳格に墨守させるものは存在しない。それと同様に、日本本国にいる日本人も、新しい時代に際会して、昔のように個人の自制の義務を要求しない生活様式を樹立する可能性をもっている。菊は針金の輪を取り除き、あのように徹底した手入れをしなくともけっこう美しく咲き誇ることができる。

この精神的自由の増大への過渡期に当たって、日本人は二、三の古い伝統的な徳を頼りとして、平衡を失わず、無事荒浪を乗り切ることができるであろう。その一つは、彼らが、「身から出た錆」は自分で始末するという言葉で言い表わしている自己責任の態度である。この比喩は、自分の身体と刀とを同一視している。刀を帯びる人間に、刀の煌々《こうこう》たる輝きを保つ責任があると同様に、人はおのおの自己の行為の結果に対して、責任を取らなければならない。人は自分の弱点、持続性の欠如、失敗などから来る当然の結果を承認し、受け容れなければならない。自己責任ということは日本においては、自由なアメリカよりも、遥かに徹底して解釈されている。こういう日本的な意味において、刀は攻撃の象徴ではなくして、理想的な、立派に自己の行為の責任を取る人間の比喩となる。個人の自由を尊重する時代において、この徳は最もすぐれた平衡輪の役目を果たす。しかもこの徳は、日本の子供の訓育と行為の哲学とが、日本精神の一部として、日本人の心に植えつけてきた徳である。今日、日本人は、西欧的な意味において、「刀を棄てる」〔降伏する〕ことを申し出た。ところが日本的な意味においては、日本人は依然として、ややもすれば錆を生じがちな心の中の刀を、錆びさせないようにすることに意を用いるという点に強みをもっている。彼らの道徳的語法によれば、刀は、より自由な、より平和な世界においても、なお彼らの保存しうる象徴である。

第十三章　降伏後の日本人

アメリカ人は、対日戦勝日以来、彼らが日本管理において演じてきた役割を誇ってよい十分な理由をもっている。アメリカの政策は、八月二十九日にラジオによって伝えられた国務・陸軍・海軍三省共同指令によって定められ、それ以来、マッカーサー元帥の手によって巧みに実施されてきた。ところが、そのような誇りのすぐれた根拠が、アメリカの新聞紙上に現れ、ラジオで放送される党略本位の賞賛や非難によってしばしば曖昧にされてきた。そして、ある一定の政策がはたして望ましいか、望ましくないかということを、確信をもって判断するにたるだけの、日本文化に関する知識を有する人間は少数しかいないありさまであった。

日本降伏当時の重大問題は、いかなる性質の占領を行なうべきか、ということであった。戦勝国は既存の政府を、天皇をも含めて、利用すべきであるか、それともそれを打破すべきであるか。アメリカの軍政府官吏の指揮のもとに、各市町村、各地方ごとの行政を実施すべきであろうか。イタリアやドイツでのやり方は、戦闘部隊の欠くべからざる要素として、各地にA・M・G〔連合国軍政府〕本部を設け、地方行政権を連合国行政官の手に掌握することであった。対日戦勝日当時、太平洋地域のA・M・G担当者は、なお依然として、日本においてもそのような支配体制が設けられるものと予期していた。日本国民もまた、行政上の責任をどの程度まで保有することを許されるのか、知らなかった。ポツダム宣言にはただ、「連合国によって指定せらるべき、日本国領域内の諸地点は、われわれがここに示す根本目的を確保するために、占領せらるべきものである」ということ、また「日本国人民を欺瞞し、これを導いて世界征服の挙に出るような過誤を犯させた権力および勢力」は永久に除去されねばならない、ということが述べられているにすぎなかった。

マッカーサー元帥に対する、国務・陸軍・海軍三省共同指令は、これらの事柄に関する重大な決定を具体的に表示したものであって、その決定はマッカーサー元帥司令部の全面的支持を得た。日本国民は、自国の行政ならびに再建の責任を負うべきものとされた。「最高司令官は、アメリカ合衆国の目的を満足に促進する限りにおいて、日本国政府の機構、ならびに天皇を含む諸機関を通じて、その権力を行使するであろう。日本国政府は、最高司令官（マッカーサー元帥）の指令の下に、内政に関しては正常な政府の機能を行使することを許されるであろう」。ゆえに、マッカーサー元帥による日本管理は、ドイツもしくはイタリアの管理とは全く性質を異にする。それは上から下までの日本人官吏を利用する一つの司令部組織にほかならない。それはその通牒《つうちょう》を、日本帝国政府に向けて発するのであって、日本国民、もしくはある町、またはある地方の住民に向けて発するのではない。その任務は、日本国政府の活動の目標を定めることである。もしある日本の大臣が、その目標の実現は不可能であると信ずるならば、彼は辞職を申し出ることができるが、彼の申し立てが正しければ、指令を修正してもらうこともできる。

このような管理方式は大胆な措置であった。がしかし、アメリカの立場から見た場合の、この政策の利益は全く明瞭である。当時、ヒルドリング将軍が述べたように——

日本国政府の利用によって得られる利益は莫大なものである。もしも日本国政府を利用することができないとしたならば、われわれは七千万の国民を擁する国を管理するために必要な複雑な機構をすべて、直接われわれの手で運営せねばならないことになるであろう。日本人はわれわれとは、言語も、習慣も、態度も異なっている。日本国政府の機構を浄化し、それを利用することによって、われわれは時間と、人員と、財力とを節約しつつあるのである。換言すれば、われわれは日本人に、自らの手で自らの国家の大掃除をすることを要求しているのであるが、その指図はひとつひとつわれわれが与えるのである。

ところが、この指令がワシントンで作成されつつあった当時はまだ、日本人はおそらく、不服従、敵対の態度を示すであろう、なにしろあのとおり虎視眈々と復讐の機会をうかがう国民のことであるからして、一切の平和的計画をサボタージュするかもしれない、と恐れるアメリカ人が多かった。こういう危惧は、その後の事実に照らしてみて、根拠のないものであったことが明らかになった。そしてその理由は、敗戦国民ないしは敗戦国の政治経済に関する普遍的真理にあるというよりむしろ、日本の特異な文化の中に存在した。日本以外の他の国民であったならば、おそらくこのような信義にもとづく政策は、これほどの成功を収めることができなかったであろう。日本人の目から見ると、この政策は、敗戦という冷厳な事実から屈辱の表象を取り除き、彼らに新しい国策の実施を促すものであった。そして彼らがその新しい政策を受け容れることのできた理由は、まさしく、特異な文化によって形づくられた日本人の特異な性格にほかならなかった。

アメリカにおいてわれわれは、講和条件を厳格にすべきか、寛大にすべきか、ということについて、はてしない議論をくり返してきた。真の問題は、厳格か、寛大か、にあるのではない。問題は、多すぎもせず、少なすぎもせず、古い危険な侵略的性質の型を打破し、新しい目標を立てるのにちょうど適当した量の、厳格さを用いることである。どういう手段を選ぶかということは、その国民の性格により、またその国の伝統的社会秩序によって定まる。プロシア的な強権主義が、家庭生活の中に、また日常の市民生活の中に深く根をおろしているドイツには、ドイツにふさわしい講和条件が必要である。賢明な平和政策は、日本の場合には、それとはまた別な条件を定めるであろう。ドイツ人は日本人のように自分を世間と祖先とに負い目を負うものとは考えていない。彼らは無量の負債を返済するために努力するのではなくて、犠牲者になることを避けるために努力する。父親は高圧的な人物であって、人の上に立つ地位を占める他のいずれの人間もそうであるように、「尊敬を強制する」――とドイツ人は言っているのであるが――のは、父親である。人から尊敬されないと不安に感じるのは父親である。ドイツ人の生活においては、息子は代々、青年期に、高圧的な父親に反旗を翻す。そしてその後、大人になってからついに、彼らが親たちの生活と同一とみなす、無味乾燥でなんの感激もない生活に屈服するのだと考えている。一生を通じて、生活が最も活気を呈するのは、青年期の反逆の、シュトゥルム・ウント・ドラング(Sturm und Drang)の数年間である。

日本の文化においては、はなはだしい強権主義ということは問題にはならない。父親は、ほとんどすべての西欧人観察者がそう感じてきたように、西欧の経験の中にはめったに見られないほどの、顧慮と鍾愛《しょうあい》をもって子供を遇する人間である。日本の子供は、父親との間に、ある種の真の友愛関係の存することは、当然のことと考えており、また公然と父親を自慢の種としているからして、父親はただ声を改めるだけで、子供に自分の望みどおりの行動を取らせることができる。しかしながら父親はけっして、幼児に対して仮借なく厳格な訓練を課する人ではなく、また青年期はけっして、親の権力に対する反抗の時期ではない。むしろそれは子供が、一家の責任を重んずる従順な代表者として世間の裁きの眼の前に立つようになる時期である。彼らは日本人が言うように、「練習のために」、「訓練のために」、父親に敬意を示す。すなわち、父親は現実の人格を離れた階層制と正しい処世態度との象徴である。

子供がごく幼いころの、父親と接した経験によって学ぶこのような態度が、日本の社会のあらゆる面に通ずる一つの型となる。その階層的地位の故に最高の敬意を寄せられる人びとでさえ、自らほしいままに権力をふるうことがなく、階層制の首脳を占める官吏が、実権を行使することがないということが、日本の特異性である。天皇をはじめとして下じもにいたるまで、助言者や隠れた勢力が背後にあってそれを動かしている。日本の社会のこの一面を最も的確に説明しているのは、黒竜会型の超国粋団体の一つの指導者が、一九二〇年代の初期に、東京の一英字新聞の記者に語った次の言葉である。「社会は（むろん、それは日本の意味である）、一隅を鋲で止めてある三角形である」*。言いかえれば、三角形は机の上にあって、すべての人がそれを見ることができる。鋲は目に見えない。ある時は三角形は右に片寄り、ある時は左に片寄る。それはけっして正体を現さない軸を中心として、揺れ動く。あらゆる事柄が、西欧人のしばしば使用する表現を借りて言えば、「鏡を用いて」なされる。専制的な権力が表面に出ることを極力防止し、一切の行為を、常に実際の権力行使から切り離されている象徴的地位に対する忠誠の意志表示というふうに見せかけるために、あらゆる努力が傾けられる。それでもなお、仮面をはがれた権力の源をつきとめた時には、日本人はそれを、金貸しや〝ナリキン〟〔成金〕を常にそう目してきたように、私利をはかるものであり、彼らの制度にふさわしくないものと考える。

＊ Upton Close, *Behind the Face of Japan*, 1942, p. 136 に引用されている。

日本人は彼らの世界をこんなふうに見ているので、私利や不正に対して反抗はするが、けっして革命家にはならない。彼らは彼らの世界の組織を、ずたずたに引き裂こうとは企てない。彼らは、かつて明治時代に行なったように、制度そのものには少しも非難を浴びせずに、最も徹底した変革を実現することができる。彼らはそれを復古、すなわち、過去に「復帰する」ことと名づけた。彼らは革命家ではない。日本におけるイデオロギー的な大衆運動に希望を置いていた西欧の著述家たち、戦争中、日本の地下勢力を過大評価し、日本降伏の暁には、それが指導権を握るものと期待をかけていた著述家たち、また対日戦勝日以来、選挙において急進的な政策が勝利を収めるであろうと予言してきた著述家たちは、はなはだしく事態を誤解していたのである。彼らの予言は適中しなかった。保守派の首相幣原《しではら》〔喜重《きじゅう》郎《ろう》〕男爵が、一九四五年十月、組閣当時に行なった次の演説の方が、より正確に日本人の真の姿を伝えている。

新日本の政府は、国民の総意を尊重する民主主義的な形態を取る。（中略）わが国においては古来、天皇は国民の意志をその御心としてこられた。これが明治天皇の憲法の御精神であって、私がここに言うところの民主的政治は、まさしくこの精神の顕現と考えることができる。

このようなデモクラシーの説明は、アメリカ人読者には全く無意味、いな、無意味以下のものと思われるのであるが、日本が西欧的なイデオロギーの上に立つよりは、そのような過去との同一視の基礎の上に立つ方が、いっそう容易に市民的自由の範囲を拡張し、国民の福祉を築き上げることができるということは疑いの余地がない。

むろん日本は、西欧流のデモクラシーの政治機構の実験をするであろう。だがしかし、西欧的な制度は、アメリカにおけるように、よりよき世界を造るための信頼される道具とはならないであろう。普通選挙と、選挙された人びとからなる立法機関の権威とは、多くの困難を解決するとともに、その反面において新たに多くの困難を生み出すであろう。そのような困難が発展する時、日本人は、われわれがデモクラシーを達成するために頼りとしている方法を改めるようになるであろう。そうなるとアメリカ人は喧々囂々《けんけんごうごう》と、何のために戦争をしたのかわからない、と不平を鳴らすであろう。しかしながら、最良の場合においても、普通選挙は、将来永遠に、日本を平和国家として再建するに当たって、さほど枢要な地位を占めないであろう。日本は、日本がはじめて選挙を試みた一八九〇年代以来そう根本的な変化はしていない。したがって、当時、ラフカディオ・ハーンが記述したような古い困難のうちのあるものが、再びくり返されるおそれがないとは言えない。

多くの生活を犠牲にして争われる激烈な選挙戦には、実は少しも個人的な憎悪はなかった。また、しばしば暴力をふるって外来者を驚かす、議会でのあの猛烈な討論にも、個人的反目はほとんど見られなかった。政争は、実は個人と個人との間の争いではなくて、藩閥相互間の、もしくは党派相互間の利害の争いであった。そして、おのおのの藩、もしくはおのおのの党派の熱烈な追随者は、新しい政治を、たんに新しい種類の戦いとして——指導者の利益のために戦う忠誠の戦いとしてしか、理解していなかった。*

* *Japan: An Interpretation*, 1904, p. 453.

比較的最近の、一九二〇年代の選挙においても、田舎の人たちは、投票に先立って、「首を洗って斬られる覚悟をしている」と言うのが常であった。この言葉は、選挙戦と、昔の特権的な武士が庶民に加える攻撃とを同一視しているのである。日本の選挙の中に含まれるさまざまな意義は、今日においても、アメリカのそれとは異なるであろう。そしてこのことは、日本が危険な侵略政策を遂行しているかいないか、ということとは全く無関係に妥当することであろう。

日本が平和国家として立ち直るに当たって利用することのできる日本の真の強みは、ある行動方針について、「あれは失敗に終わった」と言い、それから後は、別な方向にその努力を傾けることのできる能力の中に存している。日本の倫理は、あれか、しからずんばこれの倫理である。彼らは戦争によって「ふさわしい位置」をかち得ようとした。そうして敗れた。今や彼らはその方針を棄て去ることができる。それはこれまでに受けてきた一切の訓練が、彼らを可能な方向転換に応じうる人間に造り上げているからである。もっと絶対主義的な倫理をもつ国民ならば、われわれは主義のために戦っているのだ、という信念がなければならない。勝者に降伏した時には、彼らは、「われわれの敗北とともに正義は失われた」と言う。そして彼らの自尊心は、彼らが次の機会にこの「正義」に勝利を得さしめるように努力することを要求する。でなければ、胸を打って自分の罪を懺悔する。日本人はこのどちらをもする必要を感じない。対日戦勝日の五日後、まだアメリカ軍が一兵も日本に上陸していなかった当時に、東京の有力新聞である『毎日新聞』は、敗戦と、敗戦がもたらす政治的変化を論じつつ、「しかしながら、それはすべて、日本の究極の救いのために役立った」と言うことができた。この論説は、日本が完全に敗れたということを、片時も忘れてはならない、と強調した。日本を全く武力だけにもとづいて築き上げようとした努力が完全な失敗に帰したのであるからして、今後、日本人は平和国家としての道を歩まねばならない、と言うのである。いま一つの有力な東京の新聞である『朝日』もまた、同じ週間に、日本の近年の「軍事力の過信」を、日本の国内政策ならびに国際政策における「重大な誤謬」とし、「得る所あまりにも少なく、失う所あまりにも大であった旧来の態度を棄て、国際協調と平和愛好とに根ざした新たな態度を採用せねばならない」と論じた。

西欧人は、彼の目から見れば主義の変更としか思われない、このような変化を眺めて、それに疑念を抱く。しかしながらそれは、個人的関係においてであれ、国際的関係においてであれ、日本人の処世法の必要欠くべからざる一要素となっているのである。日本人は、ある一定の行動方針を取って、目標を達成することができなかった場合には、「誤り」を犯したというふうに考える。彼はある行動が失敗に終われば、それを敗れた主張として棄て去る。彼はいつまでも執拗に敗れた主張を固守するような性質にはできていない。日本人は、「ほぞを嚙んでも無益である」と言う。一九三〇年代には軍国主義が一般に容認されていた手段であって、彼らはそれによって世界の賞賛を――彼らの武力にもとづく賞賛を――得ることができると考えた。そして、そのような計画が要求する一切の犠牲を忍んだ。一九四五年八月十四日に、日本の最高至上の声として認められている天皇が、彼らに敗戦を告げた。彼らは敗戦の事実が意味する一切の事柄を受け容れた。それはアメリカ軍の進駐を意味した。そこで彼らはアメリカ軍を歓迎した。それは彼らの侵略企図の失敗を意味した。そこで彼らは進んで、戦争を放棄する憲法の立案に取りかかった。対日戦勝日の十日後に、日本の一新聞、『読売報知』は、「新たな芸術と新たな文化の発足」という論説をかかげ、その中で次のように論じている。「われわれは心の中に、軍事的敗北は一国の文化の価値とはなんのかかわりもないものであるという、確乎たる信念をもたなければならない。軍事的敗北は、それを一つの転機として役立てなければならない。（中略）日本国民が真に思いを世界に馳せ、事物をあるがままに客観的に見ることができるようになるためには、国家的敗北というはなはだしい犠牲が必要であったのである。これまで日本人の思考を歪めていた一切の非合理性は、率直な分析によって、除去しなければならない。（中略）この敗戦を冷厳な事実として直視するには、勇気を必要とする。（しかしながら、われわれは）明日の日本の文化に信頼を置か（なければならない）」。われわれは一つの行動方針を試みて敗れた、今日からは一つの平和的な処世術を試みてみよう、というのである。日本の各新聞の論説は、「日本は世界の国ぐにの間に伍して尊敬されるようにならねばならない」ということをくり返し論じた。そしてこの新たな基礎の上に立った尊敬に値する人間となることが、日本国民の義務とされた。

これらの新聞論説は、たんに少数のインテリ層だけの声ではなかった。東京の街頭の、また僻地の寒村の一般大衆もまた、同じような回れ右をする。アメリカの日本占領部隊の将兵には、このような友好的な国民が、死ぬまで竹槍をもって戦うことを誓った国民であるとは信じられなかった。日本人の倫理には、アメリカ人が斥けている多くの要素が含まれているが、これまでに日本占領の任務を果たしながらアメリカ人が得たさまざまの経験は、異様な倫理の中にも、いかに多くのよい面があるかということを、まことによく証明するものであった。

マッカーサー元帥の指揮のもとに行なわれているアメリカの日本管理は、この日本人の新しい進路に切り換える能力を容認してきた。日本人に屈辱を与えるような手段を強行することによって、その進路を阻害するようなことはしなかった。西欧流の倫理に従えば、かりにわれわれがそういう手段を強行したとしても、それは文化的に容れられるはずであった。なんとなれば、西欧の倫理の信条によれば、辱めと刑罰とは悪事を働いた人間に罪を自覚せしめる社会的に有効な手段であるからである。そのような罪の自認が今度はその人間の更生の第一歩となる。日本人は、前に述べたように、この点について別な考え方をしている。彼らの倫理によれば、人は自己の行為の結果として生ずるあらゆる事態の責任を取らねばならない。そしてある過誤の当然の結果によって、その行為の非を思い知らねばならない。これらの当然の結果の中には、総力戦における敗北というような、はなはだしい出来事まで含まれる。しかしながら、こういう当然の結果は、日本人が屈辱として憤慨せねばならないような事態ではない。日本人の辞書では、ある個人もしくは国家が、他の個人もしくは国家に辱めを与えるのは、誹謗や、嘲笑や、侮辱や、軽蔑や、不名誉の徴標を押しつけることによってである。日本人が辱めを受けたと思いこんだ時には、復讐が徳となる。西欧の倫理がこのような信条を、いかに烈しく非難するにしても、アメリカの日本占領が効果を収めるかいなかは、アメリカがこの点において慎重にふるまうかいなかにかかっている。というのは、日本人は、彼らが非常に憤慨するあざけりと、降伏条件によれば、一切の軍備を奪われたうえにさらに苛酷な賠償義務を負担させられるという内容を含む「当然の結果」とを、截然と区別するからである。

日本は、かつて一度、強国に大勝を得たさいに、戦勝国でありながら、敵がついに降伏し、またその敵国が日本を嘲笑したことがないと考えた場合には、細心の心遣いをして、敗れた敵に辱めを与えないようにすることができるということを証拠立てた。一九〇五年〔明治三十八年〕に旅順でロシア軍が降伏した時の、日本人が誰でも知っている有名な写真が残っている。その写真を見ると、ロシア人は剣を帯びている。ロシア軍人は武器を剝奪されていないので、勝者と敗者とは、軍服でやっと見分けがつくだけである。日本人が伝えている有名な旅順陥落の物語によれば、ロシア軍司令官ステッセル将軍が日本側から提示された降伏条件を受諾する意志を表明した時、一人の日本人大尉と通訳とが、ステッセル将軍の司令部へ食糧を携えていった。「ステッセル将軍の乗馬だけを残して、馬は全部殺して食用にするというありさまであったので、日本人が携えていった五十羽の鶏と、百個の生卵とは、心から歓迎された」。ステッセル将軍と乃木将軍との会見は、翌日、行なうことに手はずがきめられた。「両将軍は握手をした。ステッセル将軍は日本軍の武勇を賞め賛え、（中略）乃木将軍はロシア軍の長期にわたる勇敢な防戦を称揚した。ステッセル将軍は乃木将軍がこのたびの戦いで、二人の息子を失ったことに対して、同情の言葉を述べた。（中略）ステッセル将軍は乃木将軍に自分のアラブ種の見事な白馬を贈ったが、乃木将軍は、閣下の手からその馬を頂戴したいのはやまやまであるが、まずそれを天皇陛下に献上せねばならないと言った。しかしながら、かならず再び御下賜になると思うから、もし自分の手に戻ってきたならば、もとからの自分の愛馬のようにして大切にする、と約束した」*。日本人は誰でも、乃木将軍がステッセル将軍の愛馬のために自宅の前庭に建てた厩舎を知っていた。その厩舎はしばしば、乃木将軍自身の家よりも立派であると言われた。そして将軍の没後は、乃木神社の一部となった。

* Upton Close, *Behind the Face of Japan*, 1942, p. 294 の中に日本の物語から引用されている。このロシア軍降伏の物語は、文字通りに真実かどうかは疑わしいかもしれないが、文化的に重要な価値をもっている点には変わりがない。

日本人は、ロシア降伏の当時から、たとえば、あの世界周知の破壊と残虐とをほしいままに行なったフィリピン占領の数年間にいたるまでの間に、すっかり性格が変わってしまったのだ、と言う人があった。しかしながら、日本人のように、極端に機会主義的な倫理をもつ国民にとっては、この結論はかならずしも必然的なものではない。まず第一に、日本の敵はバターン半島の後も降伏はしなかった。ただ局地的な投降があっただけである。その後、日本軍がフィリピンで降伏した時でさえ、日本軍はまだあいかわらず戦闘を行なっていた。第二に、日本人はけっして、今世紀初頭に、ロシア人が彼らを「侮辱した」とは考えなかった。これに反して、一九二〇年代および三〇年代には、日本人は一人残らず、アメリカの政策を、「日本をみくびる」もの、あるいは彼らの表現によれば、「日本をくそみそに扱う」ものと考えるようにしつけられた。これは排日移民法に対する、またポーツマス条約ならびに再度の軍縮条約においてアメリカが演じた役割に対する日本の反応であった。日本人は、極東におけるアメリカの経済的役割の増大や、世界中の有色人種に対するわれわれの人種的偏見の態度をもまた、同様に考えるようにしむけられた。したがって、ロシアに対する勝利と、フィリピンにおけるアメリカに対する勝利とは、侮辱が介在する場合と、そうでない場合との、日本人の行動の最も対蹠的な両面を明らかに示している。

　アメリカの最終的勝利とともに、日本人にとって、事態は再び変化した。日本人は究極の敗北に際会するとともに、彼らの生活慣習に従って、今までとってきた方針を放棄した。その独特の倫理のおかげで、日本人は帳簿から一切の宿怨の記録を拭い消すことができた。アメリカの政策、ならびにマッカーサー元帥の占領行政は、せっかくきれいになったその帳簿の上に、新たな辱めのしるしを書き入れることを避け、ただたんに、日本人の眼に敗戦の「当然の結果」として映ずる事柄の履行をせまるにとどめるという態度を持してきた。それが効を奏した。

　天皇制の保存は非常に重大な意義があった。それは巧みに処理された。最初に天皇の方からマッカーサー元帥を訪問したのであって、マッカーサー元帥が天皇を訪問したのではない。そしてこのことは、日本人にとっては、西欧人には理解しがたい大きな効果を収めた実物教育であった。天皇に神性を否認するようにという勧告が行なわれた時に、天皇は、はじめからもってもいないものを捨てろと言われても迷惑する、と言って異議を唱えたと伝えられている。天皇は、日本人は天皇を、西欧人が考えるような意味での神とは考えていない、と言った。まさにその通りであった。しかし、マッカーサー司令部は天皇に向かって、西欧人は天皇は今でもあいかわらず神性を主張していると考えている、そしてそのことが日本の国際的評判を悪くしている、と説いた。そこで天皇は、迷惑を忍んで、神性否認の声明を行なうことを承諾した。天皇は元旦に声明を行なった。そして彼のメッセージに対する世界各国の新聞論評を、残らず翻訳して見せてほしいと依頼した。それらの論評を読んだ後で、天皇はマッカーサー司令部にメッセージを送り、満足の旨を述べた。明らかに外国人はそれ以前には理解していなかったのである。天皇は声明を行なってよかったと思った。

アメリカの政策はさらにまた日本人に、ある種の満足を許容している。国務・陸軍・海軍三省共同指令は、「労働・工業・農業における、民主的基礎の上に組織された諸団体の発達に対しては、奨励が与えられ、好意が示さるべきである」と明記している。日本の労働者は多くの産業において組織化された。また一九二〇年代および三〇年代に盛んに活動した昔の農民組合が再び抬頭しつつある。多くの日本人は、彼らが今こうして、自らの努力によって自らの生活状態を改善することができるようになったのは、日本がこのたびの戦争の結果として、とにかく何物かを獲得した証左であると考えている。アメリカの一特派員は、東京の一罷業参加者が一人のG・Iの顔を見上げ、満面に笑みを浮かべながら、「ジャパン・ウィン、ノー？」〔日本は勝った、君はそうは思わないか〕と言ったという話を伝えている。今日の日本のストライキは、昔の百姓一揆と多くの類似点をもっている。一揆を起こした百姓の嘆願は常に、彼らが課せられている年貢と賦役とが十分な生産の支障となっているということであった。百姓一揆は西欧的な意味における階級闘争ではなく、また制度そのものを変革しようとする企てでもなかった。今日、日本の各地で行なわれているストライキもまた、生産速度を鈍らせてはいない。好んで取られる形態は、労働者が「工場を占拠して、仕事を継続し、生産を増大することによって経営者の面目を失わしめる方法である。ストライキにはいったある三井系炭坑の労働者たちは、経営面を担当する職員を全部坑内から締め出し、日産二五〇トンを六二〇トンに高めた。『ストライキ』中に作業を行なった足尾銅山の労働者たちも、生産を増大し、自分たちの賃金を二倍にした*」。

＊ *Time*, February 18, 1946.

むろん、いかなる国でも、戦敗国の行政は困難である。このことは、受諾された政策がどのように思慮に富むものであってもかわりがない。日本においても、食糧・住宅・国民再教育の問題がどうしても避けがたいことではあるが、切実な問題となっている。これらの問題は、かりに日本政府の職員を利用せずに占領行政を行なったとしても、少なくとも同じ程度に切実なものとなったであろう。復員軍人の問題は、戦争終了前に、アメリカの為政者たちの非常に恐れていた問題であるが、この方はたしかに、日本の官吏をその地位に留めなかった場合よりは、脅威が少なくなっている。しかしながら、この問題も解決は容易でない。日本人はその困難を知悉《ちしつ》している。昨年秋〔一九四五年＝昭和二十年〕、日本の新聞は、さんざん苦労をしたあげくに戦いに敗れた軍人たちにとって、敗戦の苦杯がいかに苦いものであるかということを、しみじみとした口調で述べたうえで、彼らがこのことによって「判断」を誤らないようにしてほしいと、懇願していた。帰還軍人は、これまでのところ、概して見事な「判断」を示しているが、中には多少、失業と敗戦のために、国家主義的な目標を追求する古い型の秘密結社に身を投ずるものも出ている。彼らはややもすれば、彼らの現在の地位に憤りを感じるおそれがある。日本人はもはや彼らに、昔のような特権的地位を与えていない。以前には、傷痍軍人は白衣を纏い、人びとは街頭で傷痍軍人に出会うとおじぎをした。平時の入隊者でさえ、村中の人びとから、歓送会をしてもらった。酒があり、ご馳走があり、美々しい女の衣装があった。そして彼は上座に据えられた。今は復員軍人は、全然そんな丁重な待遇はされない。彼の家族は彼を喜んで迎え入れてくれるが、しかしそれだけでおしまいである。彼は多くの都市や町において、冷淡にあしらわれる。日本人がこのような態度豹変をいかににがにがしく感じるかということを知れば、日本の名誉が軍人の手に委ねられていた昔の時代を回復するために、以前の戦友と徒党を組むことに彼がどんなに満足を覚えるかということは、容易に推察することができる。さらに、彼の戦友の中には、彼に向かって、運のよい日本軍人はもうすでに、ジャワで、山西《シャンシー》で、満州で、連合国軍と戦っている、と言うものがいるであろう。なに、絶望することがあるものか、君だって今にすぐまた戦争がやれるようになるよ、と彼らは彼に言うであろう。国家主義的な秘密結社はずっと昔から日本にある団体であって、こういう団体が日本の「汚名をすすいだ」のである。完全な復讐をなしとげるためにまだなにかし残したことがある間は、「世の中がひっくりかえる」というふうに感じるような性格の人間が、常にそのような秘密結社の加盟志望者となる可能性があった。こういう団体、たとえば黒竜会や、玄洋社などが用いた暴力は、日本の倫理が名に対する「義理」として許容している暴力である。したがって、もしこの暴力を排除しようとするならば、日本政府は、これまで久しい間続けてきた、名に対する「義理」を抑え「義務」を強調する努力を今後もなお何年もの間、継続して行なわねばならないであろう。

そのためには、ただ「判断」に訴えるだけではすまない。日本の経済を再建して、現在二十代および三十代の年ごろの人びとに、生計の資と、「ふさわしい位置」とを与えるようにせねばならない。それにはまた、農民の状態を改善しなければならない。日本人はいつでも、経済的苦境に立った時には、生まれ故郷の農村に帰ってゆく。しかも、借金を背負い、また多くの場所では小作料に責められている狭小な田畑では、とうていこれ以上多くの口を養ってゆくことはできない。工業もまた、活動を開始するようにせねばならない。というのは、財産を次男以下に分割することに反対する根強い感情があって、そのために、村に残るのは長男だけで、他はすべて、成功の機会を求めて、都会に出てゆくからである。

日本人はたしかに、これから先長い困難な道をたどらねばならない。しかし、もし再軍備のために国費を割かないとすれば、彼らは国民の生活水準を向上する機会が与えられる。パール・ハーバーにいたるまでの約十年間、軍備を賄い、軍隊を維持するために歳入の半ばを費やしていた日本のような国は、もしそのような支出を廃し、農民から取り立てる租税を徐々に軽減していったならば、健全な経済の基礎を築くことができる。前に述べたように、日本の農産物配分の方式は、耕作者に六〇パーセントというのであった。四〇パーセントは租税並びに小作料として支払った。これは同じ米作国であるビルマやシャムあたりと較べると、大変な違いであって、これらの国ぐにおいては、九〇パーセントが耕作者に残される伝統的な割前であった。日本の耕作者に賦課されるこの莫大な税金が、結局、日本の軍事機構の経費支弁を可能にしていたのである。

ヨーロッパ、もしくはアジアのいかなる国でも、今後十年間、軍備を整えない国は、軍備を整える国ぐにを凌駕する可能性がある。というのはそういう国は国富を、健全なかつ富み栄える経済を築き上げるために用いることができるからである。アメリカでは、われわれはわれわれのアジア政策ならびにヨーロッパ政策の遂行に当たって、このような事情をほとんど眼中においていない。われわれはわが国では、多額の費用を要する国防計画を実施しても、そのために国が貧困におちいるというようなことはないということを知っているからである。われわれの国は戦禍を蒙らなかった。われわれの国は農業を本位とする国ではない。われわれの重大問題は工業の過剰生産ということである。われわれは大量生産と機械設備とを完全の域に達せしめた。その結果として、もしわれわれが大規模な、軍備、もしくは奢侈品生産、もしくは福利ならびに調査研究事業の計画を実施するのでなければ、国民が職を得ることができないまでになっている。アメリカ以外の国では、事情は全く異なっている。西ヨーロッパにおいてさえもそうである。どんなに多くの賠償要求をつきつけられるにしたところで、再軍備を許されないドイツは、今後十年内外のうちには、もしもフランスの政策が強大な軍事力を打ち建てるというのであるならば、フランスではおそらく不可能と思われる、健全なかつ富み栄える経済の基礎を築くことができるであろう。日本もまた、中国に対する同様の強みを、十二分に活用しうるようになるであろう。中国では軍国化ということが当面の目標になっている。そして中国の野望はアメリカによって支持されている。日本は、もしも軍国化ということをその予算の中に含めないとすれば、そして、もしその気があるならば、遠からず自らの繁栄のための準備をすることができるようになる。そして東洋の通商において、必要欠くべからざる国となることができるであろう。その経済を平和の利益の上に立脚せしめ、国民の生活水準を高めることができるであろう。そのような平和な国となった日本は、世界の国ぐにの間において、名誉ある地位を獲得することができるであろう。そしてアメリカは、今後も引き続きその勢力を利用してそのような計画を支持するならば、大きな助けを与えることができるであろう。

アメリカにできないことは——いかなる外部の国にもできないことは——、命令によって自由な、民主的な日本を造り出すことである。そのような方法は、いかなる被支配国においても、いまだかつて成功を収めたためしがない。いかなる外国人も、彼と同じ習慣や仮定をもたない国民に、彼の考えどおりの生活の仕方をするように命ずることはできない。法律の力によって日本人に、選挙によって選ばれた人びとの権威を認めさせ、彼らの階層制度において定められているとおりの「ふさわしい位置」を無視させることはできない。法律の力によって彼らに、われわれアメリカ人には慣れっこになっている遠慮なく打ち解けて人と接する態度、どうしても自由独立を要求せずにはいられない気持ち、各自がそれぞれもっている、自分で自分の友だち、自分の職業、自分の住む家、自分の引き受ける義務を選択する情熱を採用させることはできない。ところが、日本人自身がきわめて明瞭にこの方向への変化の必要を認めていることを述べている。対日戦勝日以来、彼らの公人は、日本は、国民が男も女も、めいめい自分自身の生活を享受し、自分自身の良心を信頼するように奨励せねばならない、と言ってきた。むろん彼らははっきり口に出してそうは言わないが、日本人は誰も、彼らが日本における「恥」の役割に疑問を抱いているのだということ、そして彼らが国民の間に新たな自由が、「世間」の非難と追放を恐れる恐怖からの自由が、生長することに望みをかけているのだということを理解する。

それというのも、日本では社会的圧力が、たとえ日本人が自ら進んでそれを甘受するにしたところで、個人にあまりにも多くの犠牲を要求するからである。それは彼に、感情を隠し、欲望を棄て、家族、団体、もしくは国民の代表として、世間の批判の前に立つことを要求する。日本人は、そのような方針が要求する一切の自己訓練に耐えうることを証明してきた。しかしながら、彼らに課せられる負担ははなはだしく重い。彼らは過度の抑制をせねばならず、したがって、とうてい自己の幸福を得ることはできない。彼らは思いきって、彼らの精神にそれほど多くの犠牲を要求しない生活にはいってゆく勇気をもたず、軍国主義者どもに導かれて、次から次へとはてしなく犠牲の積み重なってゆく道をたどってきた。そのように高価な代価を支払ったので、彼らはひとりよがりになり、比較的寛容な倫理をもった人びとを蔑視してきた。

日本人は、侵略戦争を「誤謬」とみなし、敗れた主張とみなすことによって、社会的変革への最初の大きな一歩を踏み出した。彼らはなんとかして再び平和な国ぐにの間で尊敬される地位を回復したいと希望している。だがそのためには世界平和が実現されなければならない。もしロシアとアメリカとが、今後数年間を、攻撃のための軍備拡充の中にすごすならば、日本はその軍事知識を利用してその戦争に参加するであろう。だがしかし、そのような確実性を認めるからといって、私はけっして、日本が本来、平和国家となる可能性をもっているということに対して、疑いを抱いているのではない。日本の行動の動機は機会主義的である。日本はもし事情が許せば、平和な世界の中にその位置を求めるであろう。もしそうでなければ、武装した陣営として組織された世界の中に、その位置を求めるであろう。

現在、日本人は、軍国主義を失敗に終わった光明と考えている。彼らは、軍国主義ははたして世界の他の国ぐににおいてもまた失敗したのであろうか、ということを知るために、他国の動静を注視するであろう。もし失敗しなかったとすれば、日本は自らの好戦的な熱情を再び燃やし、日本がいかによく戦争に貢献しうるかということを示すことであろう。もし他の国ぐににおいても失敗したということになれば、日本は、帝国主義的な侵略企図は、けっして名誉に到る道ではないという教訓を、いかによく身に体したかということを証明することであろう。

評価と批判

川島武宜

一

なによりもまず本書について言われなければならないことは、著者がまだ一度も日本に来たことがないのにかかわらず、これほど多くの、しかも重要な——一見したところごく些細な日常的なものであるにかかわらず、ほんとうはきわめて重要な——事実を集め、しかもそれにもとづいて日本人の精神生活と文化について、これほど生き生きとした全体像を描き出し、且《か》つこれを分析して、基本的な、全体に対して決定的な意味をもつような諸特徴を導き出したという、著者の全く驚くべき学問能力についてである。もとより、個々の観察事実の中にはいくつかの誤解もないわけではないし、またその分析にも、後に述べるように不十分な点がなくはない。しかしそれにもかかわらず、著者がこれほどの深い鋭い分析をなしえたということが、まさに驚嘆に値するものであるということには変わりはない。はたして、われわれ日本の学者の中の誰が、幾人が、アメリカに行かないでアメリカ人の精神生活やその文化をこれほどの成功をもって描きまた分析しうるであろうか。日本人の法意識を、東洋の他の諸民族の法意識や西ヨーロッパ人やアメリカ人のそれとの比較において観察し分析することに一つの学問的興味を抱いている者として、私は、著者の学問的能力に対し深い尊敬の念をもたずにはいられない。と同時にまた、本書に描かれまた分析されたわれわれ自身の生活は、まさにわれわれのみにくい姿を赤裸々に白日の下にさらすものであって、われわれに深い反省を迫ってやまない。

私は、われわれの心を完膚なきまでにたたきつけ痛めつけたあの敗戦の直後に、本書を一読したときの深い感銘を忘れることができない。戦争中、私はこれまで外国人が書いたさまざまの日本観、日本論をよみふけった。Basil H. Chamberlain, Lafcadio Hearn, Emil Lederer, André Viollis, Karl Löwitt 等々はそれぞれ私に感銘を与えた。戦争という異常な体験は、日本人の精神生活・文化・伝統等の姿を顕微鏡的に拡大して、われわれの前にまざまざと見せつけていた。私は、日本民族の未曾有の歴史の歩みを眼のあたりにみて、これらの外人の日本研究から「痛い」ところをつかれ、日々われわれ自身を反省させられていたのである。しかし、本書は今までの多くの本のどれにもない新しい感覚と深い鋭い分析とをもっている。私はすべての日本人が本書を読むことを希望する。おそらく他のどの民族にもまして、自分の伝統や物の考え方だけを盲目的に承認し、これを中心として物事を判断するようにしか教育されていないわれわれ日本人は、本書から反省への無限の刺激を受けるはずである。本書は、元来、日本を征服し日本を占領統治するという戦争目的のために書かれたものではあるが、われわれにとっては無限の教訓の書である。本書において、事実を歪曲《わいきょく》して自分の国に有利なことばかり書くように強制し、また敵国を子供じみたしかたで罵倒することしかしなかった国と、戦時中にかくも地味な科学的な敵国分析を着々としてやっていた国とのちがいをも、人は見落としてはならないであろう。

さきに述べたように、本書には無限と言ってよいほど豊富な事実が材料として駆使され、それに対して説明がつけ加えられており、しかもそのいずれもが興味深いものである。したがって、その一つ一つについて論ずべき点が少なくない。しかし、ここでそのすべてにふれることは不可能であり、特に重要な点にふれるにとどめなければならない。

本書の主要な問題を列挙すれば、およそつぎのように分類しうるであろう。すなわち、方法論（第一章）、日本社会の hierarchy（第三章）、「恩」と「恩返し」（第五・六章）、義理（第七章）、名誉（第八章）、人情（第九章）、日本の道徳における絶対的基準の欠如（第十・十一章）、子供の訓育（第十二章）。他の章（第二・四・十三章）はこれらの章に比べれば比較的重要性が少ないように思われる。したがって、ここでは、以上の諸章について感想を述べるにとどめる（以下の引用頁数は、読者の便宜のため本訳書のそれによる）。

二

まず本書の中に論ぜられている個々の点にふれる前に、本書が無限といってよいほどの豊富なデータを資料としてもっていることについて、述べておかなければならない。私は、これだけのデータの収集にどれだけの便宜があったか、どれだけの期間が費やされたか、を知ることができないが、ともかくもこれだけの資料を収集したということに、われわれ日本の学者は驚きを禁じえない。元来、日本の社会科学には思弁的傾向が強く、実証的な資料による裏付けということにはそれほどの関心を持たないのが一般の傾向であったのに対して、アングロサクソンの社会科学、特にアメリカの社会科学においては資料の収集に対して異常な――とわれわれに見えるほどの――関心が持たれてきた。この本は、後に述べるように、理論的分析という点においても、おそらくは多くのアメリカの類書にくらべて深いものがあるように思われるが、しかもそれがこのように豊富な資料に裏付けられているという点は、われわれ日本の学者にとってきわめて印象的である。本書を読んだ多くの日本の学者は、少なくとも私の知っている限り、皆、口をそろえてこの資料の豊富さに感嘆したということを、告白しておきたい。

三

次に、本書についてわれわれが感心する第二の点は、この豊富な資料に対する著者の理論的分析がはなはだ深いということである。おそらく本書は、私のせまい見聞の範囲で考えるところによれば、多くのアメリカの社会学、人類学の著書のうちでも特に分析の程度の深いものであるということができるように思われる。

著者は、個々の現象について量的に測定するという点には、あまり多くの興味を示さなかった。むしろ日本人の多くの行動や考え方の間の相互の内的連関を追究し、種々の行動や考え方がその特殊な連関において構成するところの全体構造を把握するという点に、その最大の興味と努力とをそそいでいる。一言にして言えば、本書の重点は構造的機能的分析におかれている。これこそまさに文化人類学的方法であり、すべての構成要素がいわばわかりきったものであるような文化現象が社会科学の対象となるのでなくして、全く異質的な、いわば未知数に満ちている文化現象が対象となる場合には、このような方法がなによりもまず第一に重要となる。著者が自信をもってこのことを断言しているのは全く正当である。

著者は面白いことを言っている。日本文化の構造的把握を目的としている著者にとっては、「日本において予期されており、当然のこととみなされている習慣」（二九頁）が問題となる。したがって、「このような研究では……いくら大勢の報告者を追加しても、少しも確実さを増さないような点に到達する。たとえば、誰が誰に、いつお辞儀をするか、というようなことは、日本人全体の統計的研究を少しも必要としない」（二九〜三〇頁）。「アメリカの社会研究は従来、文明国の文化が立脚している諸前提の研究を志さないものが多かった。たいていの研究は、これらの前提を自明なことだと仮定している。社会学者や心理学者は、世論や行動の『分布』にばかり気をとられている。そしてその常套の研究技術は統計的方法である。彼らは膨大な調査資料、質問書や面接調査者の質問に対するおびただしい数の回答、心理学的測定などを統計的分析にかけ、そこからある要因の独立性や相互依存関係を引き出してこようとする。……世論調査の結果は、すでにわれわれが知っている事柄について、さらに、それ以上の知識を与えるにすぎない。他国を理解しようとするに当たっては、その国の人たちの習慣や仮定に関する質的研究を組織的に行なった後にはじめて、数量的調査を有効に利用することができるのである」（三〇〜三一頁）。

本書では、日本人の行動および考え方の構造的な把握ということに、すべての努力が集中されている。そのことによって、アメリカや西欧の文化とは類型を異にする日本の文化が、みごとに浮彫されている。本書の成功は、著者の文化人類学的方法と、それを駆使する著者の鋭い分析力とに帰せられる。だが、ここでわれわれが考えなければならないのは、このような方法はけっしてアメリカ人がわれわれの文化を研究する場合にとってのみ必要であり、有用であるのにとどまるのではないということである。われわれ日本の学者が、われわれ自身の文化を研究対象とする場合においても、私は同様のことが言われねばならないと考える。すなわち、社会現象を量的に把握し測定する方法がわれわれにとって必要であり有用であることは言うまでもないが、それには一定の前提が存在するのであって、アメリカのような典型的な近代市民社会においては、人間の行動や考え方や人間相互の関係等々は、終局においては非常に明らかな同質的な要素に還元されえ、したがって計量による測定が可能でありまた容易であるのに対し、われわれの社会の構造は、種々の異質的要素によって構成された hierarchy であるからである。少なくとも今までのわれわれの行動や考え方の多くのものは究極においてこの封建的な hierarchy という構造的モメントによって規定されており、この hierarchy の具体的なさまざまな姿がわれわれにとって重要なのである。しかし、また逆に言って、われわれにとっても異質的なものであるところのヨーロッパやアメリカの文化をわれわれが理解しようとする場合にも、また同様に構造的な把握が必要である。われわれの立場からのそのような研究は、今後われわれに課せられた一つの大きな学問的課題である。

ただし、このように言うことは、わが国の「文化」(cultural anthropology の言う意味での)を研究するのにあたって、計量的方法が必要でないということを言おうとしているわけではない。否、日本の行動や考え方の型がまず明らかにされた上で、それらのもろもろの型についてその合法則性 regularities の強さを計測し、またその型の頻度 frequency を計測することは、現在の日本のような変化しつつまた変革させられつつある社会においては、実際上きわめて有用であり必要である。現在の日本の社会においては、古い伝統的な行動や考え方の型に対抗して新しい行動や考え方の型が成長しつつある。この後者のものが前者に対して、どのようなしかたでどのような強さで、自己を貫徹しつつあるかないか、を明らかにすることは学問的にきわめて興味があり、実際上もきわめて有用である。したがって、私は、日本の文化の型 pattern of culture を研究するにあたっても計量的方法の必要性や有用性を否定するのではないのみならず、むしろ積極的にこれを主張したいとさえ考えているのである。そして、その際になによりも attitude survey が必要となると考えている。これらのことは今後のわれわれに課せられた課題でなければならない。ただ私の言いたいことは、このような研究の前提問題として、この本の著者が主張しているような質的研究が必要であるということなのである(なおこの点について、私は別の機会に方法論の問題として論じたことがある。川島「社会学における計量的方法の意義とその限界」『社会学研究』一巻二輯、二四頁以下、昭和二十二年十二月)。

四

日本文化の構造的把握に全力をそそぐ著者は、まず日本文化の究極の基礎であるところのhierarchyの分析から出発する(第四章)。ここでの著者の分析は鋭く、またその視野も広大である。著者は日本社会のhierarchyとそれを支える煩瑣な社会的規則を組織的に把握し、特に日本のhierarchyが日本的家族制度の組織の上に打ち建てられているということを指摘し、日本人の行動および考え方の究極の規定者が、おのおのの人にそのproper statusを指示するところのhierarchyであることを、豊富な資料をもって論証する。特に日本人が天皇について抱いている観念が、太平洋諸島においてしばしば見いだされるところの、政治に関与し、あるいは関与しないsacred chiefと同質的のものであることを説明する部分は、天皇制に関する今後の研究に多くの問題を提供するであろう。

著者の説明のうち私が疑問とする主な点をあげると次のとおりである。第一に、家族内のhierarchyに関する著者の説明(七〇頁、七二頁、七四頁)は、かならずしも日本人のすべてにあてはまるわけではない。多くの地方の小作人や日傭労働者や漁民や、都市の小市民階級にあっては、それほど権威主義的でない家族制度が行なわれており、しかもこれらの種類の家族が日本の総人口の中でしめる割合や、また彼らの行動や考え方が日本全体の生活の中でもつ役割は、けっしてnegligibleとは言いえない。また著者は、五人組的な隣保団体が今日では実際生活において——特に今日の農村において——機能を果たしていないと言うが（一〇四～一〇五頁）、これは重大な事実の誤解であるように思われる。なるほどかつての組合はそのままの構造では残っていないし、またそのままの機能をもっているのでもない（ただし、多少交通の不便な地方では、今日でも徳川時代に行なわれたような多くの機能をもっているところが少なくないが）。しかし、多くの農村漁村山村では、かつての五人組制度は、少なくともその本質をかえることなく依然として、つづいているのであり、また都市においてもこれに由来し系譜的に連なる隣保団体（隣組・町会）は存続している。その故にこそ、日本の全体主義はこれを利用し、これを再編成し、強化し、この基礎の上において確固たる権力組織をきずき上げることができたのであった。日本の全体主義は、けっしてナチのそれと同一ではない。その社会的基礎（経済的基礎や政治的基礎はここでは問題外とする）を究明することは、今後の社会科学に課せられた課題であるが、少なくともその一つは、この隣保組織にあったのである。

　次にもう一つ著者の議論で疑問になる点は、日本の軍隊の社会構造の性質についてである。著者は軍隊内で日本流の敬語が廃止されていたということ、また軍隊では家柄によってでなくて、個人の実力次第で誰でも一兵卒から士官の階級まで出世することができたことを指摘し、また金持ちも貧乏人も、いわゆる「地方人」としての地位とは無関係に、平等に軍隊教育を受けたこと、などを指摘し、軍隊は多くの点において民主的地ならしの役目を果たしたと言う。しかし、これは、軍隊の社会構造に関する誤解であると考える。軍隊においてはけっして敬語は廃止されていなかった。ただ、各種の地方、各種の階級、各種の職業から集まり、またきわめて低い教育しか受けていない人びと、しかも集団的な生活の秩序を自ら維持する能力を最小限にしか持っていない多くの人びとを、軍隊という統一的組織の中に秩序づけるためには、徳川時代の純粋封建制における複雑な hierarchy を反映するところの複雑微妙な敬語は適しない。そこで、これに代えて、非常に単純な敬語が創造されたのであった。また軍隊では、外形的な組織の上では家柄は問題ではなかったが、現実においては、農村における地主もしくは地主兼自作、すなわち封建的農村の上層身分の者のみがその子弟を中等学校に送りえたことの結果として、陸軍士官学校や海軍兵学校の入学者もおのずからこれらの階級の者に限られていたものである。要するに、軍隊の中では、「地方人」ないし「娑婆」におけるような封建的 hierarchy はそのままでは再現されなかったけれども、軍隊の必要に応じてそれは単純化されつつ依然として維持されていたのであって、軍隊社会がきわめて封建的なものであることはかわりはなかった。軍隊が民主的地ならしの役目をしたという主張には、根本的に疑問があるのである。

五

次に本書の中で最も著者が力を入れ、且つ内容的にも勝れている部分の一つである「恩」に関する第五章、第六章について述べる。日本における社会結合が、主体的な個人と個人との間の、自由意思に媒介された結合でなく、その大部分が高度に人身的なまた支配服従的な関係であることは、すでに常識となっているが、そのような関係がどのような意識によって支えられ、どのような規範の体系によって組織立てられているかということについては、これまでわが国で論ぜられるところは比較的に少なかったと言ってよいであろう。私は、そのような関係の基礎の究極的なものとして二つの原理が認められるべきだと考える。その一つは「恩」の原理であり、他の一つは家族制度ないし「家」の原理である。「家」の原理については著者はこの本の中ではところどころで言及するにとどまっているが、「恩」の原理については多くの頁をさき、多くの事実をあげて論じている。「恩」と「義理」とが日本の社会結合の原理としてきわめて重要であることは、早くからわが国の学者の注意を引いている〔桜井庄太郎「恩と義理」雑誌『社会学徒』八巻四・五号、のちに桜井氏は全面的にこれを書き改め、『恩と義理』〔昭和三六年〕という著書として発表された〕。しかし、かならずしもわが国の社会学において中心的な問題としての取扱いを受けてはこなかった。外国人の著者が、しかも日本へ一度も来たことのない著者が、この問題に決定的な重要性を認めたという、その分析の鋭さに対して、まずわれわれは深く敬意を払うものである。日本における支配服従の関係が、与えられた恩に対する恩返しの義務で構成されているということ、恩返しの義務が無限の義務であるということ、義務のそのような無限性によって人身服従関係が生ずるということ、の指摘は、日本の社会構造を理解する重要な鍵を提供する。特に著者が恩に該当するアメリカの概念をあれこれと探究して結局発見できず、これをアメリカ人に理解させるのに非常な苦労をしていることは、われわれ日本人にとってははなはだ興味のあるところである。

この部分で特記すべき点は、次の諸点であろう。著者は恩そのものが一つの徳であるのではなくて報恩のみが徳であるということを指摘している。言いかえれば、その他さまざまの言葉で表現しようとしている行為は、特定の人身的な結合関係のわくの中では、支配者がある程度まで負う道徳的義務であるが、人間として負う一般的な道徳的義務ではない。この事の指摘はきわめて重要である。著者は、まさにこの点に、「仁」を道徳の究極の基礎とする中国の古典儒教に対する重要な差異を見いだしている（一四六頁〜一四九頁）。また恩と恩返しの関係が、あたかもアメリカにおける借金の返済と同様に考えられているということの指摘（一四二頁以下）もまたきわめて重要である。他方、その部分での著者の議論でもっとも疑問を起こすのは、報恩の義務の種類および性質に関する著者の議論である。著者によると、報恩の義務はギム（義務）とギリ（義理）とに分けられ、前者はどんなに努力してもけっしてその受けた恩の全部を返すことができず、また時間的にも限りなく続く義務であるのに対し、後者は、自分の受けた恩恵に等しい数量だけを返せば足り、また時間的にも限られているところの義務である。前者の例は、忠、孝、及び「任務」だとされ、後者の例は主君に対する義務、遠い親戚に対する義務等の、著者のいわゆる「世間への義理」と「自分の名前に対する義理」との二つをふくむものとされている（一六六頁参照）。ここには本書の他のどの部分にも見られないような混乱がある。忠や孝が恩に対する無限の反対給付義務であるということは疑いない。しかし、主君に対する義務や他人に対する義務、また時には近親に対する義務が、常に限定された内容及び時間の義務（著者のいわゆる義理）であるというのはまちがいである。また他方においては著者のいわゆる「任務」は、著者によれば、自分の仕事に対する義務であるが、それが報恩の義務であるという著者の説明は理解するに困難である。恩というのは、恩を与えてくれた人に対する義務を生ずるものだからである（この点については、川島「イデオロギーとしての『孝』」、川島「イデオロギーとしての家族制度」昭和三十二年一〇二頁以下、同「恩の意識の実態」『中央公論』一九五六年三月号一一九頁以下を参照されたい）。同様に、著者は「名に対する義理」giri to one's name をも報恩の義務の一種として考えるが、人から侮辱や謗りを受けた時に、その汚名をすすぐ義務、すなわち復讐の義務、礼節をふみ行なう義務等は、けっして他人から受けた恩に対する義務ではない。要するに、ここでは日本人が道徳的な義務と感ずるところの種々のものが列記されてはいるが、かならずしもそのすべてが恩と関係があるわけではない。

また、義理についての説明が問題である。著者が日本人の道徳義務の中に「義理」という特別のカテゴリーがあることを指摘し、その種類の道徳的義務は義務者の自発的な主体的意思によって行なわれることを要せず、全く外面的な強制（世間への義理）の下にやむをえずいやいやながらそれを履行することが、社会において是認されているということ、を明らかにしたのは、きわめて正当である。そして、そのような義務がしばしば「義理」とよばれていることも事実である。しかし、逆に、義理とよばれているものの凡《すべ》てがそのような性質のものである、というわけではない。日本へ来たこともなく、したがってまた義理とよばれるかずかずの現象をことごとく見たわけでもなく、また義理という言葉の用いられる種々の場合に接する機会をもたない著者が、このような間違いを犯したことには、同情を禁じえないが、ともかくもこの点はわれわれ日本人にとってもっとも滑稽に見える部分である。義務の一種類としての「義理」についてはは今日までのところほとんど研究がなされていないのであるから、右のような誤りにもかかわらず、著者の学問的功績はやはり高く評価されねばならないと考える。私は義理については次のように考えている。義理ということばは元来道徳的な義務一般をさす用語であったが、封建的な道徳が人間の感情の不当な無視の上になり立っているので、封建的道徳はしばしば人間の自然の感情（「人情」）との矛盾におちいった。義理と人情との矛盾対立葛藤は封建的道徳の一つの宿命である。ところが、道徳は、その性上、このような矛盾がある場合においても厳粛に貫徹されることが要求される。そのような場合における道徳の貫徹が「自然的人間」の否定という側面からながめられる場合に――より厳密に言うならば、封建的道徳に内在する、自己抑制という内面的強制によらないで、道徳が貫徹される場合に――、著者がここで言うような意味での「義理」として観念されることになる。要するに、著者が言う意味での義理は、封建的道徳が人情との対抗関係においては人情を完全に否定することができないでいる関係であり、したがってそれは多くの場合においては、封建的道徳の本来的な担い手であるところの武士においてではなくて、町人や百姓において見いだされる現象であり、したがってそれは封建的な道徳の一つの側面にすぎないのである（義理については、前掲の桜井庄太郎氏の研究ならびに川島「義理」『思想』一九五一年九月号二一頁以下参照）。

六

「人情」に関する第九章も、われわれ日本人にとって興味がありかつ教訓に満ちているが、私の考えるところでは問題の中心からはずれているように思われる。著者は、日本の道徳律があのように寛大に五官の快楽を許容しているのは意外な感じがすると言っている。著者はあの仏教におけるような、現世的な快楽の否定や、またヨーロッパ特にそのキリスト教的世界観において強調されているような、精神と肉体との対立、および肉体の価値の否定、というような考えが、日本人の間において見いだされないことに奇異の感をもち、一方で日本の道徳が「あれほど極端な義務の返済と、徹底した自己放棄」とを要求していることと矛盾し首尾一貫していない、と言う。まさに興味深い問題の提起である。しかし、この事は、この二つの inconsistent な道徳原理を一つの平面の上で統一するような道徳的体系を求めるかぎり、謎になってしまう。解答は歴史的にのみ与えられる。日本の道徳における徹底した自己放棄（それはしばしば人間の生命を軽々しく否定することを要求している。たとえば、腹切り、心中等々）、おそらくどこの国の封建制度も要求しまた作り出したところの、封建制度に特有な道徳である。が、日本における肉体的人間の是認、すなわち人の肯定は、いまだ封建的な道徳の体系の中に編入されつくされない一般民衆（町人、百姓）の「自然的人間」

の状態である。言いかえれば、いまだ自己抑制というものを媒介としない自然的な肉体的人間の手放しの肯定である。日本の民衆の間において肉体的人間の手放しの肯定がひろく存在するのは、徳川時代に武士階級の道徳が庶民階級へ徐々に浸透したにもかかわらず、また、殊に武士によって支えられてきた封建的道徳が、明治以後絶対主義政府によって全民衆に対し強力に宣伝され教えこまれてきたにもかかわらず、いまだ民衆の中に完全に根をおろすに至らなかったからである。著者は、このように、いわば対抗関係・矛盾関係にあるところの二つの社会規範の体系を、歴史及び社会的な身分ないし階層から捨象して、抽象的に同一平面の上で統一しようとして失敗しているのである。しかし、ともかくも著者の問題提起はきわめて鋭く、且つわれわれにとっては特に興味深い。なお「肉体的人間の肯定」を証明するために著者が挙げているいくつかのデータについては疑問の余地がある。特に入浴、睡眠について著者が挙げている事実がそうである。が、問題が細かくなるので説明を省略する。

七

「徳のジレンマ」と題する第十章もまた興味が深い。この章では、日本の道徳と「アメリカ人の」——すなわち、市民社会の——道徳とが対比される。日本では道徳が種々のサークルに分裂していて、人を判断するのに、彼は全一な人格の持主として判断しないで、「孝を知らない」とか「義理を知らない」というふうに判断する。「彼らはアメリカ人のように、ある人を不正であると言って非難する代わりに、その人間がなすべき務めを完全に果たさなかった行動の世界を明らかに示す」。日本の道徳の要求は統一的な道徳的精神をつくることに向けられているのではないし、また統一的な道徳的精神にもとづいているのでもなく、それはまさに、さまざまな道徳的要求の錯綜の中に存在している。日本人の悲劇はこれらの道徳のサークルの矛盾によってかもし出される。また日本の道徳的精神は、このようないわば「外の世界」の矛盾によって、内的な統一にまで高められることができない。道徳は、主体的な自律的精神の世界ではなく、他律的な「外から」の強制（「ひとに笑われる」）によって保障されている。これらの点の指摘はまことに正当である。また明治以後においては、絶対主義政府による国家主義道徳（「忠」）への統一への運動が強力にはたらいたことの指摘も、きわめて正当である。だが何ゆえにこのような道徳体系の分裂や矛盾、したがってまた人間の道徳精神の分裂、その統一的人格の不成立、が生じたのであろうか。このことの説明は、この鋭い著者の分析によっても、与えられてはいない。それは歴史的にのみ与えられる、と私は考える。これらのもろもろの道徳のサークルを一つの平面の上で統一させようと努力することは、無駄な骨折りである。これらの道徳のサークルの分裂は、日本の封建制における hierarchy、それに由来するところの、各身分に固有な道徳サークル、それの相互滲透、特に下層身分への上層身分の道徳の滲透および強制、明治以後の封建藩閥的絶対政府による国家主義道徳体系の編成の強力な試み、等々に原因しているのである。その具体的な研究は、今後の社会科学の課題である。

著者が、徳のジレンマに関連して指摘している一つの重要な問題は、いわゆる「まこと」

という道徳についてである。私自身も小学校以来、実に執拗に「まこと」について説かれてきた。それは私にとっては、はじめは、もっともわからないものであった。しかし、私はくり返しくり返し執拗に説かれることによって、なんだかわかったような気がするようになった。ベネディクトが“A Child Learns”という章でのべるように、かくも執拗に教えこまれ、子供の時から「肉体化」するようにされているところの「まこと」という徳は、日本人の道徳体系においてきわめて重要な地位を占めているはずである。このことを、外国人たる著者が指摘したということ、また外国人によって指摘されて日本人が肺腑を衝かれる思いをしたということは、実に驚くべきことである。「まこと」とは、ベネディクトが実に正しく分析しているように、「義務を全身全霊をもって、また全力をつくし全知を傾けて遂行すべしという要求」、また「『道』にしたがう熱意」である。さらに、これは、アメリカ人から眺められると、「狂信者の自らの教養に対する発狂」として観念される。日本人が最高の道徳と考える「まこと」について、このような概念規定をされるのを見て、多くの日本人は憤慨することであろう。だが、「まこと」が、ある国民において道徳の最高理想とされ、他の国民ではたんに「狂信者の自らの教義に対する熱狂」としてしか評価されない、ということの事実は、われわれ日本人のもっている価値尺度が絶対普遍永遠の真理でないことを教えている。

日本人の価値体系においてかくも重要なものが、今日まで、日本人によって科学的研究の対象とされなかった(教説としては執拗に説かれたが)ということはかならずしも日本の学者の怠慢のみに帰せられるべきではあるまい。この徳がかくも重要であり、また国家権力によって強力的に権威的に教え込まれてきた（特にたとえば「軍人勅諭」）ということは、それに対する科学的分析を事実上不能ならしめてきた。あたかも、明治以後の絶対主義政府権力の下において、政治学、科学としてなり立つためには、しばしば死と牢獄との犠牲をもって戦われなければならなかったのと同様に。私は「まこと」についてのベネディクトの分析を見て、民主主義（学問と言論の自由と）が科学の不可欠の条件であることをしみじみと感ぜざるをえないのである。

八

「修養」に関する第十一章も、きわめて面白い。それは、われわれ日本人にとってはきわめてあたりまえのことが、けっしてあたりまえでない、ということを示す点で、多くの日本人を驚かすであろう。ベネディクトはきわめて正常に、日本における「修養」の本質を描いている。「修養」の実質的意義は、自己犠牲・自己抑制をそのようなものとして意識しないようにさせる努力である。日本に一度も来ないでこのことをかくも明確に論断しえた著者の現象の理解力と分析力とには、敬意を表する。では、いったい、このような「修養」への要求は、どういうわけで成立するに至ったのであろうか。それが問題である。いかなる社会においても、いやしくも、社会がある以上、その構成員に対しなんらかの自己犠牲や自己抑制を要求しないことはありえない。しかし、近代の市民社会におけるそれは、結局、個人が社会において相互に自由を尊重しあうために要求される最小限のものであって、まさに自己犠牲の相互性 reciprocity のゆえに、それは人の自由意思の自発性 spontaneity の上に立脚しうる。だから、アメリカでは日本型の「修養」という努力がなく、これに反して、日本では「日本人が自己監視と自己監督とを重圧と感じている」ことの結果、「修養」が必要とされるのである。

そこで、私は考える。日本においてこのように自己抑制・自己犠牲をそのようなものとして意識しないようにさせることに努力が払われるのは、おそらく、封建的社会においては、自己犠牲の reciprocity がなく、服従者は自己犠牲の「貸借対照表」において常に貸方に、また支配者は常に借方に、記載されたという事情に由来するであろう。

だが、私のもつ疑問はつぎの点にある。もし、日本人の「修養」への要求が、たんに右のことだけにもとづくものであるならば、ヨーロッパの中世にも同様の「修養」が一般的に要求されたはずである。はたして、ヨーロッパ中世の事実はそうであったのか。私はこの点に関する事実を知らない。はなはだ大胆な臆測を述べるならば、私は次のように推測する。すなわち「無我」の境地を要求し、また「死んだつもり」になることを要求し、自己犠牲をそもそものようなものとして意識させなくすることは、自己犠牲における主体的モメント――自分が自分に対立する――を否定することであって、ヨーロッパの封建制においては少なくとも一般的には見られない現象であり、文化の型としては、むしろアジア社会に特有なものであるのではないだろうか。そうだとすれば、この型の道徳律は、単純に封建的なものとは言いきれないと同時に、単純に日本的なものとも言いきれないことになるであろう。

九

「子供は学ぶ」という第十二章は、おそらく日本人の何びとにとっても興味の深い章であろう。ある社会における社会的行動の型、それによって構成される社会関係の構造、を明らかにするための手がかりを、その社会における子供の教育訓練のしかたの中に求めるという方法は、文化人類学の学問的成果である。本章の成功は、著者が本書のはじめに誇っているように、文化人類学の学問的成果に由来している。本章の中のデータには多少の修正ないし限定づけを要するものがあるにせよ（たとえば、いわゆる上流階級と下層階級とでは、子供のしつけ方も異なっている。また、上流階級のしつけ方が下層階級のそれに影響し滲透する、という動的な側面があることも見逃してはならない。しかし、これらのことは、ここでは一応問題外としておく）、数多くのデータの収集についての評価において、たしかに驚嘆に値する。この章は本書の中でも最もすぐれている部分ではなかろうか。

十

最後の一章「降服後の日本人」は、まさに満身創痍である日本国民の傷の一つ一つを痛々しくも露出する。この章は、占領という実際目的に即して書かれているもののようであるが、今やわれわれ自身の主体的努力によって民主主義革命を遂行せねばならない日本人全体にとっても実践的意味は深い。ここに述べられていることの大部分は正当であると考える。

十一

私はすでに多くのスペイスを費やしすぎた。終わりに、私は本書全体にわたっての感想を述べておきたい。すでに幾度も述べたとおり、一度も日本に来たことのない著者が、日本人の行動と考え方の原理とをこれほどまでに総合的に、全構造的に構成しえたということは、まさに驚嘆に値する。著者が、日本に来て自らの眼で事実を調査したならば訂正しえたであろうようなかずかずの誤解があることについては、ここに言及する必要はないし、またそのような誤解の存在は本書の学問的価値の評価にとって本質的な重要性をもつものではない。したがって私は著者の方法論について若干感想を述べるにとどめる。

第一に、著者の分析においては問題の歴史的側面が視野の外におかれている、ということを指摘しなければならない。このことは、後にのべるように、著者の分析がもっぱら平均的日本人の行動や考え方の型を明らかにするという点に、重点をおいていることと関係している。もちろん、学問の世界にも分業があるということは、私も承認する。また、アメリカの社会学がこれまで比較的に（あるいは、ほとんど）歴史的考慮を払わずにすんだということに、相当の justifiable な理由があったということをも、私は承認する。しかし、少なくとも現在の日本のように変化と変革との動的な過程の中にある社会を観察し分析するにあたっては、歴史的な考慮なしにはその科学的分析はきわめて不十分なものとなるのではないであろうか。たとえば、現在の（あるいは、明治以後の）日本においては、封建的なものと近代市民社会的なものと、また日本的東洋的なものと西洋的なものとが、重なりあって一種の重ね焼き写真となっており、またこれらの一つのものの他方への影響・反射という動的な過程が存在する。これらの、いわば「型」を異にする種々の現象は、歴史的に考察されないで同一の平面の上で並立的なものとして眺められるかぎり、その相互の間の反発・滲透・反射・影響等々の関係は見失われてしまう。私は、本書に欠けているのは、このような問題の自覚的な追究であろうと思う。著者は、本書中いくつかの場所で、日本人の行動や考え方における相矛盾する要素を発見し、何故にそのような矛盾が同時に存在するかという問題を呈出している。それらの多くのものは、私がさきに自己犠牲のモラルと自然的肉体的人間の肯定との間の矛盾について述べたように、問題の歴史的な側面から分析されるならば、解決されうるかと考えている。著者は、たんに事実の叙述に満足しないで、その内的連関や理由等についての説明に努力している。しかし、もし説明を追究しようとするならば、少なくとも現在の日本文化についていては、歴史的側面を度外視してはけっして解答は得られないであろう。

　第二に、著者においては、「日本人」というものが同質的 homogeneous な人間の総体として前面にあらわれ、日本人の中にある種々の階層や地域や職業等からくる具体的な差異がほとんど見逃されているように思われる。すなわち、著者が目的としているところは、平均的日本人 average Japanese の行動や考え方の型 pattern の究明である。私は、このような patterns of culture を究明することの実際的また学問上の意義を否定しようとするものではない。否、アメリカ人の社会とは全く質的に異なるところの日本人の社会を明らかにしようとするときには、まずその質的差異が前面にあらわれるのはまことに当然であり、また研究順序としてもまずこれを明らかにすることは必要でもある。そうして、日本人の行動や考え方の全体像を捉えることを目的とする文化人類学的な日本研究が、まずはじめに試みなければならないことは、まさに右のような平均的日本人の行動や考え方の型という平均化された姿の究明である。右に述べたように、著者の分析が、問題の歴史的側面を視野の外においたということも、このことに関係している。これらすべての著者の方法論は、この限りでは学問的にjustifyされうる根拠をもつであろう。しかし、それにもかかわらず、日本が変化しまた変革されつつある社会であるということ、その中には対立し対抗しあう種々のグループ・階層・力があるということは、特に著者の「問題」との関連において強調されねばならない。著者にとっては、日本の戦争を支えていた力と、戦争を終結せしめる（ことを期待された）力との関係、また日本の社会を古い型のそれにひきもどしあるいは固定させようとする力と、これを改革して民主主義社会に転化し日本を国際的家族の一員たらしめようとする力と、の関係を明らかにし、戦争と占領との実際的目的に貢献することが、本書の任務とされていたはずである。だから、日本の中に対抗しあっているもろもろの傾向・力を分析することなしに日本をただ一色の「型」に塗りつぶすことのみによっては、右の実践的任務に貢献するような具体的結論をひき出すことはできないのではないか。著者が述べているような「日本的な文化の型」は、日本人の一般的な姿としては、きわめて些細な部分を除いてはきわめて正当であることは、すでにくり返し述べたとおりである。しかし、そのような全体像ないし一般的傾向は、これを分析するならば、相対抗する種々の社会的力 social forces の均衡の結果としての一つの動的な力学的関係に外ならないのである。一つの例をとってみよう。民法典や明治以来の小学校修身教科書に現れているような封建的家父長制は、明治の絶対主義政府の政治的要求に支えられて、全国民に「上から」押しつけられる「型」であって、政府の絶えざる努力は、この「型」を民衆の行動や考え方の中にある程度滲透させるのに成功している。しかし、これに対抗して、庶民の間には別の型の家父長制が存在したのであったし、また明治以後の民主主義的思想の影響も全くなくはない。のみならず、後者はその成長の地盤を、けっして広くないとはいえ、もっているのである。日本における家父長制の運命、それの変革の可能性は、これらのもろもろの「型」を支える社会的力の分析によって明らかにされるのである。日本の社会を統一的な等質的なものと考える前提の上に立つかぎり、右のような力学的分析は不可能となる。著者が構想する日本文化の型は、あまりにも静的な統一的な姿でありすぎるのではないであろうか。階層・地方・職業・年齢等々の差異から生ずるところの行動や考え方の差異・分化、その相互の対抗関係、を分析することは、著者の研究をさらに一歩前進させるために欠くことのできない課題である。それは、占領のために必要であるかどうかよりも、今やわれわれ日本人にとっては、民主主義革命を遂行し、日本を再建設し、われわれの歴史をつくるために必要である。私は、著者ベネディクトが自ら日本へ来て、たんに占領のためのみでなく、われわれの民主主義革命のために、調査研究する日の来るであろうことを待望していた。われわれがその喜びを実現することができない中に、ついに著者が永遠に帰らぬ人となってしまったことは、かえすがえすも残念のきわみである。

追記　本稿は、はじめ『民族學研究』（第一四巻第四号、一九四九年五月号）に発表したものである。本稿の中で論じた問題の中のいくつかについては、別にその後に論じたことのあるものもあり、現在の私としては、もっと立ちいった論述を試みたいと考えるが、その時間の余裕も紙面もないので、この旧稿に多少の加筆をする程度で、ここにこれが採録されることを、承諾したしだいである（一九七二年四月二十一日記）。

訳者後記

本書は Ruth Benedict; *The Chrysanthemum and the Sword—Patterns of Japanese Culture*, Boston, 1946 の全訳である。ただ原著では索引のほかにさらに巻末の数頁を割き、アメリカ人読者のために本文中に出てくる日本語の解説をしているが、これは日本の読者には不要と思われるので省略した。

原著者ルース・ベネディクト夫人は、一八八七年六月五日にニューヨーク市で生まれた。生家のフルトン家は、まずアメリカではかなりの旧家と言ってよかろう、ルースの先祖に当たる人が六人も独立戦争に参加したと伝えられている。一八〇二年、四代前の祖父の代に、フルトン家はそれまで住んでいたノヴァスコシア（カナダ）から合衆国に移住してきた。この転住の理由がなかなか面白い。その祖父は徹底した自由主義者、デモクラットであったらしく、ある公開の宴席で大胆不敵にも、当時、英国から見れば仇敵であったジョージ・ワシントンのために乾盃した。このことが大問題となり、すんでのことに国事犯としてインドのボンベイ（現在のムンバイ）に放逐されるところを、ある人のとりなしでかろうじて免れ、一家を引き連れて合衆国に亡命した。

ルースの父親はフレデリック・S・フルトン博士といい、医師であったが、彼女の二歳の時に亡くなった。その後は母のビアトリスが学校の先生をしながら娘を育て上げた。
ルースは一九〇九年、ヴァッサー・コレッジを卒業し、B・Aの称号を得た。その翌年一ヵ年間、ヨーロッパに遊学し、スイス、ドイツ、イタリア、イギリスなどでそれぞれの国民の家庭の中で生活し、その風俗習慣を非常な興味をもって観察した。こうして後年、人類学にはいってゆく最初の素地が作られたと見ることもできるが、しかしまだこのころは、はっきり人類学を専門とするという考えはなかった。

帰国後数年間、カリフォルニア州のある女学校で教鞭を取り、英語を教えた。この間に、カリフォルニア州に何万といる日本人、中国人、朝鮮人移民の生活に触れ興味を感じた。

一九一四年にニューヨークに帰り、生物学者スタンレイ・R・ベネディクト博士と結婚した。夫のベネディクト博士は一九三六年に逝去している。

彼女が初めて世人の注意をひいたのは詩人としてであって、アン・シングルトンというのがそのペン・ネームであった。どんな傾向の詩を書いたのか詳らかではないが、詩人と人類学者とは全く無関係なものとはいえないであろう。ベネディクト女史が詩人的天分を恵まれ、豊かなイマジネイションの持ち主であったということはたしかに彼女の学問的仕事に、他のあまりにも「科学的」な人類学者には見られない独特の性格を与えているといわなければならない。すなわち彼女は異民族の生活の外面的観察に終始し、それを自分の眼で見て解釈することに満足せず、常に相手の眼を通して見ることに努め、行動の内面的意味を把えようとする。

彼女がコロンビア大学に入学し、あの偉大なフランツ・ボアズ教授の指導のもとに、いよいよ人類学の研究を始めることになったのは、一九一九年のことであった。彼女自身は、「初めは漫然と、ただなにか忙しいことをしてみたいから大学へはいった」と人に語っているそうであるが、第一次世界戦争が彼女を人類学に向かわしめる直接の機縁となったのであるまいか。本書（殊《こと》に第一章）によってもうかがわれるように、彼女はヒューマニストであり、平和主義者である。国際間の摩擦と不和とは民族相互間の理解の欠如から起こると固く信じている。それが第一次世界戦争に際会して、いよいよその感を深くし、人類学の研究こそ民族の閉ざされた窓を開く鍵であり、国際間の真の理解を築き上げる基礎であると確信するに至ったのではないか。

いずれにせよボアズのすぐれた指導とあいまって、彼女の天分は学問のこの分野において遺憾なく発揮され、ついにボアズ自身に次ぐ、アメリカ人類学の第一人者となった。

彼女は一九二三年にコロンビア大学卒業と同時にPh・Dの学位を取り、その後八年間は講師および助教授として、一九三〇年以後は客員教授として、引き続き同大学に留まって研究と学生の指導に当たってきた。殊に一九三六年にボアズ教授が引退した後は、一九三九年まで同大学の人類学科長事務取扱いの任に当たった。

ベネディクト夫人の専門的業績については、門外漢である訳者にはとうてい云々する資格がない。寡聞な訳者が僅かに嘱目した範囲内では、日本民族学協会編『民族學研究』第一二巻第四号所載の杉浦健一氏のボアズ教授を悼む小論の中で、アメリカ人類学の概観が与えられ、ベネディクトのことにも簡単に触れているから、それについて見られたい。ただ訳者に言いうることは、女史が未開宗教、神話、伝説の研究を得意とし、その研究法は著しく心理学的であり、ことにいわゆる「文化型」cultural pattern の提唱者として著名であるということである。この「型」の概念は遠くその起源を探ってゆけば、あるいはディルタイ、シュプランガーあたりの影響を受けているのではないかとも想像されるが、ドイツ流のなにか「民族精神」といったような観念を背景にもつ形而上学的な「類型」概念とはいちじるしく趣きを異にする。それは多分に行動心理学的な概念である。それは外面的にはいかに異なっていても、同一の動機ないしは心的態度によって貫かれている一群の行動あるいは習慣に、顕著に烙《や》きつけられている共通の特徴である。いわば内面的意味によって纏められた習慣の束である。一民族の文化はいくつかのこういう「型」を内に含む、あるいはそれらの「型」によって組み立てられている綜合的・有機的な全体である。かくして「型」は個々の行動に意味を与え、それを文化全体の中に包摂する媒介者である。こういうふうに考えているらしい。本書にも「日本文化の型」という副題がついているが、この「型」もその意味であって、ドイツの文化哲学者のいう「類型」を期待してはならないし、第一その「型」という語が単数ではなくて複数になっていることに注意せねばならない。

ベネディクト夫人の主要な著作は次の三つである。

Patterns of Culture（1934）
Race: Science and Politics（1940）
The Chrysanthemum and the Sword—Patterns of Japanese Culture（1946）

なおこのほかに、一九三一年にコチティ族（アメリカ先住民）の説話集を出し、一九三五年に同じく先住民のズニ族の神話に関する研究を公にしている。さらに、フランツ・ボアズが編輯責任者となった War Department Educational Manual EM 226, *General Anthropology*（1936）の「宗教」の章を担当している（同書六二七〜六六五頁）。またあのセリグマンの *Encyclopedia of Sciences* においても Animism, Child Marriage, Dress, Folklore, Magic, Myth, Ritual などの項目を担当している。

ルース・ベネディクトは背の高い、灰色の眼をした、短い銀白の髪の毛を頭にぴったり撫でつけ、いつも地味な紺または緑色の衣服を纏った品のよい老婦人で、科学者というよりはむしろ遥かに詩人らしい風貌であったという。われわれは一度、夫人に日本へ来てもらい、その眼で直接われわれの生活を見てほしいし、その風貌に接し親しく話もしてみたいと願っていたが、去る九月十七日、ニューヨークで、冠状動脈血栓とかいう病気で逝去されたという報に接し、もはや永久にその機会は失われてしまった。本書の日本版発行に当たって夫人にぜひ序文を寄せて頂くように依頼の手紙を出したが、ついに返事は返ってこなかった。もうそのころは病床についておられたものとみえる。ここに謹んで哀悼の意を表し、夫人の冥福を祈る。

最後に本書翻訳の機会を与えて下さった社会思想社の諸氏、また翻訳進行中にいろいろご教示にあずかった二、三の知友に深く感謝する。

昭和二十三年十一月二十三日

訳　者

改版に寄せて

本書が最初にB６判上下二冊の単行本の形で出たのは、昭和二十三年のことだった。その後、二十六年に文庫判に組み替えになったが、この間、まる十八年、ずっと読者が跡を絶たず続いている。一冊の本がこんなに長いあいだ売れているということは、戦後のわが国の出版界では異例の現象であって、本書がいまやほとんど古典的な地位を確立した証拠と見てよいかもしれない。特に訳者にとって関心が深いのは、初版出版以後に生まれ、戦争の経験はもちろんのこと、敗戦直後の混迷と悲惨の記憶の全然ない若い人びとのあいだで、本書がひき続き読まれていることである。これらの若い読者に、本書はどのような感想をもって受け取られているのだろうか。

このたび、久しぶりに版を改め、ふたたび単行本を出すことになったので、その機会にあらためて全体を見直し、筆を加えさせてもらうことにした。前々から気になっていた二、三の誤訳個所――その中には、ありがたいことに、未知の高校生の方からの指摘によって気づいたものも含まれている――を訂正したほか、文庫判への組み替えの過程で生じた印刷上のミスや、かなづかいの混乱等を改め、より完全なものにしたつもりである。

この十八年間にわれわれを取り巻く環境に生じた変化は、信じられないくらいに大きかった。初版の出た当時、〝文化国家〟というむなしい理想が掲げられていたけれども、依然として国民は敗戦のショックと生活の困窮に打ちのめされ、日本の文化と歴史への自信を完全に失っていた。占領軍の監視の目をはばかるということのほかに、日本人自身の間に意識的に過去を抹殺しようとする傾向があった。そこで——翻訳の仕事に没頭していたころの一挿話を挙げれば——本書の中に引かれている戦前戦中の日本側資料の原物を見つけ出すのに思わぬ苦労をさせられた。忠犬ハチ公の話の出ている修身教科書をいくらさがしても見つからず、やっと荒川区にある、さる教科書会社の倉庫の隅に一冊保存されているのを探り当てたというようなことがあった。

このような一般的な風潮を背景にして出た本書は、なによりもまず過去の日本文化の批判として受け取られたように思う。訳者自身の気持ちもそのとおりであった。

しかし、いまは事情は一変している。奇跡的な経済復興に支えられて、いわゆる〝安定ムード〟がみなぎり、日本の文化と歴史への関心と自信がよみがえりつつあるように思われる。悔恨の情にさいなまれ、世界の前に身を小さくする代わりに、反対に、西欧のヒューマニズムの限界を指摘する論が現れたりする今日の状況である。いまこそかえって、本書が正しく、その本来の価値において評価される時であると思う。

本書は、日本人の外面的な行動の描写と、それらの行動の背後にある日本人の基本的な考え方——日本文化のパターン——の分析とから成っており、そして外面的な生活の変化にもかかわらず、ある民族の文化のパターンはなかなか変化するものではない、という文化人類学的信念によって貫かれている。西欧の、善と悪、精神と物質の二元対立観の伝統の上に立ち、この書の中でも、〝罪の文化〟と〝恥の文化〟、義務の世界と人情の世界、恩と義務、さらに〝ギム〟と〝ギリ〟の対比というふうに、二分法的思考を分析の主要武器として用いている著者が、どこまで日本人の価値観の体系を探り当てることに成功しているか、という所に関心の焦点が置かれるはずである。

終わりに、改版刊行に当たり、「評価と批判」の転載を快諾して下さった川島教授、出版・校正に関し終始お世話になった社会思想社の八坂安守・土屋正躬両氏に、心から感謝する。

一九六六年十二月

訳　者

本書は一九七二年、社会思想社から刊行された『定訳 菊と刀』を底本としています。（編集部）

ルース・ベネディクト（Ruth Benedict）

1887～1948。ヴァッサー・コレッジ，コロンビア大学卒。同大講師および助教授，客員教授を歴任。専攻は文化人類学。アン・シングルトンのペンネームで，詩も発表。

長谷川松治（はせがわ　まつじ）

1911～98。東北大学法文学部卒。東北大学名誉教授，東北学院大学名誉教授。専攻は言語学。訳書にA・トインビー『歴史の研究』，H・コーン『民族的使命』などがある。

講談社学術文庫

定価はカバーに表示してあります。

菊《きく》と刀《かたな》　日本《にほん》文化《ぶんか》の型《かた》

ルース・ベネディクト／長《は》谷《せ》川《がわ》松《まつ》治《じ》 訳

2005年5月10日　第1刷発行
2025年7月3日　第48刷発行

発行者　篠木和久
発行所　株式会社講談社
東京都文京区音羽2-12-21 〒112-8001
電話　編集（03）5395-3512
販売（03）5395-5817
業務（03）5395-3615

装　幀　蟹江征治
印　刷　株式会社広済堂ネクスト
製　本　株式会社国宝社
本文データ制作　講談社デジタル製作

ISBN4-06-159708-6

「講談社学術文庫」の刊行に当たって

これは、学術をポケットに入れることをモットーとして生まれた文庫である。学術は少年の心を養い、成年の心を満たす。その学術がポケットにはいる形で、万人のものになることは、生涯教育をうたう現代の理想である。

こうした考え方は、学術を巨大な城のように見る世間の常識に反するかもしれない。また、一部の人たちからは、学術の権威をおとすものと非難されるかもしれない。しかし、それはいずれも学術の新しい在り方を解しないものといわざるをえない。

学術は、まず魔術への挑戦から始まった。やがて、いわゆる常識をつぎつぎに改めていった。学術の権威は、幾百年、幾千年にわたる、苦しい戦いの成果である。こうしてきずきあげられた城が、一見して近づきがたいものにうつるのは、そのためである。しかし、学術の権威を、その形の上だけで判断してはならない。その生成のあとをかえりみれば、その根は常に人々の生活の中にあった。学術が大きな力たりうるのはそのためであって、生活をはなれた学術は、どこにもない。

開かれた社会といわれる現代にとって、これはまったく自明である。生活と学術との間に、もし距離があるとすれば、何をおいてもこれを埋めねばならない。もしこの距離が形の上の迷信からきているとすれば、その迷信をうち破らねばならぬ。

学術文庫は、内外の迷信を打破し、学術のために新しい天地をひらく意図をもって生まれた。文庫という小さい形と、学術という壮大な城とが、完全に両立するためには、なおいくらかの時を必要とするであろう。しかし、学術をポケットにした社会が、人間の生活にとってより豊かな社会であることは、たしかである。そうした社会の実現のために、文庫の世界に新しいジャンルを加えることができれば幸いである。

一九七六年六月　　　　野間省一

日本人論・日本文化論

日本文化論
梅原　猛著

〈力〉を原理とする西欧文明のゆきづまりに代わる新しい原理はなにか？〈慈悲〉と〈和〉の仏教精神こそが未来の世界文明を創造していく原理となるとして、仏教の見なおしの要を説く独創的な文化論。

22

比較文化論の試み
山本七平著

日本文化の再生はどうすれば可能か。それには自己の文化を相対化して再把握するしかないとする著者が、さまざまな具体例を通して、日本人のものの見方と伝統の特性を解明したユニークな比較文化論。

48

日本人とは何か
加藤周一著

現代日本の代表的知性が、一九六〇年前後に執筆した日本人論八篇を収録。伝統と近代化・天皇制・知識人を論じて、日本人とは何かを問い、精神的開国の要を説いて将来の行くべき方向を示唆する必読の書。

51

日本文化史研究（上）（下）
内藤湖南《こなん》著（解説・桑原武夫）

日本文化は、中国文化圏の中にあって、中国文化の強い影響を受けながらも、日本独自の文化を形成してきた。著者はそれを深い学識と日中の歴史事実とを通して解明した。卓見あふれる日本文化論の名著。

76・77

日本人の人生観
山本七平著

日本人は依然として、画一化された生涯をめざす傾向からぬけ出せないでいる。本書は、我々を無意識の内に拘束している日本人の伝統的な人生観を再把握し、新しい生き方への出発点を教示した注目の書。

278

乃木大将と日本人
S・ウォシュバン著／目黒真澄訳（解説・近藤啓吾）

著者ウォシュバンは乃木大将をFather Nogiと呼んだ。この若き異国従軍記者の眼に映じた大将の魅力は何か。本書は、大戦役のただ中に武人としてギリギリの理想主義を貫いた乃木の人間像を描いた名著。

455

柳田國男著（解説・田中宣一）

年中行事覚書

人々の生活と労働にリズムを与え、共同体内に連帯感を生み出す季節の行事。それらなつかしき習俗・行事の数々に民俗学の光をあて、隠れた意味や成り立ちを探る。日本農民の生活と信仰の核心に迫る名著。

124

柳田國男著（解説・中島河太郎）

妖怪談義

河童や山姥や天狗等、誰でも知っているのに、実はよく知らないこれらの妖怪たちを追究してゆくと、正史に現われない、国土にひそむ歴史の真実をかいまみることができる。日本民俗学の巨人による先駆的業績。

135

白川　静著

中国古代の民俗

未開拓の中国民俗学研究に正面から取り組んだ労作。著者独自の方法論により、従来知られなかった中国民族の生活と思惟、習俗の固有の姿を復元、日本古代の民俗的事実との比較研究にまで及ぶ画期的な書。

484

鶴見和子著（解説・谷川健一）

南方熊楠《みなかたくまぐす》

南方熊楠――この民俗学の世界的巨人は、永らく未到のままに聳え立ってきたが、本書の著者による満身の力をこめた独創的な研究により、ようやくその全体像を現わした。〈昭和54年度毎日出版文化賞受賞〉

528

谷川健一著（解説・宮田　登）

魔の系譜

正史の裏側から捉えた日本人の情念の歴史。死者の魔が生者を支配するという奇怪な歴史の底流に目を向け、呪術師や巫女の発生、呪詛や魔除けなどを通して、日本人特有の怨念を克明に描いた魔の伝承史。

661

宮本常一著（解説・田村善次郎）

塩の道

本書は生活学の先駆者として生涯を貫いた著者最晩年の貴重な話――「塩の道」「日本人と食べ物」「暮らしの形と美」の三点を収録。独自の史観が随所に読みとれ、宮本民俗学の体系を知る格好の手引書。

677

日本の歴史・地理

伊勢神宮
所《ところ》　功《いさお》著

日本人にとって伊勢神宮とはいかなる処か。'93年は伊勢神宮の第61回の式年遷宮の年。二十年ごとの造替行事が千数百年も持続できたのはなぜか。世界にも稀な聖地といわれる神宮の歴史と日本人の英知を論述。

1068

大和朝廷　古代王権の成立
上田正昭著

大和朝廷が成立するまでを、邪馬台国を経て奈良盆地の三輪王権から河内王権への王朝交替説などで分析。葛城、蘇我や大伴、物部などの豪族と、大王家との権力争奪の実態を克明に解く。古代日本の王権確立の過程を解明した力作。

1191

幕末日本探訪記　江戸と北京
R・フォーチュン著／三宅　馨訳（解説・白幡洋三郎）

世界的プラントハンターの幕末日本探訪記。英国生まれの著名な園芸学者が幕末の長崎、江戸、北京を訪問。珍しい植物や風俗を旺盛な好奇心で紹介し、桜田門外の変や生麦事件の見聞も詳細に記した貴重な書。

1308

シュリーマン旅行記　清国・日本
H・シュリーマン著／石井和子訳

シュリーマンが見た興味尽きない幕末日本。世界的に知られるトロイア遺跡の発掘に先立つ世界旅行の途中で、日本を訪れたシュリーマン。執拗なまでの探究心と旺盛な情熱で幕末日本を活写した貴重な見聞記。

1325

東と西の語る日本の歴史
網野善彦著（解説・山折哲雄）

日本人は単一民族説にとらわれすぎていないか。日本列島の東と西に生きた人びとの生活や文化の差異が、歴史にどんな作用を及ぼしたかを根本から見直す網野史学の代表作。新たな視点で日本民族の歴史に迫る。

1343

英国外交官の見た幕末維新　リーズデイル卿回想録
A・B・ミットフォード著／長岡祥三訳

激動の時代を見たイギリス人の貴重な回想録。アーネスト・サトウと共に江戸の寺で生活をしながら、数々の事件を体験したイギリス公使館員の記録。徳川幕府崩壊の過程を見すえ、様々な要人と交った冒険の物語。

1349

日本の歴史・地理

内藤湖南《こなん》著（解説・桑原武夫）
日本文化史研究（上）（下）

日本文化は、中国文化圏の中にあって、中国文化の強い影響を受けながらも、日本独自の文化を形成してきた。著者はそれを深い学識と日中の歴史事実とを通して解明した。卓見あふれる日本文化論の名著。

76・77

平泉《ひらいずみ》澄《きよし》著
物語日本史（上）（中）（下）

著者が、一代の熱血と長年の学問・研究のすべてを傾けて、若き世代に贈る好著。真実の日本歴史とは何か、正しい日本人のあり方とは何かが平易に説かれ、人物中心の記述が歴史への興味をそそる。（全三巻）

348〜350

ニコライ著／中村健之介訳
ニコライの見た幕末日本

幕末・維新時代、わが国で布教につとめたロシアの宣教師ニコライの日本人論。歴史・宗教・風習を深くさぐり、鋭く分析して、日本人の精神の特質を見事に浮き彫りにした刮目すべき書である。本邦初訳。

393

下村寅太郎著
東郷平八郎

日本海海戦大勝という「世界史的驚異」を指揮した東郷平八郎とは何者か。秋山真之ら幕僚は卓抜な能力をどう発揮したか。哲学者の眼光をもって名将の本質を射抜き、日露海戦の精神史的意義を究明した刮目の名著。

563

若槻《わかつき》禮次郎《れいじろう》著（解説・伊藤　隆）
明治・大正・昭和政界秘史　古風庵回顧録

日本の議会政治隆盛期に、二度にわたり内閣総理大臣を務めた元宰相が語る回顧録。明治から昭和激動期まで中央政界にあった若槻が、親しかった政治家との交流や様々な抗争を冷徹な眼識で描く政界秘史。

619

和田英松著（校訂・所　功）
新訂**官職要解**《かんしょくようかい》

平安時代を中心に上代から中近世に至る我が国全官職の官名・職掌を漢籍や有職書によって説明するだけでなく、当時の日記・古文書・物語・和歌を縦横に駆使してその実態を具体的に例証した不朽の名著。

621

人生・教育

村井 実全訳・解説
アメリカ教育使節団報告書
戦後日本に民主主義を導入した決定的文献。臣民教育を否定し、戦後の我が国の民主主義教育を創出した不朽の原典。本書は、「戦後」を考え、今日の教育問題を考える際の第一級の現代史資料である。

253

小堀桂一郎訳・解説
森鷗外の『智恵袋』
文豪鷗外の著わした人生智にあふれる箴言集。世間へ船出する若者の心得、逆境での身の処し方、朋友・異性との交際法など、人生百般の実践的な教訓を満載。鷗外研究の第一人者による格調高い口語訳付き。

523

サミュエル・スマイルズ著／中村正直訳（解説・渡部昇一）
西国立志編《さいこくりっしへん》
原著『自助論』は、世界十数ヵ国語に訳されたベストセラーの書。「天は自ら助くる者を助く」という精神を思想的根幹とした、三百余人の成功立志談。福沢諭吉の『学問のすゝめ』と並ぶ明治の二大啓蒙書の一つ。

527

新渡戸稲造《にとべいなぞう》著（解説・佐藤全弘）
自警録《じけいろく》　心のもちかた
日本を代表する教育者であり国際人であった新渡戸稲造が、若い読者に人生の要諦を語りかける。人生の妙味はどこにあるか、広く世を渡る心がけは何か、全力主義は正しいのかなど、処世の指針を与える。

567

貝原益軒著／伊藤友信訳
養生訓《ようじょうくん》　全現代語訳
大儒益軒は八十三歳でまだ一本も歯が脱けていなかった。その全体験から、庶民のために日常の健康、飲食飲酒色欲洗浴用薬幼育養老鍼灸など、四百七十項に分けて、噛んで含めるように述べた養生の百科である。

577

小泉信三著（解説・阿川弘之）
平生《へいぜい》の心がけ
慶応義塾塾長を務め、「小泉先生」と誰からも敬愛された著者の平明にして力強い人生論。「知識と智慧」など日常の心支度を説いたものを始め、実際有用の助言に富む。一代の碩学が説く味わい深い人生の心得集。

852